VINGT-QUATRE HEURES PAR JOUR

Comité 24 heures enr.
C.P. 78, Succ. P.A.T.
Montréal, Québec, Canada
H1B 5K1

Tous droits réservés

Dépôt légal, 4e trimestre, 1980
Bibliothèque nationale du Québec
Bibliothèque nationale du Canada
ISBN-29800041-1-I

AVANT-PROPOS

"Vingt-quatre Heures par Jour" est destiné aux membres des Alcooliques Anonymes pour les aider dans leur programme qui consiste à ne vivre qu'une journée à la fois. Il est préparé à l'intention de ceux qui désirent commencer chaque journée par quelques minutes de méditation et de prière.

Ces lectures quotidiennes sont inspirées de la brochure "For Drunks Only" (Seulement pour les ivrognes) et de la littérature A.A.; on y trouve aussi des extraits du *gros livre "Alcooliques Anonymes"*.

Comme base des méditations contenues dans ce livre, l'auteur s'est servi de plusieurs passages du volume "God Calling (L'appel de Dieu) par Two Listeners publié par A.J. Russell. La permission de faire usage des pensées spirituelles universelles qui sont exprimées dans ce livre, sans citations directes, a été accordée par Dodd, Mead & Co., New York. La traduction française de "Twenty-Four Hours A Day" — "Vingt-quatre Heures par Jour" a été rédigée avec la permission de *"Hazelden Foundation"*, St. Paul, Minesota, U.S.A.

Nous espérons que ces lectures quotidiennes aideront les membres du mouvement Alcooliques Anonymes à trouver la force dont ils ont besoin pour rester sobres durant chaque période de vingt-quatre heures. Si nous ne prenons pas ce premier verre aujourd'hui nous ne le prendrons jamais, car c'est toujours aujourd'hui.

Admire ce jour,
Car il est la vie,
La vie même de la vie.
Tout est là, dans sa courte durée:
Toute la réalité, toute la vérité de l'existence,
La félicité de la croissance,
La splendeur de l'action,
La gloire de la puissance...

Car hier n'est qu'un rêve
Et demain n'est qu'une vision.
Mais aujourd'hui, bien vécu,
Fait de chaque hier un rêve de bonheur
Et de chaque demain une vision d'espoir.

Donc, vis ce jour avec confiance.

Proverbe sanscrit.

Quand j'ai connu le mouvement A.A. étais-je désespéré? Est-ce que j'avais l'âme malade? Étais-je tellement découragé de moi-même et de ma vie que je ne pouvais plus me regarder dans un miroir? Étais-je prêt à devenir membre des A.A.? Étais-je disposé à essayer tout ce qui pourrait m'aider à demeurer sobre et à surmonter le découragement de mon âme? *Oublierai-je jamais dans quelle condition j'étais?*

Méditation du jour

En cette nouvelle année, je vivrai une journée à la fois. Je ferai de chaque jour une préparation de choses meilleures encore à venir. Je ne me préoccuperai pas du passé ou de l'avenir, seulement du présent. Je chasserai toute crainte de l'avenir, toutes mes pensées sans bonté ou amères, toutes mes aversions, tous mes ressentiments, tous mes sentiments pessimistes, mes déceptions au sujet de moi-même et des autres, ma mélancolie et mon découragement. Je laisserai de côté toutes ces pensées et j'irai de l'avant, en cette nouvelle année, vers une nouvelle vie.

Prière du jour

Je demande à Dieu qu'Il me guide un jour à la fois en cette nouvelle année. Je demande que chaque jour Dieu me donne la force et la sagesse dont j'ai besoin.

Qu'est-ce qui rend efficace le programme A.A.? Je dois d'abord ressentir de la répulsion envers moi-même et envers mon mode de vie. Ensuite je dois admettre mon impuissance devant l'alcool. Vient ensuite le désir sincère de changer de vie. Je dois alors abandonner ma vie à une Puissance supérieure, remettre mon problème de boisson entre Ses mains et le laisser là. Ensuite, je devrais assister aux réunions régulièrement pour fraterniser et partager mon expérience. Je devrais aussi essayer d'aider d'autres alcooliques. *Est-ce que je fais toutes ces choses?*

Méditation du jour

L'homme est ainsi fait qu'il peut supporter seulement le poids de vingt-quatre heures, pas plus. Dès qu'il prend sur ses épaules le poids des années passées et des jours futurs, il écrase sous le fardeau. Dieu a promis de nous aider seulement pour le fardeau d'aujourd'hui. Si vous êtes assez sot pour vous charger du fardeau du passé, alors vraiment vous ne pouvez pas vous attendre à ce que Dieu vous aide à le porter. Oubliez donc le passé et appréciez le bienfait de chaque nouveau jour.

Prière du jour

Je demande que Dieu m'aide à comprendre que, pour le meilleur ou pour le pire, le passé est bien disparu. Je demande d'envisager chaque nouvelle journée, les prochaines vingt-quatre heures, avec espoir et courage.

Lorsque je suis entré dans le mouvement A.A. j'ai appris ce qu'est un alcoolique; je me suis alors appliqué cette connaissance à moi-même pour voir si j'étais un alcoolique. Quand je fus convaincu que j'en étais un, je l'admis ouvertement. Depuis lors, ai-je appris à vivre en conséquence? Ai-je lu le volume "Alcooliques Anonymes"? Me suis-je appliqué à moi-même les connaissances ainsi acquises? Ai-je admis ouvertement que je suis un alcoolique? *Suis-je prêt à l'admettre chaque fois que je peux aider quelqu'un?*

Méditation du jour

Je serai transformé. J'aurai une nouvelle vie. Pour cela j'ai besoin de l'aide de Dieu, Son Esprit descendra en moi et, en ce faisant, il fera disparaître toute l'amertume de mon passé. Je trouverai le courage nécessaire. J'avancerai dans la bonne voie. Chaque jour produira quelque chose de bon, aussi longtemps que j'essaierai de vivre comme je crois que Dieu veut que je vive.

Prière du jour

Je demande à Dieu qu'Il m'instruise comme on instruit un petit enfant. Je demande qu'il me soit accordé de ne jamais mettre en doute les plans de Dieu, mais de les accepter avec joie.

Ai-je admis que je suis un alcoolique? Ai-je mis mon orgueil de côté et admis que je suis différent des buveurs ordinaires? Ai-je accepté le fait que je dois passer le reste de ma vie sans prendre d'alcool? Ai-je gardé certaines restrictions, une certaine idée secrète qui me laisse croire qu'un jour je pourrai boire sans danger? Suis-je absolument honnête avec moi-même et ai-je admis le tort que j'ai causé? Ai-je avoué mes torts à mes amis? *Ai-je essayé de m'excuser auprès d'eux pour ma mauvaise conduite envers eux?*

Méditation du jour

Je croirai que fondamentalement tout est pour le mieux. Les choses tourneront bien pour moi. Je crois que Dieu m'aime et qu'Il pourvoira à mes besoins. Je n'essaierai pas de faire des projets pour l'avenir. Je sais que le chemin me sera indiqué petit à petit. Je laisserai les soucis du lendemain à Dieu parce que je sais qu'Il y verra à ma place. Il me demande de porter seulement mon fardeau d'une seule journée.

Prière du jour

Je demande de ne pas essayer de porter tous les fardeaux du monde sur mes épaules. Je demande d'être satisfait de faire ma part chaque jour.

Ai-je demandé de l'aide à une Puissance supérieure? Est-ce que je crois que chaque homme ou chaque femme que je rencontre dans le mouvement A.A. est un témoignage de la puissance de Dieu pour transformer un être humain et faire d'un buveur un citoyen sobre et utile? Est-ce que je crois que cette Puissance supérieure peut me garder sobre? Est-ce que je vis un jour à la fois? Est-ce que je demande à Dieu de me donner la force de rester sobre durant chaque période de vingt-quatre heures? *Est-ce que j'assiste aux réunions régulièrement?*

Méditation du jour

Je crois que la présence de Dieu apporte la paix et que cette paix, comme le cours tranquille d'une rivière, nettoiera toute saleté sur son passage. Dans ces moments de tranquillité, Dieu m'enseignera comment calmer mes nerfs. Je ne craindrai pas. J'apprendrai comment me détendre. Quand je serai détendu, la force de Dieu pénétrera en moi. Je retrouverai la paix.

Prière du jour

Je demande d'obtenir cette paix qui dépasse toute compréhension. Je demande cette paix que le monde ne peut ni donner ni enlever.

Demeurer sobre, voilà pour moi la chose la plus importante de ma vie. La décision la plus importante que j'ai jamais prise fut celle d'arrêter de boire. Je suis convaincu que ma vie toute entière dépend de mon refus de prendre ce premier verre. Rien au monde n'est plus important pour moi que ma propre sobriété. Tout ce que j'ai, ma vie toute entière, dépend de cette seule résolution. *Puis-je jamais me permettre de l'oublier, ne fut-ce qu'un seul instant?*

Méditation du jour

Je me disciplinerai moi-même. Je le ferai dès maintenant. Je chasserai toutes mes pensées inutiles. Je sais que la qualité de ma vie est la base nécessaire de mon utilité. J'accepterai cette discipline parce que sans elle Dieu ne peut me donner Sa puissance. Je crois que cette puissance est considérable lorsqu'elle est employée à bon escient.

Prière du jour

Je demande d'accepter toute discipline qui peut m'être nécessaire. Je demande d'être apte à recevoir la puissance de Dieu dans ma vie.

Quand la tentation m'assaillira comme elle le fait parfois pour chacun de nous, je me dirai à moi-même: "Non, ma vie toute entière dépend de ma décision de ne pas prendre ce verre, et rien au monde ne peut me le faire prendre. De plus, j'ai promis à cette Puissance supérieure que je ne le ferais pas. Je sais que Dieu ne veut pas que je boive et je ne trahirai pas ma promesse à Dieu. J'ai abandonné mon droit de boire et une telle décision ne m'appartient plus." *Ai-je fait mon choix une fois pour toutes, afin de ne plus revenir sur ma parole?*

Méditation du jour

C'est dans le silence que la voix de Dieu se fait entendre à notre coeur. Personne ne peut dire à quel moment elle se révèle à notre coeur. On ne s'en rend compte que par ses résultats. La parole de Dieu atteint les recoins de mon coeur, et, au moment de la tentation, je retrouve cette parole et j'en perçois la valeur pour la première fois. Quand j'en ai besoin, elle est là. "Votre Père qui voit dans le secret vous récompensera au grand jour"

Prière du jour

Je demande de comprendre la signification de Dieu dans ma vie. Je demande d'accepter avec joie l'enseignement qui me vient de Dieu.

Toute personne qui devient membre des A.A. sait par une cruelle expérience, qu'il (ou qu'elle) ne peut pas boire. Je sais que la boisson a été la cause de mes plus grandes difficultés ou qu'elle les a aggravées. À présent que j'ai trouvé le remède, je me cramponnerai de mes deux mains au mouvement A.A. Saint Paul a dit que rien au monde, ni les puissances ni les principautés, ni la vie ni la mort ne pourraient le séparer de l'amour de Dieu. *Une fois que j'ai remis mon problème de boisson entre les mains de Dieu, devrais-je laisser quoi que ce soit me séparer de ma sobriété?*

Méditation du jour

Je sais que ma nouvelle vie ne sera pas exempte de difficultés, mais je serai en paix, même dans les difficultés. Je sais que la sérénité est le résultat de l'acceptation confiante et fidèle de la volonté de Dieu, même au milieu des difficultés. Saint Paul a dit: "Nos petites afflictions, qui ne durent qu'un moment, nous préparent une gloire éternelle."

Prière du jour

Je demande d'accepter les difficultés. Je demande qu'elles mettent ma force à l'épreuve et façonnent mon caractère.

Lorsque nous buvions, pour la plupart d'entre nous, nous ne croyions à rien. Nous avons pu dire que nous croyions en Dieu, mais nous n'agissions pas en conséquence. Nous ne demandions jamais honnêtement à Dieu de nous aider et nous n'avons jamais réellement accepté Son aide. Pour nous la foi ressemblait à de l'impuissance. Mais lorsque nous sommes devenus membres des A.A. nous avons commencé à avoir la foi en Dieu. Et nous avons découvert que la foi nous donnait la force dont nous avions besoin pour triompher de la boisson. *Ai-je appris qu'il y a de la force dans la foi?*

Méditation du jour

Je conserverai ma foi, quoi qu'il m'arrive. Je serai patient même au milieu des difficultés. Je ne craindrai pas l'énervement de la vie, parce que je crois que Dieu connaît ma force. J'aurai confiance en l'avenir. Je sais que Dieu n'exigera pas de moi quelque chose qui pourrait m'accabler ou me détruire.

Prière du jour

Je demande de confier cette journée à Dieu. Je demande la foi, afin que rien ne vienne me bouleverser ou affaiblir ma détermination de rester sobre.

Quand nous buvions, pour la plupart d'entre nous, nous étions remplis d'orgueil et d'égoïsme. Nous croyions que nous pouvions régler nos propres affaires, même si nous étions en train de gâcher nos vies. Nous étions très obstinés et nous n'aimions pas à recevoir des conseils. Nous étions froissés quand quelqu'un s'avisait de nous dire quoi faire. Pour nous l'humilité ressemblait à de la faiblesse. Mais lorsque nous avons connu les A.A. nous avons commencé à devenir humbles. Et nous avons découvert que l'humilité nous donnait la force dont nous avions besoin pour triompher de la boisson. *Ai-je appris qu'il y a de la puissance dans l'humilité?*

Méditation du jour

J'irai vers Dieu en toute confiance, et Il me donnera un nouveau mode de vie. Ce nouveau mode de vie changera toute mon existence, mes paroles et mon influence. Elles jailliront de ma vie intérieure. Je comprends l'importance du travail d'une personne qui possède ce nouveau mode de vie. Les paroles et l'exemple d'une telle personne peuvent avoir dans l'univers une grande influence pour le bien.

Prière du jour

Je demande d'apprendre les principes d'une vie meilleure. Je demande de méditer ces principes et de les mettre en pratique parce qu'ils sont éternels.

Quand nous buvions, pour la plupart d'entre nous, nous ne pensions pas à aider les autres. Nous aimions payer un verre aux copains, parce que nous pensions ainsi donner l'impression d'être riches. Mais nous nous servions des gens pour notre propre plaisir seulement. Il ne nous serait jamais venu à l'idée d'aller aider quelqu'un qui était réellement dans le besoin. Pour nous, aider les autres c'était être le fou de la farce. Mais après avoir connu les A.A., nous avons commencé à essayer d'aider les autres. Et nous avons découvert que nous éprouvions du bonheur à aider nos semblables et que cela nous aidait aussi à rester sobres. *Ai-je appris qu'il y a du bonheur à aider les autres?*

Méditation du jour

Je prierai seulement pour demander la force qui m'est nécessaire et pour que la volonté de Dieu soit faite. Je me servirai de la puissance sans limite de Dieu lorsque j'en aurai besoin. Je chercherai à connaître la volonté de Dieu en ce qui me concerne. Je m'efforcerai d'être conscient de la présence de Dieu, car Il est la lumière du monde. Je suis devenu un pèlerin et je n'ai besoin que de savoir où aller et d'obtenir la force de suivre mes directives durant la présente journée.

Prière du jour

Je demande à Dieu de m'éclairer jour après jour. Je demande à Dieu d'essayer de demeurer toujours en Sa présence.

Plus longtemps nous sommes dans le mouvement A.A., plus cette méthode nous semble naturelle. Notre passé de buveur n'était pas du tout un mode de vie naturel. Notre présente vie de sobriété est le mode de vie le plus naturel qui soit. Durant nos premières années de boisson, nos vies n'étaient pas tellement différentes de celles de beaucoup d'autres gens. Mais plus nous devenions des buveurs à problèmes, plus nos vies devenaient anormales. *Est-ce que je constate maintenant que les choses que je faisais alors étaient loin d'être naturelles?*

Méditation du jour

Je remercierai Dieu pour tout, même pour ce qui semble des épreuves ou des soucis. J'essaierai d'être reconnaissant et humble. Toute mon attitude envers la Puissance supérieure en sera une de gratitude. Je me réjouirai de ce que j'aurai reçu. Je révélerai à d'autres ce que Dieu m'inspire. Je crois que je connaîtrai des vérités plus profondes à mesure que j'avancerai dans ce nouveau mode de vie.

Prière du jour

Je demande d'être reconnaissant pour les choses qui m'ont été accordées et que je ne mérite pas. Je demande que cette gratitude me rende réellement humble.

Quand nous buvions nous menions une vie anormale tant au point de vue physique que mental. Nous épuisions nos corps en les chargeant d'alcool. Nous ne mangions pas suffisamment et nous mangions ce que nous n'aurions pas dû manger. Nous n'avions pas suffisamment de sommeil ou bien celui que nous prenions ne nous apportait pas le repos. Nous nous ruinions nous-mêmes physiquement. L'alcool était pour nous une obsession et nous ne pouvions pas imaginer la vie sans alcool. Nous avions toutes sortes d'idées plus saugrenues les unes que les autres à notre propre sujet et au sujet des autres. Nous nous ruinions nous-mêmes mentalement. *Depuis que je suis entré dans le mouvement A.A. ma santé est-elle meilleure physiquement et mentalement?*

Méditation du jour

Je crois que ma vie est purifiée comme l'or dans le creuset. L'or ne reste pas toujours dans le creuset; il n'y reste que pour y être purifié. Je ne me laisserai jamais aller au désespoir ou au découragement. J'ai maintenant des amis qui désirent ardemment ma victoire. Si je faillissais à la tâche, je leur causerais du désappointement et de la peine. Je vais donc continuer d'essayer à vivre une vie meilleure.

Prière du jour

Je demande de toujours prier Dieu de me donner Sa force tandis que l'or de ma vie est purifié. Je demande qu'avec l'aide de Dieu je tienne le coup.

À nos débuts dans le mouvement A.A., une vie de sobriété nous semblait une chose étrange. Nous nous demandions ce que pouvait bien être une vie sans boisson. Une vie de sobriété nous paraissait alors anormale. Mais plus nous persévérons chez les A.A., plus ce nouveau mode de vie nous semble normal. Et maintenant nous savons que la vie que nous menons dans A.A., la sobriété, la fraternité, la foi en Dieu et la bonne volonté que nous mettons à nous entraider les uns les autres, est la manière de vivre la plus naturelle que l'on puisse trouver. *Est-ce que je crois que ce mode de vie est celui que Dieu désire pour moi?*

Méditation du jour

J'apprendrai à me maîtriser, parce que chaque coup porté à mon égoïsme sert à former ma vraie personnalité, celle que je garderai éternellement. À mesure que je triomphe de moi-même, j'obtiens cette puissance que Dieu dépose dans mon âme. Moi aussi, je serai victorieux. Ce n'est pas tant les difficultés de la vie que je dois vaincre, que mon propre égoïsme.

Prière du jour

Je demande d'obéir à Dieu, d'avancer avec Lui et d'écouter Sa voix. Je demande d'essayer de dominer mon égoïsme.

La méthode A.A. est un mode de vie. Et nous devons apprendre à vivre selon cette méthode si nous voulons garder notre sobriété. Les douze étapes suggérées dans le *"gros livre"* sont comme des poteaux indicateurs. Ils nous indiquent la route à suivre. Mais chaque membre doit découvrir quelle est pour lui-même la meilleure manière de vivre ce programme. Nous ne procédons pas tous exactement de la même façon. Que ce soit par la méditation, le matin, par des réunions ou en aidant les autres ou en diffusant le message, il nous faut apprendre à vivre selon cette méthode. *La méthode A.A. est-elle devenue pour moi un mode de vie régulier et normal?*

Méditation du jour

Je me défendrai et je ne serai pas angoissé. Je n'aurai pas de crainte parce que je sais que tout finira par s'arranger. J'apprendrai ce qu'est l'équilibre de l'âme et le calme dans un monde instable et changeant. Je réclamerai le pouvoir de Dieu et je m'en servirai parce que si je ne le fais pas il me sera enlevé. Aussi longtemps que j'irai vers Dieu pour renouveler mes forces après chaque tâche, aucun travail ne me paraîtra trop difficile.

Prière du jour

Je demande de me défendre et que Dieu me donne la force nécessaire. Je demande de soumettre ma volonté à la volonté de Dieu et d'être libéré de toute tension nerveuse.

Le programme A.A. est une méthode de trouver une nouvelle vie encore plus qu'un moyen de nous arrêter de boire. Dans le mouvement A.A. nous ne cessons pas seulement de boire. Nous avons arrêté de boire plusieurs fois dans le passé pendant certaines périodes de "sécheresse". Et, bien entendu, nous retombions toujours, nous n'attendions que ce moment-là. Mais, une fois que nous sommes devenus sobres avec l'aide des A.A., nous avons commencé à remonter la côte. Autrefois, quand nous buvions nous descendions la côte, notre état s'aggravant toujours. Il nous faut monter ou descendre. *Est-ce que je remonte la côte, m'améliorant sans cesse?*

Méditation du jour

J'essaierai d'obéir à la volonté de Dieu jour après jour, aussi bien dans les déserts arides qu'au sommet de mon expérience. C'est dans la lutte quotidienne que la persévérance compte. Je crois que Dieu est le Seigneur des petites choses, le divin Maître des petits événements. Je persévérerai dans ce nouveau mode de vie. Je sais que rien de ce qui arrive dans une journée n'est trop petit pour faire partie du plan de Dieu.

Prière du jour

Je demande que les petites pierres que je place dans la mosaïque de ma vie forment un tableau de valeur. Je demande de trouver, par ma persévérance, de l'harmonie et de la beauté.

Cela ne nous aide pas beaucoup de venir aux réunions seulement une fois de temps en temps et de rester bien assis, dans l'espoir de retirer quelque chose de cette méthode. C'est compréhensible au début, mais cela ne nous sera pas utile pour bien longtemps. Tôt ou tard nous devons passer aux actes, nous devons assister aux réunions avec régularité, nous devons apporter notre expérience personnelle au sujet de l'alcool dans le but d'aider d'autres alcooliques. La reconstruction de notre nouvelle vie demande autant d'énergie que nous en avons dépensé à boire. *Est-ce que je consacre au moins autant de temps et d'énergie à cette nouvelle vie que j'essaie d'obtenir dans le mouvement A.A.?*

Méditation du jour

Avec l'aide de Dieu, je construirai autour de moi un écran protecteur qui éloignera de moi toutes les mauvaises pensées. Je le façonnerai par mon attitude envers Dieu et envers les humains. Lorsqu'une pensée d'inquiétude ou d'impatience entrera dans mon esprit je la chasserai aussitôt. Je sais que l'amour et la confiance font disparaître les soucis et l'irritation de la vie. Je m'en servirai comme d'un écran protecteur autour de moi.

Prière du jour

Je demande que l'irritation, l'impatience et les soucis ne viennent pas détruire mon écran protecteur contre les pensées négatives. Je demande de bannir ces éléments de ma vie.

Cette nouvelle vie ne peut s'obtenir en un jour. Nous devons assimiler ce programme lentement, petit à petit. Notre subconscient doit être rééduqué. Nous devons apprendre à penser différemment. Nous devons nous habituer à penser sobrement plutôt qu'en alcooliques. Quiconque en fait l'expérience sait que notre ancienne façon alcoolique de penser peut nous revenir au moment où nous nous y attendons le moins. Le développement d'une nouvelle vie est un procédé lent mais il est possible si nous suivons vraiment le programme A.A. *Suis-je en train de me préparer une vie nouvelle à base de sobriété?*

Méditation du jour

Je prierai chaque jour afin d'obtenir la foi, car elle est un don de Dieu. C'est seulement par la foi que mes prières seront exaucées. Dieu me donne la foi en réponse à mes prières parce qu'elle est une arme qui m'est nécessaire pour triompher de toutes les conditions défavorables et pour l'accomplissement de tout ce qui est bien dans ma vie. Par conséquent, je travaillerai à rendre ma foi plus forte.

Prière du jour

Je demande de penser et de vivre de manière à alimenter ma foi en Dieu. Je demande que ma foi s'améliore parce que, avec la foi, la Puissance de Dieu me devient accessible.

Sur le fondement de la sobriété, nous pouvons construire une vie d'honnêteté, de générosité, de confiance en Dieu, d'amour de notre prochain. Nous n'atteindrons jamais parfaitement ce but, mais l'aventure de développer cette sorte de vie est tellement préférable au carrousel de notre ancienne vie de buveurs qu'il n'y a aucune comparaison possible. Nous venons au mouvement A.A. pour devenir sobres, mais si nous y restons assez longtemps, nous connaissons un nouveau mode de vie. Nous devenons honnêtes avec nous-mêmes et les autres. Nous apprenons à penser aux autres plus qu'à nous-mêmes. Et nous apprenons à nous fier à l'aide constante d'une Puissance supérieure. *Est-ce que ma vie repose sur des principes d'honnêteté, de générosité et de foi?*

Méditation du jour

Je crois que Dieu avait déjà vu les besoins de mon coeur avant ma demande de son aide, même avant que j'en eusse pris conscience moi-même. Je crois que Dieu se préparait déjà à m'exaucer. Dieu n'a pas besoin d'attendre nos supplications, nos larmes et nos prières avant de nous accorder à contre-coeur l'aide dont nous avons besoin. Il a déjà anticipé chacun de mes désirs et de mes besoins. J'essaierai de me rendre compte de ce fait à mesure que les plans de Dieu se précisent dans ma vie.

Prière du jour

Je demande de comprendre mes véritables besoins. Je demande que ma compréhension de ces besoins puisse m'aider à trouver la solution nécessaire.

Dans le mouvement A.A., nous avons rejeté le mensonge, les gueules de bois, les remords et le gaspillage d'argent. Quand nous buvions nous n'étions qu'à moitié vivants. La vie a pour nous une nouvelle signification, de sorte que nous pouvons en profiter pleinement. Nous croyons que nous pouvons être utiles en ce monde. Nous sommes maintenant du bon côté de la clôture et non plus du mauvais côté, comme autrefois. Nous pouvons regarder le monde en face au lieu de nous cacher dans les ruelles. Nous venons au mouvement A.A. pour devenir sobres, mais si nous y restons assez longtemps nous y trouvons une nouvelle façon de vivre. *Suis-je convaincu que, malgré le plaisir que j'ai éprouvé à boire, ma vie n'a jamais été aussi bonne que celle que je peux édifier dans le mouvement A.A.?*

Méditation du jour

Je désire ne faire qu'un avec l'Esprit divin de l'univers. Mes plus profondes affections iront aux choses spirituelles et non aux choses matérielles. L'homme est le reflet de sa pensée. Je désirerai donc ce qui aidera à mon perfectionnement spirituel et non pas ce qui lui nuira. J'essaierai de ne faire qu'un avec Dieu. Aucune aspiration humaine ne peut atteindre un plus haut sommet.

Prière du jour

Je demande de penser en termes d'amour et l'amour m'entourera. Je demande de penser en termes de santé et la santé me sera donnée.

Pour comprendre le programme A.A., il nous faut bien réfléchir. Saint Paul a dit: "Ils sont transformés par le renouvellement de leur pensée." Il nous faut apprendre à penser juste. Il nous faut changer notre pensée alcoolique en une pensée sobre. Il nous faut développer une nouvelle manière de voir la vie. Avant d'entrer dans le mouvement A.A., nous recherchions une vie artificielle, une vie agitée, et tout ce qui s'identifie avec la boisson. Ce genre de vie nous paraissait alors normal. Mais quand nous passons en revue notre passé, nous nous apercevons que cette vie était plutôt le contraire d'une vie normale. Nous devons rééduquer notre esprit. *Est-ce que je me transforme du penseur anormal que j'étais en un penseur normal?*

Méditation du jour

J'entreprendrai la journée la plus encombrée sans crainte. Je crois que Dieu est avec moi et qu'Il gouverne tout. Je laisserai ma confiance régner sur les tracas de cette journée. Je ne me ferai pas de soucis parce que je sais que Dieu est mon aide. Je sais qu'Il me tend toujours Ses bras pour me soutenir. Je m'y reposerai, même si ma journée est très chargée.

Prière du jour

Je demande de rester calme et de ne rien laisser me bouleverser. Je demande de ne pas laisser les choses matérielles me dominer et étouffer mes aspirations spirituelles.

Au début, vous désirez la sobriété mais vous êtes impuissant; alors vous vous tournez vers une Puissance supérieure à vous-même et, en plaçant votre confiance en cette Puissance, vous obtenez la force d'arrêter de boire. À partir de ce moment-là vous désirez rester sobre et il s'agit alors de la rééducation de votre esprit. Après un certain temps, vous commencez à apprécier réellement le plaisir de vivre une vie simple et normale. Vous goûtez pleinement la joie de vivre sans le stimulant artificiel de l'alcool. Pour vous convaincre, il vous suffit d'observer les membres de n'importe quel groupe A.A. et vous vous apercevrez de leur changement d'attitude. *Ma façon d'envisager la vie a-t-elle changé?*

Méditation du jour

Je n'oublierai jamais de remercier Dieu, même par les jours les plus sombres. Ma disposition d'esprit en sera une d'humilité et de gratitude. Dire merci à Dieu est une pratique quotidienne absolument indispensable. Si on passe un jour sans remercier Dieu, il faut répéter cette pratique jusqu'à ce qu'elle devienne une habitude. La gratitude est une nécessité pour ceux qui essaient de vivre une vie meilleure.

Prière du jour

Je demande que la reconnaissance m'apporte l'humilité. Je demande que l'humilité m'aide à vivre une vie meilleure.

L'alcoolique est une personne que la boisson a conduite à une impasse. Son expérience de buveur ne lui a rien appris. Il refait toujours les mêmes erreurs et subit les mêmes conséquences. Il refuse d'admettre qu'il est un alcoolique. Il pense encore qu'il peut dominer la boisson. Il ne veut pas mettre son orgueil de côté et admettre qu'il est différent des buveurs ordinaires. Il ne veut pas envisager le fait qu'il doit désormais vivre sans alcool. Il ne peut pas se représenter la vie sans boisson. *Suis-je sorti de cette impasse?*

Méditation du jour

Je crois que Dieu est tout-puissant. Il peut nous donner Sa puissance ou nous la retirer. Mais Il ne la retirera pas à la personne qui s'appuie sur Lui parce que la grâce passe alors insensiblement de Dieu à cette personne. Elle est recueillie par la personne qui vit en présence de Dieu. J'apprendrai à vivre en présence de Dieu et alors je recevrai ce que je désire obtenir de Lui: la force, la puissance et la joie. La puissance de Dieu est accessible à ceux qui en ont besoin et qui veulent bien l'accepter.

Prière du jour

Je demande de tenir mon égoïsme à l'écart pour que la puissance de Dieu descende en moi. Je demande de capituler devant cette puissance.

L'alcoolique qui vit dans une impasse refuse d'être réellement honnête envers lui-même et envers les autres. Il fuit la vie et refuse d'envisager les choses telles qu'elles sont. Il ne veut pas renoncer à ses ressentiments. Il est trop sensible et s'offusque trop facilement. Il ne veut pas essayer de ne pas être égoïste. Il continue à tout désirer pour lui-même. Et peut importe ses expériences désastreuses dans le domaine de l'alcool, il recommence encore et toujours. Il n'y a qu'une manière de sortir de cette vie désordonnée, et c'est de changer votre manière de penser. *Ai-je changé ma manière de penser?*

Méditation du jour

Je sais que l'inspiration et la force qui me viennent de Dieu sont sans limite, en ce qui concerne les choses spirituelles. Mais pour les choses temporelles et matérielles je dois me soumettre à des restrictions. Je sais que je ne peux voir bien loin devant moi. Je dois avancer un pas seulement à la fois parce que Dieu ne m'accorde pas de voir bien loin. Je vogue sur des eaux inexplorées, limité que je suis par ma vie dans le temps et l'espace, mais sans limite quant à ma vie spirituelle.

Prière du jour

Je demande qu'en dépit de mes restrictions matérielles j'accomplisse les desseins de Dieu. Je demande de comprendre que la volonté de Dieu, c'est la liberté parfaite.

Nous avions l'habitude de nous fier à la boisson pour accomplir bien des choses. Nous comptions sur la boisson pour nous aider à être joyeux. Elle nous donnait des sensations spéciales. Notre gêne disparaissait et cela nous aidait à nous amuser. Nous comptions sur l'alcool pour nous consoler quand nous étions déprimés. Si nous avions mal aux dents ou la gueule de bois, nous nous sentions mieux après quelques verres. Nous comptions sur l'alcool pour nous aider quand nous étions découragés. Si la journée avait été difficile au bureau ou si nous nous étions disputés avec notre femme ou si tout semblait contre nous, nous nous sentions mieux sous l'influence de l'alcool. Pour nous les alcooliques, nous en sommes venus à compter sur l'alcool dans presque toutes les circonstances. *Ai-je mis fin à ma dépendance de l'alcool?*

Méditation du jour

Je crois que l'abandon complet de ma vie à Dieu est le fondement de la sérénité. Dieu a préparé pour nous plusieurs demeures. Je ne considère pas cette promesse seulemen pour la vie future. Je ne considère pas cette vie comme une période remplie de difficultés que nous subissons pour obtenir des récompenses après la mort. Je crois que le royaume de Dieu est en nous et que nous pouvons jouir de la ''vie éternelle'' dès ici-bas.

Prière du jour

Je demande d'essayer d'accomplir la volonté de Dieu. Je demande d'obtenir une compréhension, une perspicacité et une inspiration qui me permettent de trouver la vie éternelle dès maintenant.

À mesure que nous devenons alcooliques, les mauvais effets de l'alcool prennent le dessus sur les bons. Mais le plus étrange est que malgré ces effets néfastes, la perte de notre santé, de nos emplois, de notre argent ou de nos foyers, nous ne rejetions pas l'alcool et nous comptions sur lui. Notre dépendance de l'alcool était devenue une obsession. Dans le mouvement A.A., nous découvrons une nouvelle façon de voir la vie. Nous apprenons à abandonner notre manière alcoolique de penser pour penser sobrement. Et nous nous apercevons que nous ne pouvons plus nous fier à l'alcool pour quoi que ce soit. Nous comptons désormais sur une Puissance supérieure. *Ai-je renoncé entièrement à compter sur l'alcool?*

Méditation du jour

J'essaierai de garder le calme dans ma vie. Ma grande tâche est de trouver la paix et d'acquérir la sérénité. Je ne garderai aucune pensée qui pourrait me troubler. Malgré les craintes, les tracas et les ressentiments qui m'assaillent, je dois essayer d'avoir des pensées positives jusqu'à ce que je retrouve le calme. C'est seulement quand je suis calme que je peux servir d'intermédiaire à l'esprit de Dieu.

Prière du jour

Je demande de bâtir au lieu de démolir. Je demande d'agir de façon constructive et jamais destructive.

L'alcoolique porte un terrible fardeau. Quel fardeau il se met sur les épaules lorsqu'il ment! La boisson fait de nous tous, alcooliques, des menteurs. Pour nous procurer l'alcool que nous désirons, il nous faut mentir continuellement. Nous devons mentir au sujet des endroits où nous sommes allés et de ce que nous avons fait. Un homme qui ment ne vit qu'à moitié parce qu'il éprouve la crainte continuelle d'être découvert. Quand vous entrez dans le mouvement A.A. et quand vous devenez sincère envers vous-même et les autres, ce terrible fardeau tombe de vos épaules. *Me suis-je débarrassé de ce fardeau du mensonge?*

Méditation du jour

Je crois que dans le monde spirituel comme dans le nonde matériel, il n'y a pas d'espace vide. À mesure que les craintes, les soucis et les ressentiments disparaissent de ma vie, les choses spirituelles les remplacent. C'est le calme après la tempête. Dès que je suis débarrassé de mes craintes, de mes haines et de mon égoïsme, l'amour et la paix de Dieu peuvent pénétrer en moi.

Prière du jour

Je demande d'être débarrassé de toute crainte et de toute rancune pour que la paix et la sérénité les remplacent. Je demande que tout ce qu'il y a de méchant en moi soit balayé et remplacé par le bien.

Les reliquats des cuites, quel fardeau! Par quels châtiments physiques avons-nous passé. Les maux de tête, les nerfs irrités, les tremblements, les sueurs froides et chaudes! Quand vous entrez dans le mouvement A.A. et quand vous arrêtez de boire, ce terrible fardeau, occasionné par les gueules de bois, disparaît soudainement de vos épaules. Qu'il est lourd à porter le fardeau du remords! Ce terrible châtiment mental par lequel nous avons tous passé. Nous avions honte des choses que nous avions faites et dites. Nous craignions d'envisager les gens à cause de ce qu'ils pouvaient penser de nous. Nous craignions les conséquences de ce que nous avions fait lorsque nous étions ivres. Quelle terrible torture pour notre esprit! Quand vous faites partie des A.A. ce terrible fardeau du remords disparaît. *Me suis-je débarrassé de ces fardeaux que sont les remords et les gueules de bois?*

Méditation du jour

Quand un homme cherche à suivre la voie divine, cela signifie la plupart du temps un revirement complet par rapport à la vie mondaine qu'il menait jusque-là. Mais c'est un changement qui conduit au bonheur et à la paix. Est-ce que le but et les ambitions qu'un homme poursuit d'habitude lui apportent la paix? Les récompenses qui lui viennent du monde lui apportent-elles le repos du coeur et le bonheur? Ou lui laissent-elles un goût amer?

Prière du jour

Je demande de ne pas me sentir fatigué, déçu ou frustré. Je demande de ne pas mettre ma confiance dans les idées mondaines mais bien dans les principes spirituels.

Quel fardeau que le gaspillage d'argent! On dit que les membres A.A. ont payé les frais d'initiation les plus élevés au monde, parce que nous avons tant dépensé pour boire. Nous ne serons jamais capables de déterminer exactement combien. Nous ne dépensions pas seulement notre argent, mais aussi celui qui aurait dû servir au bien-être de nos familles. Quand nous sommes venus au mouvement A.A. nous avons été libérés de ce terrible fardeau du gaspillage d'argent. Nous, les alcooliques, nous courbions les épaules sous le poids de tous ces fardeaux dont la boisson nous écrasait. Mais à notre arrivée chez les A.A. nous acquérons cette merveilleuse sensation de délivrance et de liberté. *Puis-je maintenant me redresser et regarder de nouveau les gens en face?*

Méditation du jour

Je crois que l'avenir est entre les mains de Dieu. Il sait mieux que moi ce que l'avenir me réserve. Je ne suis pas à la merci du destin, ni malmené par la vie. On me conduit d'une manière bien définie, alors que j'essaie de refaire ma vie. Je construis, mais Dieu est l'architecte. C'est à moi de construire de mon mieux, sous Sa direction.

Prière du jour

Je demande de dépendre de Dieu parce que c'est Lui qui a tracé les plans de ma vie. Je demande de vivre ma vie comme je crois que Dieu désire que je la vive.

La vie du buveur n'est pas une vie heureuse. La boisson vous sépare de vos semblables et de Dieu. Une des pires choses pour un buveur, c'est la solitude. Et une des meilleures choses chez les A.A., c'est la fraternité. La boisson vous sépare des autres, du moins de ceux qui vous touchent de près, votre femme et vos enfants, votre famille et vos vrais amis. Peu importe combien vous les aimez, par votre boisson vous élevez un mur entre eux et vous. Il ne peut y avoir aucune intimité véritable entre vous. Comme résultat, vous vous sentez terriblement seul. *Me suis-je libéré de ma solitude?*

Méditation du jour

De temps à autre je me retirerai à l'écart dans un lieu paisible de retraite avec Dieu. Je trouverai alors repos, soulagement et force. Je ferai des préparatifs en vue de me retirer à l'écart de temps à autre; je m'entretiendrai alors avec Dieu et je me relèverai reposé et prêt à entreprendre le travail que Dieu m'a donné à accomplir. Je sais que Dieu ne me demandera jamais de porter un fardeau trop lourd pour mes épaules. C'est dans la sérénité et la paix que se trouve le vrai succès.

Prière du jour

Je demande d'augmenter la force de ma vie intérieure afin de trouver la sérénité. Je demande que mon âme soit restaurée dans la quiétude et la paix.

La boisson nous sépare de Dieu. Peu importe comment vous avez été élevé, peu importe à quelle religion vous appartenez, peu importe si vous affirmez que vous croyez en Dieu, malgré tout cela, en buvant vous élevez un mur entre vous et Dieu. Vous savez que vous ne vivez pas comme Dieu veut que vous viviez. Comme résultat, vous éprouvez ces remords terribles. Quand vous entrez dans le mouvement A.A., vous commencez à réparer vos torts envers les hommes et envers Dieu. Une vie sobre est une vie heureuse, parce qu'en cessant de boire nous nous sommes débarrassés de notre solitude et de nos remords. *Suis-je vraiment associé aux autres et à Dieu?*

Méditation du jour

Je crois que tous mes sacrifices et tout ce que j'ai à souffrir ont de la valeur pour moi. Lorsque je souffre, je suis mis à l'épreuve. Puis-je avoir confiance en Dieu, même si je me sens déprimé? Puis-je dire "que Votre volonté soit faite", même si je me sens abattu? Si je le peux, ma foi est réelle et pratique. Son travail s'accomplit dans ma joie comme dans mes épreuves. La Volonté divine agit d'une façon que je ne peux comprendre, mais je peux avoir confiance en Elle.

Prière du jour

Je demande d'accepter mes souffrances sans difficulté. Je demande d'accepter la douleur et la défaite comme faisant partie du plan de Dieu pour mon développement spirituel.

Quand nous pensons à la boisson, nous pensons au plaisir qu'elle va nous procurer, à l'évasion de l'ennui, à une chose qui nous permet de nous sentir importants et à la compagnie d'autres buveurs. Ce que nous oublions, c'est la déception, la gueule de bois, le remords, le gaspillage d'argent et l'angoisse d'avoir à faire face à une autre journée. Autrement dit, quand nous pensons à ce premier verre, nous pensons à tous ses avantages et nous oublions toutes ses mauvaises conséquences. L'alcool nous offre-t-il vraiment quelque chose que nous ne pourrons trouver dans le mouvement A.A.? *Est-ce que je crois que les difficultés que m'apporte l'alcool surpassent ses avantages?*

Méditation du jour

Chaque jour je commencerai une nouvelle vie. Je vais mettre de côté toutes mes erreurs passées et recommencer chaque jour. Dieu est toujours prêt à m'offrir un nouveau départ. Je ne serai ni affaissé, ni effrayé. Si le pardon de Dieu n'existait que pour les gens qui font le bien et non pas pour ceux qui pèchent, pourquoi serait-il nécessaire? Je crois que Dieu nous pardonne toutes nos fautes, si nous essayons sincèrement de vivre aujourd'hui comme Il désire que nous vivions. Dieu nous pardonne souvent et nous devrions être très reconnaissants.

Prière du jour

Je demande que ma vie ne soit pas gâtée par les soucis, la crainte et l'égoïsme. Je demande que mon coeur soit heureux, reconnaissant et humble.

Les premiers verres nous rendaient joyeux, puis l'alcool nous stupéfiait. Pendant un certain temps, nous voyions la vie en rose, mais quelle déception, quel terrible abattement nous assaillaient le lendemain de la veille! Chez les A.A., nous éprouvons une joie authentique, et non pas une fausse sensation d'hilarité, une réelle satisfaction et le respect de nous-mêmes. Nous éprouvons aussi de la bienveillance envers tout le monde. Nous éprouvions un certain plaisir en buvant. Pendant un certain temps nous croyions que nous étions heureux. Mais ce n'était qu'une illusion. La gueule de bois du lendemain est tout le contraire du plaisir. *Dans le mouvement A.A., est-ce que je trouve le véritable plaisir, la sérénité et la paix?*

Méditation du jour

J'aimerai les gens parce que le manque d'amour obstruerait ma voie. Je vais essayer de voir du bien dans tous les humains, ceux qui me plaisent comme ceux qui me déplaisent. Ils sont tous des enfants de Dieu. J'essaierai de les aimer, car autrement comment puis-je demeurer dans l'esprit de Dieu d'où rien ne peut venir que de l'amour? J'essaierai de bien m'entendre avec tout le monde parce que plus je donnerai d'amour, plus j'en recevrai en retour.

Prière du jour

Je demande de faire tout mon possible pour aimer mon prochain en dépit de toutes ses fautes. Je demande d'être aimé autant que j'aimerai moi-même.

En buvant, nous nous évadions pendant un certain temps. Nous réussissions presque à oublier nos difficultés. Mais quand nous devenions sobres nos tracas étaient deux fois plus considérables. L'alcool n'avait fait que les aggraver. Dans le mouvement A.A., nous échappons réellement à l'ennui. Personne ne s'ennuie dans une réunion des A.A. Nous nous attardons après la réunion et nous retournons à la maison le plus tard possible. L'alcool nous donnait une impression temporaire d'importance. Lorsque nous buvons, nous nous faisons accroire que nous sommes des gens importants. Nous racontons sur notre propre compte des histoires à dormir debout dans le but d'améliorer notre prestige. Chez les A.A., nous ne voulons pas de cette sorte de prestige. Nous avons le véritable respect de nous-mêmes, la sincérité et l'humilité. *Ai-je trouvé quelque chose de beaucoup mieux et de plus satisfaisant que l'alcool?*

Méditation du jour

Je crois que ma foi et la puissance de Dieu peuvent tout accomplir dans les relations humaines. Il n'y a pas de limite à ce que ces deux forces peuvent accomplir en ce domaine. Vous n'avez qu'à croire et tout peut arriver. Saint Paul a dit: "Je peux tout en Celui qui me fortifie". Tous les murs qui vous séparent des autres êtres humains peuvent tomber grâce à votre foi et à la Puissance de Dieu. Ces deux éléments sont essentiels. Tous les humains peuvent subir leur influence.

Prière du jour

Je demande d'essayer d'augmenter la force de ma foi, de jour en jour. Je demande de me fier de plus en plus à la puissance de Dieu.

Nous trouvions une certaine satisfaction à offrir un verre à quelqu'un. Cela nous plaisait de dire: "Viens prendre un verre à ma santé!" Mais ce n'était réellement pas une faveur que nous faisions à l'autre. Nous l'aidions tout simplement à se soûler, surtout s'il s'agissait d'un alcoolique. Dans le mouvement A.A., nous essayons réellement d'aider les autres alcooliques. Nous les encourageons au lieu de les mépriser. Prendre un coup avec quelqu'un créait une certaine camaraderie. Mais c'était réellement une fausse camaraderie puisqu'elle reposait sur l'égoïsme. Nos compagnons de boisson n'étaient là que pour notre propre plaisir. Dans le mouvement A.A., nous avons une réelle camaraderie qui a pour fondement la générosité et le désir de nous aider les uns les autres. Et nous nous faisons de vrais amis et non pas des amis qui ne sont avec nous que quand tout va bien. *Avec la sobriété est-ce que je possède tout ce que l'alcool pourrait me donner, sauf les maux de tête?*

Méditation du jour

Je sais que Dieu ne peut pas enseigner à un homme qui se fie à une béquille. Je vais rejeter au loin la béquille de l'alcool et je marcherai grâce à la puissance et à l'esprit de Dieu. La puissance de Dieu me donnera tant de vigueur que je marcherai en toute certitude, vers la victoire. La puissance de Dieu est sans limite. Je vivrai chacune des étapes, un jour à la fois. Dieu se révélera à moi à mesure que j'avancerai dans la vie.

Prière du jour

Je demande de dépendre de plus en plus de Dieu. Je demande de me débarrasser de ma béquille alcoolique et de laisser la puissance de Dieu la remplacer.

Une chose que nous apprenons dans A.A., c'est d'avoir une vue générale des effets de la boisson plutôt qu'une vue limitée. Lorsque nous buvions, nous pensions au plaisir, à la détente qu'un verre nous apportait plutôt qu'aux conséquences qu'allait produire ce verre. L'alcool, à première vue, est intéressant. Quand nous regardons dans les vitrines des magasins d'alcools, nous voyons des bouteilles décorées d'étiquettes de fantaisie. Elles paraissent bien. *Mais ai-je appris que le contenu de ces belles bouteilles est pour moi du véritable poison?*

Méditation du jour

Je crois que la vie est une école où je dois apprendre la spiritualité. Je dois mettre ma confiance en Dieu et Il sera mon professeur. Je dois écouter Dieu et Il parlera à mon intelligence. Je dois Lui parler en dépit de toute opposition et de tout obstacle. Il y aura des jours où je n'entendrai aucune voix dans mon esprit, où la communication intime entre Lui et moi sera impossible. Mais si je persiste, et si je prends l'habitude de m'instruire dans le domaine spirituel, Dieu Se révélera à moi de bien des manières.

Prière du jour

Je demande d'étudier régulièrement à l'école des choses de l'esprit. Je demande de croître spirituellement grâce à cette méthode.

Par une soirée sombre, les lumières étincelantes de la taverne du coin paraissent bien invitantes. En dedans, il n'y a, semble-t-il, que chaleur et gaieté. Mais nous ne nous arrêtons pas à penser que, si nous y entrons, nous en sortirons probablement ivres, sans argent et avec une affreuse gueule de bois. Un bar d'acajou dans un clair de lune tropical nous semble un endroit très gai. Mais vous devriez voir ce même endroit le lendemain matin. Les chaises sont empilées sur les tables et un relent de tabac et de bière flotte dans l'air. Et souvent nous sommes là aussi à essayer de calmer nos tremblements en vidant d'un seul trait de grands verres d'alcool. *Puis-je regarder au-delà de la nuit et bien voir le lendemain de la veille?*

Méditation du jour

Dieu découvre, dans une foule, quelques personnes qui Le suivent seulement pour être près de Lui, seulement pour rester en Sa présence. Un désir secret du Coeur éternel peut être satisfait par ces quelques personnes. Je dirai à Dieu que je cherche seulement à demeurer en Sa présence, que je veux être auprès de Lui, non pas tant pour Son enseignement ou Son inspiration que pour Lui-même. Il est possible que le désir du coeur humain d'être aimé pour lui-même soit quelque chose qui vient du Coeur divin.

Prière du jour

Je demande de savoir écouter afin que Dieu puisse me parler. Je demande que mon coeur ait une attitude d'attente à l'égard de Dieu.

Un cabaret rempli d'hommes et de femmes vêtus élégamment nous apparaît comme un endroit très agréable. Mais vous devriez voir la salle de toilette des hommes, le lendemain matin. Quel gâchis! Des gens ont été malades et quelle odeur! L'enchantement de la veille est disparu, il n'y reste que la puanteur du lendemain de la veille. Dans le mouvement A.A., nous apprenons à voir toutes les conséquences de l'alcool au lieu de nous illusionner sur ses attraits. Nous apprenons à moins penser au plaisir du moment qu'aux conséquences de la boisson. *Est-ce que le soir précédent est devenu pour moi moins important que le lendemain de la veille?*

Méditation du jour

Encore quelques pas, et la puissance de Dieu se révélera dans ma vie. En ce moment, je marche dans l'obscurité, limité par l'espace et le temps, mais même en cette obscurité je peux avoir confiance et éclairer et guider des gens qui ont peur. Je crois que la puissance de Dieu éclairera ces ténèbres et que mes prières parviendront jusqu'aux oreilles de Dieu Lui-même. Mais seulement un cri du coeur, un élan de confiance, peut traverser ces ténèbres et se rendre jusqu'à la divine oreille de Dieu.

Prière du jour

Je demande que la divine puissance de Dieu aide ma faiblesse humaine. Je demande que ma prière, à travers l'obscurité, se rende jusqu'à l'oreille de Dieu.

Lorsque le jour se lève, et que le soleil brille, nous sautons de notre lit avec un élan de reconnaissance envers Dieu, parce que nous nous sentons bien et que nous sommes heureux au lieu d'être malades et dégoûtés de nous-mêmes. La sérénité et la paix sont devenues pour nous beaucoup plus importantes que la surexcitation de l'alcool qui nous stimule pendant un certain temps mais, à la fin, nous abat complètement. Il est bien entendu que nous, les alcooliques, nous avons eu beaucoup de plaisir à boire. Aussi bien l'admettre. En faisant un retour sur le passé nous pouvons nous rappeler plusieurs bonnes soirées avant le jour où nous sommes devenus des alcooliques. Mais il vient un temps pour nous, les alcooliques, où l'alcool cesse d'être une source de plaisir et devient une source d'ennuis. *Ai-je appris que l'alcool ne peut être pour moi autre chose qu'une source d'ennuis?*

Méditation du jour

Je dois compter sur Dieu. Je dois avoir confiance en Lui au maximum. Je dois compter sur la Puissance divine dans toutes mes relations humaines. J'attendrai en toute confiance, j'espérerai jusqu'à ce que Dieu me montre le chemin. J'attendrai ses suggestions au sujet de chaque décision importante. Je me soumettrai à l'épreuve de l'attente jusqu'à ce que je sois certain que je fais ce qu'il y a de mieux à faire. Tout travail accompli pour Dieu doit subir l'épreuve du temps. L'orientation viendra si je sais l'attendre.

Prière du jour

Je demande de subir avec succès cette épreuve de l'attente et de me laisser guider par Dieu. Je demande de ne pas prendre moi-même, seul, mes décisions.

Dans le passé, nous avons continué à boire malgré toutes les difficultés que cela nous causait. Nous étions assez fous pour croire, en dépit de tout ce qui nous arrivait, que la boisson pouvait encore nous procurer du plaisir. En entrant dans le mouvement A.A., nous avons découvert qu'il existait un bon nombre de personnes, qui, comme nous, avaient éprouvé du plaisir à boire, mais qui admettaient maintenant que l'alcool ne leur apportait plus que des problèmes. Et lorsque nous avons découvert le même état de choses chez plusieurs autres personnes, nous nous sommes dit que, après tout, nous n'étions peut-être pas des oiseaux d'une espèce tellement rare. *Ai-je appris et admis que, pour moi, l'alcool a cessé d'être agréable et ne m'apporte plus que des soucis?*

Méditation du jour

La bouée de sauvetage est celle qui relie l'âme à Dieu. À un bout de cette ligne se trouve notre foi et, à l'autre, la puissance de Dieu. Cette corde peut être forte et aucune âme qui est ainsi rattachée à Dieu ne peut être submergée. Je mettrai ma confiance dans cette ligne de sauvetage et je ne craindrai plus rien. Dieu me préservera de toute mauvaise action ainsi que des soucis et des difficultés de la vie. Je prierai Dieu de me donner Son aide et j'aurai confiance en Son secours quand je serai bouleversé.

Prière du jour

Je demande qu'aucun manque de confiance ou aucune crainte ne me rende déloyal envers Dieu. Je demande de me maintenir fermement rattaché à la ligne de sauvetage de la foi.

Je me suis rendu compte que j'étais devenu un alcoolique et que je ne pourrais jamais plus avoir de plaisir à boire. Comme je savais que dès lors l'alcool serait toujours pour moi une source de difficultés, le simple bon sens m'apprit que je n'avais plus qu'à vivre sobrement. Mais j'ai aussi appris une autre chose chez les A.A., la chose la plus importante qu'on peut jamais apprendre: j'ai appris que je peux toujours demander à une Puissance supérieure de m'aider à me tenir éloigné de l'alcool; que je peux travailler de concert avec ce divin principe de l'univers et que Dieu m'aidera à vivre une vie sobre, utile et heureuse. Ainsi maintenant peu m'importe le fait que je ne peux plus avoir de plaisir à boire. *Ai-je compris que je suis beaucoup plus heureux sans alcool?*

Méditation du jour

Comme un arbre, je dois être émondé de plusieurs branches mortes avant d'être prêt à porter des fruits. Pensons aux gens dont la mentalité a été transformée comme à des arbres qui ont été émondés de leurs branches sèches et inutiles; mais à travers les branches qui semblent mortes coule silencieusement et secrètement la nouvelle sève jusqu'au jour où, avec le soleil du printemps, renaît une nouvelle vie. Il y a de nouvelles feuilles, des boutons, des fleurs et des fruits beaucoup plus beaux parce que les arbres ont été émondés. Il faut me rappeler que je suis entre les mains d'un Maître jardinier, qui ne fait aucune erreur dans Son émondage.

Prière du jour

Je demande de couper les branches mortes de ma vie. Je demande de ne pas m'opposer à l'émondage puisqu'il m'aidera à porter de bons fruits.

Pour rester sobres, nous devons apprendre à désirer quelque chose plus que la boisson. Quand nous sommes d'abord venus aux A.A., nous ne pouvions nous imaginer que nous pourrions désirer quelque chose autant ou même plus que la boisson. Nous avons donc dû cesser de boire sur la foi qu'un jour nous désirerions réellement quelque chose plus que l'alcool. Mais après quelque temps dans le mouvement A.A., nous comprenons que nous pouvons vraiment aimer une vie sobre. Nous apprenons combien il est agréable de bien nous entendre à la maison avec notre famille; combien il est agréable de faire notre travail convenablement; combien c'est agréable d'essayer d'aider les autres. *Ai-je découvert que si je reste sobre tout va bien pour moi?*

Méditation du jour

Il n'y a presque rien d'aussi difficile que l'attente. Et pourtant Dieu désire que j'attende. Toute action est plus facile que le calme de l'attente, et pourtant je dois attendre jusqu'à ce que Dieu me fasse connaître Sa volonté. Tant de gens ont ruiné leur travail et retardé le progrès de leur vie spirituelle par trop d'activité. Si j'attends patiemment, me préparant toujours, je serai un jour là où je désirerais être maintenant. Et le labeur et l'activité n'auraient pas pu accomplir ce résultat plus rapidement.

Prière du jour

Je demande d'attendre patiemment. Je demande d'avoir confiance en Dieu et de continuer à me préparer en vue d'une vie meilleure.

Quand nous pensons à tous les tracas que la boisson nous apportait, aux hôpitaux et aux prisons, nous nous demandons comment nous avons pu désirer ce genre de vie. Quand nous songeons maintenant à notre passé nous voyons notre vie de buveurs telle qu'elle était et nous sommes contents d'en être sortis. Ainsi après quelques mois dans le mouvement A.A., nous constatons que nous pouvons sincèrement dire qu'il existe quelque chose que nous désirons plus que l'alcool. Notre expérience nous a appris qu'une vie de sobriété est quelque chose de réellement agréable et pour rien au monde nous ne voudrions retourner à notre ancienne façon de vivre. *Est-ce que mon désir de rester sobre est beaucoup plus grand que celui de me soûler?*

Méditation du jour

Ma vie spirituelle repose sur ma connaissance de Dieu. Je dois être toujours conscient de la présence de Dieu dans tout ce que je fais et je dois mettre ma confiance en Lui. Le fait de penser à la présence de Dieu me procurera toujours la paix. Je n'aurai plus de crainte parce que l'avenir sera bon si je reste conscient de la présence de Dieu. Si, dans chaque événement, chaque plan je pense à Dieu, alors quoi qu'il arrive je serai en sécurité entre les mains de Dieu.

Prière du jour

Je demande de toujours être conscient de la présence de Dieu. Je demande d'obtenir par cette conscience de Dieu, une vie nouvelle et meilleure.

Parfois nous ne pouvons nous empêcher de penser: "Pourquoi ne pouvons-nous plus jamais boire?" Nous savons que c'est parce que nous sommes alcooliques, mais pourquoi a-t-il fallu que nous en arrivions-là? C'est qu'à un certain moment de notre vie de buveurs nous avons dépassé ce qui s'appelle le "point de tolérance". Lorsque nous avons dépassé ce point, nous sommes passés d'une condition par laquelle nous pouvions tolérer l'alcool à une condition où nous ne pouvions plus du tout le tolérer. Après cela, si nous prenions même un seul verre, nous finissions, à plus ou moins brève échéance, par une cuite. *Quand je pense maintenant à l'alcool, est-ce que j'y pense comme à une chose que je ne pourrai plus jamais absorber?*

Méditation du jour

Dans une course, lorsque le but à atteindre est en vue, le coeur, les nerfs, les muscles et le courage sont dans un état de tension extrême. Il en est ainsi pour nous. Le but de la vie spirituelle est en vue. Il faut tout simplement fournir l'effort final. Les résultats les plus tristes sont ceux de certains athlètes au coeur puissant. Ils couraient bien jusqu'au moment d'apercevoir le but et soudain la faiblesse ou la lâcheté les ont empêchés de réussir. Ils n'ont jamais su qu'ils étaient si près du but ou de la victoire.

Prière du jour

Je demande de persister jusqu'à ce que j'atteigne le but. Je demande de ne pas abandonner la course juste avant d'atteindre la ligne d'arrivée.

Après ce premier verre, nous n'avions plus qu'une seule pensée en tête. Nous étions comme un train sur la voie ferrée. Le premier verre était le signal de départ et nous continuions sur la voie ferrée jusqu'au bout de la ligne, l'ivresse. Nous savions que cela arriverait en nous assoyant à ce bar pour prendre notre premier verre, mais nous ne pouvions pas nous tenir éloignés de l'alcool. Notre force de volonté était disparue. Nous étions devenus faibles et sans espoir devant la puissance de l'alcool. Ce n'est pas le deuxième verre ni le dixième qui est dommageable. C'est le premier verre. *Prendrai-je jamais ce premier verre?*

Méditation du jour

Je dois garder un peu de mon temps chaque jour pour m'entretenir avec Dieu. Graduellement, je serai transformé mentalement et spirituellement. Ce n'est pas tant la prière qui compte que d'être tout simplement en présence de Dieu. Je ne peux pas comprendre la force ni le soulagement que procure cette méthode parce qu'une telle connaissance dépasse l'intelligence humaine, mais je peux en faire l'expérience. Le pauvre monde malade serait guéri, si, chaque jour, chaque âme attendait de Dieu l'inspiration de bien vivre. Mon plus grand développement spirituel se produit au cours de ces moments où je suis seul avec Dieu.

Prière du jour

Je demande de garder fidèlement quelques moments de calme tête-à-tête avec Dieu. Je demande de croître spirituellement chaque jour.

Si l'alcoolisme n'était qu'une allergie physique, comme l'asthme ou la fièvre des foins, il nous serait facile de subir un test d'allergie (réaction cutanée) pour l'alcool, afin de déterminer si, oui ou non, nous sommes alcooliques. Mais l'alcoolisme n'est pas seulement une allergie physique, c'est aussi une allergie mentale ou obsession. Après que nous sommes devenus alcooliques, nous pouvons encore tolérer physiquement l'alcool pendant un certain temps mais nos souffrances augmentent après chaque cuite et, chaque fois, il nous faut plus de temps pour nous remettre de notre gueule de bois. *Est-ce que je me rends compte que depuis que je suis devenu alcoolique, mon cerveau ne peut plus du tout tolérer l'alcool?*

Méditation du jour

Le monde n'a pas besoin de surhommes, mais d'hommes surnaturels. Il a besoin d'hommes qui persisteront à chasser l'égoïsme de leur vie et qui laisseront la Puissance divine accomplir Son oeuvre par eux. Laissez l'inspiration prendre la place de l'aspiration. Cherchez à croître spirituellement plutôt qu'à acquérir du prestige et des richesses. Notre première ambition devrait être d'être utilisés par Dieu. La Force divine suffit à accomplir toutes les oeuvres spirituelles dans le monde. Dieu n'a besoin que d'instruments dont Il peut se servir. Ses instruments peuvent refaire le monde.

Prière du jour

Je demande d'être un instrument de la Puissance divine. Je demande de faire ma part dans la transformation du monde.

Un verre a été le départ d'une suite d'idées, qui sont devenues une obsession et, à partir de ce moment-là, nous ne pouvions plus nous arrêter de boire. Nous avons développé un besoin psychique de continuer à boire jusqu'à l'ivresse. Les gens font généralement deux erreurs au sujet de l'alcoolisme. La première erreur est de croire qu'il peut être guéri par des traitements physiques seulement. L'autre erreur est de croire que l'alcoolisme peut être guéri seulement par la force de la volonté. Presque tous les alcooliques ont essayé ces deux méthodes pour découvrir qu'elles ne donnent aucun résultat. Mais nous les membres A.A., nous avons découvert une méthode pour arrêter les effets de notre alcoolisme. *Me suis-je débarrassé de mon obsession grâce à la méthode A.A.?*

Méditation du jour

J'essaierai de rester calme, quoi qu'il arrive. Je maîtriserai mes émotions, même si d'autres autour de moi se laissent aller à l'émotivité. Je resterai calme dans l'agitation; je garderai ce calme intérieur et profond, à travers toutes les difficultés qui pourront survenir pendant la journée. Dans le brouhaha du travail et des tracas, le silence intérieur et profond est nécessaire pour me garder d'aplomb. Je dois apprendre à apporter le calme avec moi au cours des journées les plus agitées.

Prière du jour

Je demande de rester calme et de m'entretenir avec Dieu. Je demande d'apprendre ce que sont la patience, l'humilité et la paix.

L'alcool est un poison pour l'alcoolique. Le mot poison n'est pas trop fort, parce que l'alcoolisme conduit éventuellement à la mort de l'alcoolique. Ce peut être une mort rapide ou une mort en langueur. Lorsque nous passons devant un magasin de boissons alcooliques et que nous voyons différentes sortes de bouteilles dans des emballages de fantaisie afin qu'elles paraissent plus attrayantes, nous devrions toujours nous dire en nous-mêmes: "C'est du poison pour moi". Et c'est un fait. L'alcool a empoisonné nos vies pendant trop longtemps. *Est-ce que je sais que, parce que je suis un alcoolique, tout alcool est un poison pour moi?*

Méditation du jour

D'une manière ou d'une autre, je dois trouver le moyen de me rapprocher de Dieu. C'est vraiment ce qui importe. Je dois rechercher le véritable pain de vie qu'est la communion d'esprit avec Dieu. Je dois rechercher la vérité, dans toutes mes prières. Cette vérité primordiale est vraiment ce qui importe. Tous les cultes ont comme objet et comme but cette communion d'esprit avec Dieu.

Prière du jour

Je demande de pouvoir trouver Dieu en toute quiétude par la méditation. Je demande d'obtenir ma part du pain de l'âme que Dieu a préparé pour moi.

Quand je suis devenu un alcoolique, l'alcool empoisonna l'amour que j'avais pour ma famille, mon ambition au travail et détruisit mon respect de moi-même. Il empoisonna ma vie tout entière, jusqu'à ce que j'aie rencontré le mouvement A.A. Ma vie est maintenant plus heureuse qu'elle ne l'a été depuis longtemps. Je ne désire pas me suicider. Ainsi, avec l'aide de Dieu et des A.A., je ne laisserai plus entrer en moi une seule goutte de ce poison alcoolique. Et je vais habituer mon esprit à ne plus jamais penser à l'alcool autrement que comme à du poison. *Est-ce que je crois que l'alcool empoisonnera ma vie si jamais j'en bois de nouveau?*

Méditation du jour

Je lierai ma nature fragile à la Puissance divine qui est illimitée. J'unirai ma vie à la divine Force qui existe pour le bien dans le monde. Ce n'est pas l'appel passionné qui attire l'attention de Dieu autant que le fait de placer calmement nos difficultés et nos soucis dans les Mains divines. Je mettrai donc ma confiance en Dieu comme un enfant qui place un écheveau de laine emmêlée dans les mains de sa mère pour qu'elle la démêle. Notre confiance aveugle plaît davantage à Dieu que notre prière demandant Son aide.

Prière du jour

Je demande de placer toutes mes difficultés dans les mains de Dieu, et de les y laisser. Je demande de faire pleinement confiance à Dieu.

Beaucoup de choses que nous faisons dans le mouvement A.A. le sont en prévision de ce moment critique quand, en marchant dans la rue par une belle journée ensoleillée, nous apercevons un cabaret et l'idée de prendre un verre nous vient à l'esprit. Si nous avons préparé notre esprit à faire face à ce moment critique, nous ne prendrons pas ce premier verre. Autrement dit, si nous avons bien étudié les principes A.A., nous ne succomberons pas au moment de la tentation. *En prévision de ce moment critique où je serai tenté, est-ce que je garderai à l'esprit l'idée que l'alcool est mon ennemi?*

Méditation du jour

Combien de prières dans le monde n'ont pas été exaucées parce que les hommes qui priaient n'ont pas persévéré jusqu'à la fin? Ils croyaient qu'il était trop tard et qu'ils devaient agir par eux-mêmes, que Dieu ne les guiderait pas. "Celui qui persévère jusqu'à la fin, celui-là sera sauvé." Est-ce que je peux persister jusqu'à la toute dernière minute? Si j'agis ainsi, je serai sauvé. J'essaierai de supporter mon épreuve avec courage. Si je persévère, Dieu m'ouvrira la porte de ses trésors spirituels qui demeurent cachés à ceux qui ne persévèrent pas jusqu'à la fin.

Prière du jour

Je demande de me laisser guider par Dieu et d'obtenir ainsi le succès spirituel. Je demande de ne jamais douter de la puissance de Dieu pour ne pas reprendre la direction de ma vie.

L'alcool était autrefois mon ami. J'éprouvais alors beaucoup de plaisir à boire. Presque tout le plaisir que j'avais provenait de la boisson. Mais le temps est venu où l'alcool s'est révélé mon ennemi. Je ne sais pas à quel moment au juste l'alcool s'est tourné contre moi et est devenu mon ennemi, mais je sais que cela s'est produit parce qu'un jour mes difficultés ont commencé. Je constate que l'alcool est maintenant mon ennemi et que mon but principal est de demeurer sobre. Je gagne ma vie, mais ce n'est pas le but principal de ma vie. Il vient en second lieu: mon premier but est de demeurer sobre. *Est-ce que je suis convaincu que ce qu'il y a de plus important dans ma vie, c'est de demeurer sobre?*

Méditation du jour

Je peux compter sur Dieu parce qu'Il me donne toute la force nécessaire pour faire face à toutes les situations, pourvu que je croie sincèrement en cette force et que je la demande en toute sincérité, et pourvu que ma vie corresponde à ce que Dieu désire de moi. Je peux parler à Dieu, comme le directeur commercial parlerait au propriétaire d'une entreprise, sachant qu'il suffit de lui présenter un plan pour obtenir sa coopération, immédiate, à condition que la chose en vaille la peine.

Prière du jour

Je demande de croire que Dieu est prêt à me donner tout ce qui m'est nécessaire. Je demande seulement la foi et la force de faire face à toutes les situations.

J'assiste aux réunions parce qu'elles m'aident à rester sobre. J'essaie d'aider d'autres alcooliques quand je le peux parce que cela fait partie de mon programme pour rester sobre. J'ai aussi un associé dans cette affaire et cet associé c'est Dieu. Je Le prie tous les jours afin qu'Il m'aide à rester sobre. Tant que je resterai convaincu que l'alcool ne peut plus être mon ami mais qu'il est maintenant mon ennemi mortel, et aussi longtemps que je me rappellerai que la première chose pour moi est de rester sobre et que c'est la chose la plus importante de ma vie, je crois que je serai prêt à affronter ce moment critique quand l'idée de prendre de l'alcool me viendra à l'esprit. *Quand cette idée viendra dans mon esprit serai-je capable de résister à la tentation de ne pas prendre ce premier verre?*

Méditation du jour

Je craindrai l'agitation de l'esprit, l'énervement et le trouble de l'âme plus que les tremblements de terre ou le feu. Quand je m'apercevrai q re le calme de mon esprit a été menacé par un bouleversement émotif, je m'isolerai seul avec Dieu jusqu'à ce que mon coeur ait retrouvé sa joie et que je me sente de nouveau fort et calme. Les périodes agitées sont les seules où le mal peut pénétrer en nous. Je serai en garde contre l'instabilité de mon coeur. J'essaierai de garder ma sérénité malgré le tumulte qui m'entoure.

Prière du jour

Je demande qu'aucun bouleversement émotif ne vienne nuire à la puissance de Dieu dans ma vie. Je demande de garder mon esprit calme et mon coeur ferme.

Nous pouvons maintenant dresser l'inventaire de tout ce qui est survenu de bon dans nos vies grâce au mouvement A.A. D'abord, aujourd'hui nous sommes sobres. C'est le principal actif dans la comptabilité d'un alcoolique. La sobriété est pour nous comme la clientèle d'un magasin. Tout le reste en dépend. La plupart d'entre nous doivent leur emploi à leur sobriété. Nous savons que nous ne pourrions pas garder ces emplois si nous buvions; nos emplois se rattachent donc à notre sobriété. Pour la plupart d'entre nous, nous avons une famille, une épouse et des enfants que nous avions perdus ou que nous aurions pu perdre si nous n'avions pas arrêté de boire. Chez les A.A. nous avons des amis, de vrais amis qui sont toujours prêts à nous aider. *Est-ce que je me rends compte que j'ai un emploi, une famille et de vrais amis à cause de ma sobriété?*

Méditation du jour

Je dois mettre ma confiance en Dieu dans toute la mesure du possible. Il faut apprendre cette leçon. Mes doutes et mes craintes me ramènent toujours dans le désert. Mes doutes m'écartent de ma route parce que je n'ai pas confiance en Dieu. Je dois avoir confiance en l'amour de Dieu. Il ne me fera jamais défaut, mais je dois apprendre à ne pas lui faire défaut moi-même par mes craintes et mes doutes. Nous en avons tous beaucoup à apprendre quand il s'agit de chasser nos craintes par la confiance. Je dois croire en Dieu et essayer de raffermir ma foi.

Prière du jour

Je demande de vivre comme Dieu veut que je vive. Je demande d'entrer dans le courant de bonté qui existe dans l'univers.

En plus de nos emplois, de nos familles, de nos amis et de notre sobriété, plusieurs d'entre nous ont découvert autre chose dans le mouvement A.A. C'est la foi en une Puissance supérieure à nous-mêmes, à qui nous pouvons demander de l'aide. La foi dans ce Principe divin de l'univers que nous appelons Dieu et qui ne nous abandonne pas pourvu que nous fassions le bien. Plusieurs fois dans le passé, si nous avions pris notre inventaire, nous nous serions trouvés en déficit, sans sobriété et par conséquent sans emploi, sans amis et sans foi en Dieu. Nous possédons maintenant ces richesses parce que nous sommes sobres. *Est-ce que je prends la résolution, tous les jours de ma vie de demeurer sobre?*

Méditation du jour

Aimez une vie bien occupée. C'est une vie remplie de joie. Profitez de la joie du printemps. Vivez au-dehors autant que possible. L'air et le soleil sont les deux éléments de la nature qui améliorent le plus notre santé. Cette joie intérieure transforme le sang empoisonné en un sang riche, pur et vivifiant. Mais n'oubliez jamais que la vraie santé de l'esprit vient de l'intérieur, de ce contact intime et affectueux de votre esprit avec l'esprit de Dieu. Restez en relation étroite avec l'esprit de Dieu jour après jour.

Prière du jour

Je demande d'apprendre à vivre la vie abondante. Je demande d'avoir la joie de l'union intime avec Dieu aujourd'hui et d'en éprouver un grand bonheur.

Lorsque nous sommes venus à notre première réunion A.A., nous avons aperçu au mur une affiche qui se lisait ainsi: "Avec la grâce de Dieu." Immédiatement, nous avons compris qu'il nous faudrait maintenant demander la grâce de Dieu pour devenir sobres et surmonter la maladie de notre âme. Nous avons entendu des conférenciers qui nous disaient comment ils en étaient venus à compter sur une Puissance supérieure à eux-mêmes. Cette méthode nous sembla logique et nous avons décidé d'en faire l'essai. *Est-ce que je compte sur la grâce de Dieu pour rester sobre?*

Méditation du jour

De bon coeur, partagez avec tout le monde votre amour, votre joie, votre bonheur, votre temps, votre nourriture et votre argent. Donnez tout l'amour que vous pouvez offrir et faites-le d'une main et d'un coeur joyeux et libres. Faites votre possible pour aider les autres et des bénédictions innombrables, en retour, seront votre partage. En partageant avec eux, vous attirez les autres vers vous. Recevez tous ceux qui viennent à vous comme s'ils étaient envoyés par Dieu et accueillez-les royalement. Vous ne verrez peut-être jamais les résultats de votre bonté. Ils n'ont peut-être pas besoin de vous aujourd'hui, mais demain révélera peut-être les résultats de votre bonté d'aujourd'hui.

Prière du jour

Je demande de faire en sorte que chacun de mes visiteurs désire revenir. Je demande de ne jamais agir en sorte que quelqu'un se sente rejeté ou indésirable.

Certaines personnes croient difficilement à une Puissance supérieure à eux-mêmes. Mais quand l'on ne croit pas à une telle Puissance on tombe, peu à peu, dans l'athéisme. On a dit que l'athéisme est une foi aveugle dans l'étrange proposition que cet univers a une origine mystérieuse et n'a aucun but. C'est presque impossible à croire. Je crois que nous sommes tous d'accord sur le fait que l'alcool est une puissance supérieure à nous-mêmes. Il n'y a aucun doute dans mon cas. J'étais impuissant devant la puissance de l'alcool. *Est-ce que je me souviens de ce qui m'est arrivé à cause de la puissance de l'alcool?*

Méditation du jour

La spiritualité et la morale l'emporteront éventuellement sur le matérialisme et sur ce qui est amoral. C'est le but et la destinée du genre humain. Peu à peu, les choses spirituelles triomphent des choses matérielles. Peu à peu, ce qui est moral l'emporte sur ce qui est amoral. La foi, la fraternité et les bons procédés sont des remèdes à presque tous les maux de l'univers. Il n'y a rien qu'ils ne peuvent accomplir dans le domaine des relations personnelles.

Prière du jour

Je demande de contribuer à rendre le monde meilleur. Je demande d'aider à guérir les maux de ce monde.

À nos débuts dans le mouvement A.A., nous sommes parvenus à croire à une Puissance supérieure à nous-mêmes. Nous en sommes venus à croire en ce divin Principe de l'univers que nous appelons Dieu et à qui nous pouvons toujours demander de l'aide. Tous les matins, nous avons quelques moments de recueillement. Nous demandons à Dieu de nous donner la force de rester sobres pendant les prochaines vingt-quatre heures. Et chaque soir nous Le remercions de nous avoir aidés à rester sobres pendant cette journée. *Est-ce que je crois que chaque homme et chaque femme que je rencontre dans le mouvement A.A. est une preuve vivante que Dieu peut transformer un buveur en une personne sobre?*

Méditation du jour

Je devrais prier afin d'obtenir une plus grande foi, comme un homme assoiffé qui prie pour trouver de l'eau dans le désert. Est-ce que je me rends compte de ce que signifie être assuré que Dieu ne me fera jamais défaut? En suis-je aussi certain que je le suis de continuer en ce moment à respirer? Je devrais prier tous les jours avec assiduité pour demander l'augmentation de ma foi. Je ne manque réellement de rien dans ma vie, puisque j'ai tout ce dont j'ai vraiment besoin, mais je n'ai pas assez de foi pour le comprendre. Je suis un fils de roi vêtu de guenilles pendant qu'il y a tout autour de moi des magasins remplis de tout ce que je pourrais désirer.

Prière du jour

Je demande de comprendre que Dieu a tout ce dont j'ai besoin. Je demande de reconnaître que Sa puissance est toujours à ma disposition.

À notre arrivée dans le mouvement A.A., nous avons d'abord dû admettre que, par nous-mêmes, nous ne pouvions rien contre l'alcool. Nous avons admis que l'alcool nous avait vaincus et que nous étions impuissants à son sujet. Nous ne pouvions jamais décider si oui ou non nous boirions. Nous buvions toujours. Et comme nous ne pouvions rien y faire par nous-mêmes, nous avons placé notre problème de boisson entre les mains de Dieu. Nous avons tout confié à une Puissance supérieure à nous-mêmes. Et il ne nous reste plus rien à faire à ce sujet, si ce n'est de faire confiance à Dieu, croyant qu'Il résoudra ce problème pour nous. *Ai-je procédé de cette façon sincèrement et sans restriction?*

Méditation du jour

Il est temps pour mon esprit de s'unir à l'esprit de Dieu. Je sais que le bonheur que nous éprouvons par notre union à Dieu est plus important que toutes les sensations causées par les choses matérielles. Je dois rechercher le silence qui me permettra de me tenir en contact avec Dieu. Un seul moment avec Lui et toute la fièvre de la vie se dissipe. Alors je me sens bien, en santé, calme et capable de rendre service aux autres. Un geste de Dieu peut terrasser la maladie. Je dois ressentir cette action de Dieu et prendre conscience de Sa présence.

Prière du jour

Je demande que la fièvre du ressentiment, des soucis et de la crainte disparaisse dans le néant. Je demande que la santé, la joie, la paix et la sérénité les remplacent.

Nous devrions être libres de l'alcool pour de bon. Ce problème ne nous appartient plus, nous n'avons donc plus besion de nous en inquiéter ni même d'y penser. Mais si nous n'avons pas tout confié complètement et sincèrement, il y a des chances que l'alcool redevienne pour nous un problème. Si nous ne croyons pas que Dieu s'occupe de notre problème à notre place, nous reprenons ce fardeau sur nos épaules. C'est de nouveau alors notre problème et nous sommes encore une fois dans le même gâchis qu'auparavant. De nouveau, nous sommes impuissants et nous buvons. *Est-ce que je mets toute ma confiance en Dieu pour qu'Il se charge de mon problème?*

Méditation du jour

Aucune oeuvre n'a de valeur sans préparation. Tout travail spirituel doit reposer sur une grande préparation spirituelle. Si nous réduisons le temps que nous consacrons à la prière et à notre préparation spirituelle, il est possible que plusieurs de nos heures de travail ne donnent aucun résultat. Dans la pensée de Dieu, un mauvais outil qui fonctionne sans arrêt mais fait un travail médiocre par manque de préparation a peu de valeur en comparaison d'un outil bien aiguisé et parfait qui fonctionne pendant une courte période, mais fournit un excellent résultat à cause de longues heures de préparation spirituelle.

Prière du jour

Je demande de passer plus de temps seul à seul avec Dieu. Je demande d'obtenir de ces méditations plus de force et de joie, afin qu'elles améliorent grandement mon travail.

Quand je m'aperçois que je pense à boire, je me dis à moi-même: "Ne tends pas la main pour reprendre ce problème. Tu l'as donné à Dieu et tu ne peux rien y faire". Et la pensée de boire disparaît. L'un des points les plus importants du programme A.A., c'est d'abandonner notre problème de boisson à Dieu honnêtement et pleinement, et de ne jamais tendre la main pour le reprendre. Si nous laissons Dieu s'occuper de notre problème et le garder pour toujours, et si nous coopérons ensuite avec Lui, nous demeurerons sobres. *Ai-je décidé de ne pas reprendre mon problème de boisson?*

Méditation du jour

Il faut que je fasse constamment mon possible, si je veux grandir spirituellement et développer ma vie spirituelle. Je dois être fidèle aux règles spirituelles avec constance, persévérance, amour, patience et espoir. Étant fidèle à ces principes, chaque montagne de difficultés sera moins élevée, les aspérités de ma pauvreté d'esprit seront diminuées et tous ceux qui me connaissent sauront que Dieu est le Seigneur de ma vie. Se rapprocher de l'esprit de Dieu, c'est trouver la vie et le remède et la force.

Prière du jour

Je demande que l'esprit de Dieu soit tout pour mon âme. Je demande que l'esprit de Dieu se développe en moi.

Au cours de nombreuses années de boisson, nous nous sommes prouvé à nous-mêmes, et nous l'avons prouvé à tous les autres, que nous ne pouvons pas arrêter de boire par notre propre force de volonté. La preuve est faite que nous sommes impuissants devant la puissance de l'alcool. Nous n'avons donc pu arrêter de boire qu'en nous tournant vers une Puissance supérieure à nous-mêmes. Nous donnons à cette Puissance le nom de Dieu. Le moment où un homme trouve réellement ce programme, c'est celui où il se jette à genoux et s'abandonne lui-même à Dieu, tel qu'il Le conçoit. S'abandonner veut dire confier sa propre vie au soin de Dieu. *Ai-je promis à Dieu d'essayer de vivre comme Il veut que je vive?*

Méditation du jour

La puissance de notre esprit a pour source notre communication avec Dieu par la prière et la méditation. Je dois constamment chercher à être en communication d'esprit avec Dieu. C'est un domaine qui ne concerne que moi et Dieu. Ceux qui la cherchent par l'entremise de l'Église ne trouvent pas toujours la joie et la merveille de la communication d'esprit avec Dieu. Cette communication nous donne la vie, la joie, la paix et la santé. Bien des gens ne savent pas quelle puissance peut leur être donnée par la communication d'esprit effectuée directement avec Dieu.

Prière du jour

Je demande de ressentir que la Puissance de Dieu m'appartient. Je demande d'être capable de faire face à tout par l'entremise de cette puissance.

Après que nous nous sommes abandonnés à Dieu, notre problème de boisson n'est plus en nos mains mais dans les mains de Dieu. Ce qu'il faut faire, c'est être certains que nous ne tendons jamais la main pour reprendre ce problème dans nos propres mains. Laissez-le entre les mains de Dieu. Quand je suis tenté de boire, je dois me dire à moi-même: "Je ne peux pas faire cela. J'ai une entente avec Dieu, j'ai dit que je ne boirais pas. Je sais que Dieu ne veut pas que je boive, donc je ne boirai pas". En même temps, j'adresse une courte prière à Dieu pour demander la force dont j'ai besoin pour respecter mon entente avec Lui. *Serai-je fidèle à mon entente avec Dieu?*

Méditation du jour

Je vais essayer de me perfectionner dans cette nouvelle vie. Je vais penser souvent aux choses spirituelles et, inconsciemment, je deviendrai meilleur. Plus je me rapprocherai de cette nouvelle vie, plus je verrai comme je suis imparfait. Le sentiment de mon imperfection est un signe certain de mon avancement dans cette nouvelle vie. C'est seulement la lutte qui fait mal. Dans la paresse — physique, mentale ou spirituelle — il n'y a aucun sentiment d'imperfection ou de malaise. Mais dans la lutte et l'effort, j'ai conscience non pas de ma force mais de ma faiblesse, jusqu'au jour où je vis réellement cette nouvelle vie. Mais dans la lutte, je puis toujours compter sur la puissance de Dieu qui m'aidera.

Prière du jour

Je demande d'apercevoir des signes de mon perfectionnement dans cette nouvelle vie. Je demande de toujours continuer à essayer de m'améliorer.

Le fait d'avoir abandonné nos vies à Dieu et d'avoir remis notre problème de boisson entre Ses mains ne veut pas dire que nous ne serons jamais tentés de boire. Nous devons donc accumuler de la force pour le jour où la tentation viendra. Pendant cette période de méditation, nous lisons et nous prions et nous donnons à notre esprit de bonnes dispositions pour aujourd'hui. C'est une aide considérable pour demeurer sobre que de bien commencer la journée. À mesure que les jours passent et que nous nous habituons à la vie de sobriété, c'est de plus en plus facile. Nous commençons à développer en nous une grande reconnaissance envers Dieu parce qu'Il nous a sauvés de notre ancienne vie. Et nous commençons à apprécier la paix et la sérénité et le bonheur paisible. *Est-ce que j'essaie de vivre comme Dieu veut que je vive?*

Méditation du jour

L'élimination de l'égoïsme est la clé du bonheur et elle ne peut s'accomplir qu'avec l'aide de Dieu. Nous commençons avec une étincelle de l'Esprit divin et une forte dose d'égoïsme. Alors que nous nous améliorons et que nous commençons à collaborer avec les autres, nous avons le choix de deux sentiers. Nous pouvons devenir de plus en plus égoïstes et, à toute fin pratique, éteindre l'étincelle divine en nous, ou bien nous pouvons devenir de moins en moins égoïstes et développer notre spiritualité jusqu'à ce qu'elle soit la chose la plus importante de nos vies.

Prière du jour

Je demande de devenir de plus en plus généreux, honnête, pur et aimant. Je demande d'obtenir de choisir la bonne route chaque jour.

Il arrive parfois que nous faisons de trop grands efforts pour réussir dans ce programme. Il est préférable de se détendre et de l'accepter. Le succès nous sera donné, sans effort de notre part, si nous cessons de trop essayer de réussir. La sobriété peut être un don gratuit de Dieu qu'Il nous donne par sa Grâce quand Il sait que nous sommes prêts à le recevoir. Mais il faut que nous soyons prêts. Nous devons alors nous détendre et agir sans effort, et accepter ce don avec reconnaissance et humilité. Nous devons nous abandonner à Dieu. Nous devons dire à Dieu: "Me voici et voici tous mes problèmes. J'ai tout gâté et je ne peux rien faire pour en sortir. Prenez-moi avec tous mes problèmes et faites de moi ce que Vous voulez." *Est-ce que je crois que la grâce de Dieu peut faire pour moi ce que je n'ai jamais pu faire pour moi-même?*

Méditation du jour

La crainte est le fléau du monde. Nombreuses sont les craintes de l'homme. La crainte existe partout. Je dois combattre la crainte comme je combattrais une épidémie. Je dois la chasser de ma vie. Il n'y a pas de place pour la crainte dans le coeur où Dieu habite. La crainte ne peut exister où se trouve l'amour véritable, ni où habite la foi. Je ne dois donc avoir aucune crainte. La crainte est mauvaise, mais le "parfait amour chasse toute crainte". La crainte détruit l'espérance et l'espérance est nécessaire à toute l'humanité.

Prière du jour

Je demande de n'avoir aucune crainte. Je demande de pouvoir chasser toute crainte de ma vie.

Dans le mouvement A.A., nous devons capituler, abandonner, admettre que nous sommes impuissants. Nous abandonnons nos vies à Dieu et nous Lui demandons son aide. Quand Il sait que nous sommes prêts, Il nous donne par sa grâce le don gratuit de la sobriété. Et nous ne pouvons nous enorgueillir d'avoir arrêté de boire, parce que nous ne l'avons pas fait par notre propre force de volonté. L'orgueil et la vantardise n'ont aucune place ici. Nous ne pouvons qu'être reconnaissants envers Dieu d'avoir fait pour nous ce que nous n'avons jamais pu faire pour nous-mêmes. *Est-ce que je crois que Dieu m'a donné gratuitement la force de rester sobre?*

Méditation du jour

Je dois travailler pour Dieu, avec Dieu et avec l'aide de Dieu. En faisant tout ce que je peux pour promouvoir une vraie fraternité humaine, je travaille pour Dieu. Je travaille aussi en collaboration avec Dieu parce que c'est ainsi que Dieu agit et Il est avec moi quand je travaille ainsi. Mais je ne peux pas faire un bon travail sans l'aide de Dieu. En dernière analyse, c'est par la grâce de Dieu que se produit tout changement réel dans une personnalité humaine. Je dois compter sur la puissance de Dieu; tout ce que j'accomplis, je le fais grâce à Son aide.

Prière du jour

Je demande la faveur de travailler pour Dieu et avec Dieu. Je demande de contribuer à améliorer, avec l'aide de Dieu, certaines personnalités.

Nous devons faire deux choses importantes si nous voulons obtenir la sobriété et demeurer sobres. Premièrement, après avoir admis notre impuissance devant l'alcool, nous devons confier notre problème alcoolique à Dieu et être confiants qu'Il s'en occupera à notre place. Cela signifie Lui demander chaque matin la force de demeurer sobres pendant cette journée et Le remercier chaque soir. Cela veut dire que nous laissons vraiment notre problème dans les mains de Dieu, sans jamais essayer de le reprendre en nos propres mains. Deuxièmement, après avoir donné notre problème de boisson à Dieu, nous devons coopérer avec Lui en faisant nous-mêmes notre possible. *Est-ce que je fais ces deux choses?*

Méditation du jour

Je dois me préparer moi-même en faisant chaque jour ce que je peux pour m'améliorer spirituellement et pour aider les autres à faire de même. Dieu me met à l'épreuve et me donne une formation et me dirige selon Sa volonté. Si je n'ai pas la formation nécessaire, je ne résisterai pas à l'épreuve lorsqu'elle viendra. Je dois désirer par-dessus toute chose l'accomplissement de la volonté de Dieu à mon égard. Je ne dois pas m'attendre à recevoir une faveur pour laquelle je ne suis pas préparé. Cette préparation, je l'obtiens par la communion d'esprit avec Dieu chaque matin et en acquérant peu à peu la force dont j'ai besoin.

Prière du jour

Je demande d'essayer réellement d'accomplir la volonté de Dieu dans tous les domaines de ma vie. Je demande de faire tout ce que je peux pour aider les autres à trouver ce qu'est la volonté de Dieu à leur égard.

Nous devons assister aux assemblées A.A. régulièrement. Nous devons apprendre à penser de façon différente. Nous devons transformer notre pensée alcoolique en une pensée sobre. Nous devons rééduquer nos intelligences. Nous devons essayer d'aider d'autres alcooliques. Nous devons coopérer avec Dieu en dépensant au moins autant de temps et d'énergie à mettre en pratique le programme A.A. que nous en avons passé à boire. Nous devons mettre en pratique le programme A.A. du mieux que nous le pouvons. *Ai-je confié mon problème alcoolique à Dieu? Est-ce que je coopère avec Lui?*

Méditation du jour

J'obtiendrai pleinement la joie de la véritable fraternité. J'aurai en abondance la joie de l'amitié réelle. Je recevrai comme récompense une joie merveilleuse si je m'associe aux autres maintenant. L'association avec des personnes qui ont un but spirituel est l'accomplissement des desseins de Dieu à l'égard de ce monde. La constatation de ce fait vous apportera, une nouvelle joie de vivre. Si je partage la joie et les efforts de l'humanité, ma récompense sera grande. Je peux vraiment vivre non seulement une vie terrestre, mais aussi une vie céleste ici et maintenant.

Prière du jour

Je demande que cette association spirituelle véritable m'aide et me rende la santé. Je demande de me rendre compte de Sa présence dans mon association spirituelle avec Ses enfants.

Si nous avions une foi absolue dans la puissance de Dieu pour nous tenir éloignés de la boisson et si nous remettions parfaitement notre problème alcoolique entre les mains de Dieu, sans aucune réserve, nous n'aurions rien de plus à faire à ce sujet. Nous serions libres de la boisson une fois pour toutes. Mais comme notre foi est probablement faible, nous devons fortifier et augmenter notre foi. Nous le faisons de plusieurs manières. Une de ces manières, c'est d'aller aux réunions et d'écouter les autres raconter comment ils ont trouvé toute la force dont ils ont besoin pour dominer l'alcool. *Est-ce que ma foi se fortifie grâce à ce témoignage des autres alcooliques?*

Méditation du jour

C'est la qualité de ma vie qui détermine sa valeur. Pour juger de la valeur de la vie d'un homme, il nous faut établir un standard. La vie qui a le plus de valeur est une vie d'honnêteté, de pureté, de générosité et d'amour. La vie de chaque homme doit être jugée selon cette mesure, afin de déterminer sa valeur pour le monde. Selon ces données, la plupart de ceux qu'on appelle les héros de l'histoire ne furent pas de grands hommes. "Que servira à l'homme de gagner l'univers s'il perd son âme?"

Prière du jour

Je demande d'être honnête, pur, généreux et aimant. Je demande que ma vie, jugée selon ces principes, soit considérée comme une bonne vie.

Nous fortifions aussi notre foi en aidant d'autres alcooliques et en découvrant que nous ne pouvons rien faire pour les aider sauf leur raconter notre propre vie pour leur indiquer comment nous avons trouvé une solution. Si l'autre personne est secourue, c'est par la grâce de Dieu et non pas par ce que nous pouvons faire ou dire. Notre propre foi est raffermie lorsque nous voyons un autre alcoolique trouver la sobriété en se tournant vers Dieu. Et enfin, nous raffermissons notre foi grâce à notre méditation de chaque matin. *Est-ce que je demande à Dieu, pendant cette méditation, de me donner la force de demeurer sobre aujourd'hui?*

Méditation du jour

Mes cinq sens sont mes moyens de communication avec le monde matériel. Ils sont des liens qui rattachent ma vie physique aux manifestations matérielles autour de moi. Mais je dois rompre toute communication avec le monde matériel quand je veux demeurer en communication avec le grand Esprit de l'univers. Je dois imposer silence à mon esprit et exiger le calme de mes sens avant de pouvoir être dans l'état de pensée nécessaire pour entendre la musique des sphères célestes.

Prière du jour

Je demande de mettre mon esprit au diapason de l'Esprit de l'univers. Je demande, grâce à ma foi et à mon union à Dieu, de recevoir la force dont j'ai besoin.

Par nos méditations de chaque matin, nous parvenons à compter sur l'aide de Dieu durant toute la journée, tout particulièrement si nous sommes tentés de boire. Et nous pouvons sincèrement Le remercier chaque soir pour la force qu'Il nous a donnée. Ainsi, notre foi est fortifiée par ces périodes de recueillement et de prière. En faisant attention à ce que disent d'autres alcooliques et grâce à nos méditations, notre foi en Dieu, peu à peu, se fortifie. *Ai-je parfaitement confié mon problème de boisson à Dieu, sans aucune restriction?*

Méditation du jour

Il semble que lorsque Dieu veut révéler aux hommes ce qu'Il est, Il crée un très beau caractère. Pensez à une personnalité comme à l'expression de certaines qualités de caractère telles que Dieu vous les décrit. Aussi parfaitement que vous le pouvez, que votre caractère soit semblable à celui de Dieu. Quand nous sommes étonnés de la beauté de caractère d'une personne, cette impression se reflète ensuite dans notre propre conduite. Recherchez donc la beauté de caractère chez ceux qui vous entourent.

Prière du jour

Je demande d'étudier les grandes âmes jusqu'à ce que leur beauté de caractère devienne une partie intégrante de mon âme. Je demande de pouvoir refléter ces traits de caractère dans ma propre vie.

L'enfant prodigue "partit en voyage vers des pays lointains et dépensa son héritage au cours d'une vie déréglée". C'est ce que nous faisons, nous les alcooliques. Nous dépensons notre héritage dans une vie déréglée. Quand il revint à lui-même, il dit: "Je me lèverai et je retournerai vers mon père". C'est ce qu'un alcoolique fait dans le mouvement A.A. Il revient à lui-même. Son "moi" alcoolique n'est pas son véritable "moi". Son moi sain, sobre et respectable est son vrai moi. C'est pourquoi nous sommes si heureux chez les A.A. *Suis-je revenu à moi-même?*

Méditation du jour

La simplicité est l'idée maîtresse d'une bonne vie. Choisissez toujours les choses simples. La vie peut devenir compliquée, si vous la laissez le devenir. Vous pouvez être noyé dans des difficultés de toutes sortes, si vous les laissez prendre trop de votre temps. Chaque difficulté peut être ou résolue ou ignorée, et on peut lui substituer quelque chose de mieux. Aimez les choses sans éclat. Ayez du respect pour les choses simples. Votre idéal ne doit jamais être l'idéal de ce monde, qui est celui de la richesse et du prestige.

Méditation du jour

Je demande d'aimer les choses simples de la vie. Je demande de garder ma vie simple et libre.

Nous nous sommes débarrassés de notre moi faux et ivrogne, et nous avons retrouvé notre moi véritable et sobre. Et nous demandons à Dieu, notre Père, son aide, tout comme l'enfant prodigue s'est levé et est retourné à la maison de son père. À la fin de la parabole, le père de l'enfant prodigue dit: "Il était mort et il est de nouveau vivant; il était perdu et il est retrouvé." Nous les alcooliques qui avons trouvé la sobriété dans le mouvement des A.A., nous étions certainement morts et nous sommes de nouveau vivants. Nous étions perdus et nous sommes retrouvés. *Suis-je de nouveau vivant?*

Méditation du jour

Respirez doucement l'esprit de Dieu, cet esprit qui, si vous ne lui fermez pas la porte de l'égoïsme, vous rendra capable de faire le bien. Cela signifie plutôt que Dieu pourra faire le bien par votre entremise. Vous pouvez devenir un canal qui permettra à l'esprit de Dieu de se diriger par vous dans les vies des autres. Ce que vous pourrez accomplir ne sera limité que par votre développement spirituel. Que votre esprit soit en harmonie avec l'esprit de Dieu et il n'y a aucune limite à ce que vous pouvez accomplir dans le domaine des relations humaines.

Prière du jour

Je demande de servir d'instrument à l'esprit de Dieu. Je demande que l'esprit de Dieu puisse passer par moi dans la vie des autres humains.

Est-ce que je peux retrouver la santé? Si je veux dire: est-ce que je pourrai de nouveau un jour boire normalement, la réponse est non. Mais si je veux dire: puis-je rester sobre? La réponse est certainement oui. Je peux retrouver la santé en confiant mon problème de boisson à une Puissance supérieure à moi-même, ce Principe divin de l'univers que nous appelons Dieu. Et en demandant chaque matin à cette Puissance de me donner la force de demeurer sobre pendant les prochaines vingt-quatre heures. Je sais par l'expérience de milliers de personnes que, si je veux sincèrement retrouver la santé, je peux la retrouver. *Est-ce que j'agis fidèlement selon le programme A.A.?*

Méditation du jour

Persévérez dans tout ce que Dieu vous suggère. L'accomplissement avec persistance de ce qui semble vrai et bon vous conduira où vous désirez être. Si vous pensez à l'orientation de Dieu dans votre passé, vous verrez qu'elle a été très graduelle et que ce n'est qu'en autant que vous avez accompli Ses désirs aussi bien que vous pouviez les comprendre que Dieu a pu vous diriger d'une façon plus claire et plus précise. L'homme est dirigé par la poussée que Dieu donne à son esprit vivifié et soumis.

Prière du jour

Je demande de persévérer dans l'accomplissement de ce qui me semble bien. Je demande d'agir toujours selon l'orientation de Dieu, au meilleur de mes connaissances.

Nous les alcooliques, nous étions dans un manège, tournant toujours, sans être capables d'en descendre. Ce carrousel est une sorte d'enfer sur terre. Dans le mouvement A.A., je suis descendu de ce manège en apprenant à demeurer sobre. Je prie chaque matin cette Puissance supérieure afin qu'elle m'aide à demeurer sobre. Et je reçois de cette Puissance la force de faire ce que je n'ai jamais réussi par ma propre force. Je ne doute pas de l'existence de cette Puissance. Nous ne parlons pas dans le vide quand nous prions. Cette Puissance est là, si nous voulons compter sur Elle. *Suis-je en dehors du manège de la boisson pour de bon?*

Méditation du jour

Je dois me rappeler que dans le domaine spirituel, je ne suis qu'un instrument. Ce n'est pas à moi de décider quand et comment je dois agir. Dieu fait les plans de tout ce qui est spirituel. C'est à moi de me disposer à accomplir l'oeuvre de Dieu. Tout ce qui nuit à mon activité spirituelle doit être éliminé. Je puis me fier à Dieu pour obtenir toute l'énergie dont j'ai besoin pour dominer ces défauts qui m'arrêtent. Je dois me garder dans de bonnes dispositions pour que Dieu puisse se servir de moi comme instrument de son Esprit.

Prière du jour

Je demande que mon égoïsme n'empêche pas mon progrès spirituel. Je demande d'être un bon instrument dont Dieu pourra se servir pour accomplir Son oeuvre.

Avant de décider d'arrêter de boire, la plupart d'entre nous ont dû se frapper le front contre un mur solide. Nous voyons que nous sommes vaincus, que nous devons arrêter de boire. Mais nous ne savons pas de quel côté nous tourner pour obtenir de l'aide. Il ne semble y avoir aucune porte dans ce mur. Le mouvement A.A. ouvre la porte qui mène à la sobriété. En nous encourageant à admettre sincèrement que nous sommes alcooliques et à nous rendre compte que nous ne pouvons même pas prendre un seul verre, et en nous indiquant de quel côté nous tourner pour obtenir de l'aide, les A.A. nous ouvrent la porte cachée dans le mur. *Ai-je franchi le seuil de cette porte, en route vers la sobriété?*

Méditation du jour

Mon unique but doit être de faire ma part dans l'oeuvre de Dieu. Je ne dois pas laisser les distractions matérielles nuire à mon travail qui consiste à améliorer mes relations personnelles. Il est facile de se laisser distraire par ce qui est matériel et je peux ainsi oublier mon seul objectif. Je n'ai pas le temps d'avoir de souci au sujet des multiples problèmes mondains. Je dois me concentrer et me spécialiser dans ce que je peux faire le mieux.

Prière du jour

Je demande de ne pas être distrait par les choses matérielles. Je demande de concentrer mes efforts sur ce que je peux faire le mieux.

Le mouvement A.A. nous aide aussi à nous cramponner à la sobriété. Grâce aux réunions qui nous permettent de nous associer à d'autres alcooliques qui sont entrés par la même porte dans le mur, en nous encourageant à raconter nos propres expériences malheureuses dans le domaine de l'alcool, et en nous montrant à aider les autres alcooliques, le mouvement A.A. nous garde sobres. Notre attitude envers la vie se transforme: nous passons de l'orgueil et de l'égoïsme à une attitude d'humilité et de reconnaissance. *Vais-je passer de nouveau par cette porte dans le mur pour retourner à mon ancienne vie d'impuissance, de désespoir et d'esclavage de la boisson?*

Méditation du jour

Retirez-vous dans le calme de la méditation avec Dieu. Reposez-vous dans ce calme et cette paix. Quand l'âme trouve sa demeure de repos en Dieu, alors la vraie vie commence. Vous pouvez faire du bon travail seulement quand vous êtes calme et serein. Les bouleversements émotifs vous rendent inutile. La vie éternelle, c'est le calme; et quand un homme entre dans cette vie, il vit comme un être éternel. Le calme a pour base une confiance totale en Dieu. Rien en ce monde ne peut vous séparer de l'amour de Dieu.

Prière du jour

Je demande de revêtir le monde comme un vêtement ample. Je demande de demeurer serein au centre de mon être.

Lorsqu'un homme vient aux A.A. et apprend qu'il doit passer le reste de sa vie sans prendre d'alcool, il se dit souvent que c'est une solution trop difficile. Alors les A.A. lui disent d'oublier l'avenir et de ne s'en tenir qu'à une journée à la fois. Tout ce que nous avons réellement, c'est le moment présent, maintenant. Nous n'avons ni passé ni avenir. Comme le veut le proverbe: "Hier est disparu, oublie-le; demain n'arrive jamais, ne t'inquiète pas; aujourd'hui est ici, agis." Tout ce que nous avons, c'est le présent. Le passé, c'est de l'eau sous le pont et l'avenir n'arrive jamais. Quand demain sera arrivé, ce sera aujourd'hui. *Est-ce que je vis une journée à la fois?*

Méditation du jour

La persistance est nécessaire, si vous voulez avancer dans le domaine spirituel. Par la prière et par la confiance persistantes, fermes et simples, vous fabriquez les trésors de l'esprit. Par l'action persistante, vous pouvez avec le temps obtenir la joie, la paix, l'assurance, la sécurité, la santé, le bonheur et la sérénité. Rien n'est si grand, dans le domaine spirituel, que vous ne puissiez l'obtenir si vous vous y préparez avec persistance.

Prière du jour

Je demande de faire mes exercices spirituels avec persistance chaque jour. Je demande de faire tous mes efforts pour obtenir la paix et la sérénité.

Quand nous buvions, nous avions honte du passé. Le remords est une punition mentale terrible. Nous avions honte de nous-mêmes à cause de ce que nous avions dit et fait; nous avions peur de faire face aux gens à cause de ce qu'ils pouvaient penser de nous; nous craignions les conséquences de ce que nous faisions quand nous étions ivres. Dans le mouvement des A.A. nous oublions le passé. *Est-ce que je crois que Dieu m'a pardonné tout ce que j'ai fait dans le passé, même mes fautes les plus graves, pourvu que j'essaie sincèrement de faire le bien aujourd'hui?*

Méditation du jour

L'esprit de Dieu vous entoure durant toute la journée. Vous n'avez aucune pensée, aucun plan, aucune impulsion, aucune émotion qu'Il ne connaisse. Vous ne pouvez rien Lui cacher. Que votre conduite ne corresponde pas seulement à ce que le monde peut voir, et ne vous fiez pas à l'approbation ou à la désapprobation des hommes. Dieu voit dans le secret, mais Il récompense ouvertement. Si vous êtes en harmonie avec l'Esprit divin, si vous faites votre possible pour vivre comme vous croyez que Dieu veut que vous viviez, vous serez en paix.

Prière du jour

Je demande de toujours avoir le sentiment de la présence de Dieu. Je demande de me rendre compte de cette Présence constamment durant toute cette journée.

Quand nous buvions, nous avions l'habitude de nous inquiéter de l'avenir. L'inquiétude est un supplice mental terrible. Qu'adviendra-t-il de moi? Où vais-je me retrouver? Dans les bas-fonds ou au sanatorium? Nous nous voyons descendre, nous enfoncer de plus en plus, et nous nous demandons quelle sera la fin de ce cauchemar. Parfois nous nous décourageons tellement en pensant à l'avenir que nous songeons au suicide. *Dans le mouvement A.A., ai-je cessé de m'inquiéter au sujet de l'avenir?*

Méditation du jour

Si je ne m'occupe que des choses matérielles, je m'éloigne de Dieu. Je dois aussi m'occuper des choses spirituelles. En plaçant ma vie sur une base spirituelle aussi bien que matérielle, ma vie deviendra ce qu'elle devrait être. Toutes les occupations matérielles n'ont aucune valeur en elles-mêmes. Mais toutes les actions, qu'elles semblent triviales ou importantes, ont toutes la même valeur, si elles sont dirigées par la main de Dieu. Je dois essayer d'obéir à Dieu comme je m'attendrais à ce qu'un serviteur fidèle se soumette aux directives qui lui sont données.

Prière du jour

Je demande que l'esprit de Dieu descende en moi de diverses façons. Je demande de tenir compte du domaine spirituel comme du domaine matériel.

Dans le mouvement A.A. on oublie l'avenir. Nous savons par expérience qu'avec les jours qui passent, l'avenir prend soin de lui-même. Tout va bien si nous restons sobres. Nous n'avons à penser qu'à aujourd'hui. À notre réveil, le matin, quand nous voyons le soleil à la fenêtre, nous remercions Dieu de nous donner une autre journée dont nous profiterons parce que nous sommes sobres. Une journée au cours de laquelle nous pouvons avoir l'occasion d'aider quelqu'un. *Est-ce que je sais que cette journée est la seule qui m'appartient et que, avec l'aide de Dieu, je peux rester sobre aujourd'hui?*

Méditation du jour

Fondamentalement, tout est bien. Cela ne veut pas dire que tout est bien à la surface des choses. Mais c'est dire que Dieu est dans Son ciel, qu'Il a ses intentions au sujet du monde et qu'elles donneront des résultats le jour où un assez grand nombre d'humains voudront suivre la route qu'Il leur indique. "Revêtir le monde comme un vêtement ample" signifie ceci: il ne faut pas être découragé par ce qu'il y a de mauvais à la surface des choses, mais se sentir profondément en sécurité à cause de la bonté et du plan fondamental de l'univers.

Prière du jour

Je demande à Dieu d'être avec moi au cours de mon voyage sur terre. Je demande de savoir que Dieu détermine le plan de ce voyage.

Nous recherchons tous la force de dominer la boisson. Un homme vient aux A.A. et pose d'abord la question suivante: "Comment vais-je avoir la force de laisser la boisson de côté?" Au début, il lui semble qu'il n'aura jamais la force nécessaire. Il voit des membres plus expérimentés qui ont trouvé la puissance qu'il cherche, mais il ne connaît pas la méthode qui leur a permis de l'obtenir. Cette force nécessaire nous parvient de bien des façons. *Ai-je trouvé toute la force dont j'ai besoin?*

Méditation du jour

Vous ne pouvez ressentir un besoin spirituel que Dieu ne peut combler. Votre besoin fondamental est un besoin spirituel qui est la force de vivre une bonne vie. Vous recevez votre meilleur secours quand vous désirez le transmettre à d'autres personnes. Vous le recevez abondamment en le donnant. Dieu vous donne la force en même temps que vous la transmettez à un autre être humain. Cette force veut dire une meilleure santé; une meilleure santé veut dire plus de dévouement, et plus de dévouement veut dire qu'un plus grand nombre de gens sont aidés. Et la roue continue ainsi à tourner et un secours constant répond à tous les besoins spirituels.

Prière du jour

Je demande que chacun de mes besoins spirituels soit comblé par Dieu. Je demande de me servir de la force que je reçois pour aider les autres.

Vous obtenez votre force dans l'association que vous trouvez en venant au mouvement A.A. Le seul fait d'être avec des hommes et des femmes qui ont trouvé la solution de leur problème vous donne une impression de sécurité. Vous écoutez les conférenciers, vous parlez à d'autres membres et vous absorbez l'atmosphère de confiance et d'espoir que vous trouvez dans cet endroit. *Est-ce que je reçois ma force grâce à mon association avec d'autres membres A.A.?*

Méditation du jour

Dieu est avec vous pour vous bénir et vous aider. Son esprit est partout autour de vous. Ne vacillez pas dans votre foi ou vos prières. Le Seigneur est tout-puissant. Dites-vous cela à à vous-même souvent et avec persévérance. Dites-le jusqu'à ce que votre coeur chante de joie à cause de la sécurité et de la puissance personnelle que ces mots signifient pour vous. Dites-le jusqu'à ce que la force même de ces paroles chasse et détruise tous vos maux. Servez-vous-en comme d'un cri de bataille. Le Seigneur est tout-puissant. Vous obtiendrez alors la victoire sur tous les péchés et toutes les tentations, et vous commencerez à vivre une vie victorieuse.

Prière du jour

Je demande de vivre, avec l'aide de Dieu, une vie abondante. Je demande de vivre une vie victorieuse.

Nous trouvons notre force en racontant sincèrement nos expériences au sujet de l'alcool. En religion, on appelle ce procédé une confession. Nous disons plutôt rendre témoignage ou partager notre expérience. Vous rendez un témoignage personnel, vous partagez vos expériences passées, vos problèmes d'autrefois; vous racontez vos séjours dans les hôpitaux et les prisons, la rupture de vos relations familiales; vous parlez de l'argent que vous avez perdu, de vos dettes et des folies que vous faisiez quand vous buviez. Ce témoignage personnel vous libère de ce que vous cachiez; il révèle ces choses au grand jour et vous trouvez alors liberté et force. *Est-ce que mon témoignage personnel me rend plus fort?*

Méditation du jour

Nous ne pouvons pas comprendre parfaitement l'univers. C'est un fait que nous ne pouvons même pas définir ce qu'est l'espace ou le temps. Ils sont tous deux illimités, malgré tout ce que nous pouvons faire pour les limiter. Nous vivons dans une boîte de temps et d'espace que nos propres esprits ont fabriquée, et voilà la source de tout ce que nous appelons nos connaissances de l'univers. La vérité, c'est que nous ne pouvons jamais tout connaître et que nous ne sommes pas faits pour tout connaître. La foi doit nous faire accepter une bonne partie de nos vies.

Prière du jour

Je demande que ma foi ait pour fondement ma propre expérience de la Puissance de Dieu dans ma vie. Je demande de comprendre par-dessus tout cette vérité suprême.

Vous trouvez votre force en parvenant à croire à une Puissance supérieure qui peut vous aider. Vous ne pouvez définir cette Puissance supérieure, mais vous pouvez constater comment elle aide d'autres alcooliques. Vous les entendez en parler et vous commencez vous-même à comprendre. Vous essayez de prier au cours d'une période de méditation chaque matin, et vous commencez à vous sentir plus fort, comme si vos prières étaient entendues. Et ainsi, vous en venez à croire qu'il doit exister une Puissance dans le monde, en dehors de vous-même, qui est plus puissante que vous et à laquelle vous pouvez demander de l'aide. *Est-ce que je reçois de l'aide grâce à ma foi en une Puissance Supérieure?*

Méditation du jour

Le progrès spirituel s'accomplit par la persistance quotidienne à vivre comme vous croyez que Dieu veut que vous viviez. Comme la pierre est usée par la goutte d'eau qui tombe continuellement au même endroit, ainsi votre persistance quotidienne fera disparaître toutes les difficultés et vous obtiendra le succès spirituel. N'abandonnez jamais cette persistance quotidienne et ferme. Allez de l'avant avec courage et sans crainte. Dieu vous aidera et vous fortifiera à condition que vous cherchiez à accomplir Sa volonté.

Prière du jour

Je demande de persister jour après jour dans le but d'améliorer mon expérience spirituelle. Je demande que ce soit le travail de toute ma vie.

L'aide que nous offrons à d'autres alcooliques est aussi une source de force. Quand vous avez une conversation avec un nouveau venu pour essayer de l'aider, vous augmentez en même temps votre propre force. Vous voyez l'autre personne dans la condition où vous pourriez être vous-même et cela vous porte à prendre, plus fermement que jamais, la résolution de demeurer sobre. Souvent, vous vous aidez vous-même plus que vous aidez l'autre; mais si vous l'aidez réellement à devenir sobre, vous êtes fortifié par l'expérience d'avoir aidé un autre être humain. *Est-ce que je reçois ma force en aidant les autres?*

Méditation du jour

La foi est le pont entre vous et Dieu. C'est le pont que Dieu a choisi. Si nous voyions et connaissions tout, il n'y aurait aucun mérite à faire le bien. C'est pourquoi Dieu a voulu que nous ne Le voyions ou connaissions pas directement. Mais nous pouvons faire l'expérience de la puissance de son Esprit par notre foi. Elle est le pont entre Lui et nous, que nous pouvons traverser ou non, librement. Il ne pourrait exister de morale sans la volonté libre. Nous devons faire notre choix nous-mêmes. Nous devons prendre le risque de la foi.

Prière du jour

Je demande de choisir et de décider de traverser le pont de la foi. Je demande qu'en traversant ce pont je reçoive la puissance spirituelle dont j'ai besoin.

Vous trouvez la puissance de vaincre la boisson en vous associant à d'autres alcooliques qui ont trouvé la méthode d'en sortir. Vous trouvez cette puissance en partageant sincèrement votre expérience passée par un témoignage personnel. Vous obtenez cette puissance en parvenant à croire à une Puissance supérieure, au Divin Principe de l'univers qui peut vous aider. Vous trouvez cette puissance grâce à votre aide envers d'autres alcooliques. De ces quatre façons, des milliers d'alcooliques ont trouvé toute la puissance dont ils avaient besoin pour dominer la boisson. *Suis-je disposé à accepter cette puissance et à faire des efforts pour l'obtenir?*

Méditation du jour

La puissance de l'esprit de Dieu est la plus grande puissance qui existe. La conquête des hommes les uns par les autres, les grands rois et les grands conquérants, la conquête de la richesse, les directeurs des sociétés commerciales, tout cela compte pour très peu en fin de compte. Mais celui qui réussit à se vaincre lui-même est plus grand que le conquérant d'une ville. Les choses matérielles n'ont aucune permanence. Mais l'esprit de Dieu est éternel. Tout ce qui a vraiment de la valeur dans le monde est l'oeuvre de la puissance de l'esprit de Dieu.

Prière du jour

Je demande d'ouvrir mon esprit à la puissance de l'esprit de Dieu. Je demande que cet esprit améliore mes relations avec mes compagnons humains.

Quand vous assistez à une assemblée A.A., vous n'assistez pas seulement à une assemblée mais vous entrez dans une nouvelle vie. Je suis toujours surpris du changement que je constate chez nos membres après qu'ils sont dans le mouvement A.A. depuis un certain temps. Je fais parfois un inventaire de moi-même pour voir si j'ai changé, et dans l'affirmative, de quelle façon. Avant de connaître le mouvement A.A., j'étais très égoïste. Je voulais que tout se passe à mon goût. Je pense que je ne suis jamais devenu adulte. Quand quelque chose allait mal, je me fâchais comme un enfant capricieux, et souvent je passais la porte et je me soûlais. *Est-ce que je suis encore au point de tout recevoir et de ne rien donner?*

Méditation du jour

Nous devons posséder deux choses si nous voulons transformer notre mode de vie. L'une d'elles, c'est la foi, la confiance dans les choses invisibles, dans cette bonté et ce plan qui sont à la base de l'univers. L'autre chose, c'est l'obéissance, ce qui signifie vivre selon notre foi chaque jour, comme nous croyons que Dieu veut que nous vivions, avec reconnaissance, honnêteté, pureté, générosité et amour. Ces deux choses, la foi et l'obéissance, nous donneront toute la force qui nous est nécessaire pour vaincre le péché et la tentation et pour vivre une vie nouvelle et plus abondante.

Prière du jour

Je demande une plus grande foi et une plus grande obéissance. Comme résultat de ces dispositions, je demande une vie plus abondante.

Avant de connaître les A.A. j'étais très malhonnête. Je mentais à mon épouse constamment au sujet des endroits où j'étais allé et de ce que j'avais fait. Je m'absentais du bureau et je prétendais que j'avais été malade ou bien je donnais d'autres excuses malhonnêtes. J'étais malhonnête avec moi-même comme avec les autres. Je ne m'envisageais jamais moi-même tel que j'étais réellement ou bien je n'admettais pas que j'avais tort. J'essayais de me faire croire à moi-même que j'étais tout aussi bon que le voisin, même si je soupçonnais que je ne l'étais pas. *Suis-je vraiment honnête?*

Méditation du jour

Je dois vivre en société et pourtant vivre à part avec Dieu. Je peux sortir de mes périodes de dialogue avec Dieu pour accomplir mon travail dans la société. Pour obtenir la force spirituelle dont j'ai besoin, ma vie intérieure doit être vécue en dehors du monde. Je dois revêtir le monde comme un vêtement ample. Rien dans le monde ne devrait vraiment m'émouvoir, à condition que je vive ma vie intérieure avec Dieu. Toute vie menée à bien à sa source dans cette vie intérieure.

Prière du jour

Je demande de vivre ma vie intérieure avec Dieu. Je demande que rien n'envahisse ou ne détruise ce lieu secret de paix.

Avant de connaître les A.A., je n'aimais rien. Depuis le jour où j'ai commencé à fréquenter l'école, j'ai porté bien peu d'attention à mon père et à ma mère. J'étais libre et je ne me souciais même pas de rester en contact avec eux. Après mon mariage, j'appréciai très peu mon épouse. Bien des fois, je l'ai laissée à la maison pendant que j'allais me divertir. J'ai porté très peu d'attention à nos enfants et je n'ai jamais essayé de les comprendre ou de m'en faire des amis. Mes amis peu nombreux n'étaient que des compagnons de boisson, pas des amis véritables. *Ai-je dépassé le stage de n'aimer personne sauf moi-même?*

Méditation du jour

Soyez calme, soyez sincère, soyez tranquille. Ne soyez pas bouleversé par quoi que ce soit qui se produit autour de vous. Conservez une profonde sécurité intérieure en ce qui a trait à la bonté et au destin de l'univers. Soyez sincère dans vos idéaux les plus élevés. Ne vous laissez pas glisser dans vos anciennes manières de réagir. Demeurez ferme dans votre spiritualité. Soyez calme, toujours. Ne répondez pas et n'argumentez pas trop quand on vous accuse à tort ou à raison. Acceptez l'insulte aussi bien que les éloges. Dieu seul peut porter un jugement sur votre moi véritable.

Prière du jour

Je demande de ne pas être bouleversé par le jugement des autres. Je demande de laisser Dieu être le juge de mon moi véritable.

Depuis que je suis dans le mouvement des A.A., ai-je commencé à être moins égoïste? Est-ce que je tiens encore autant à ce que tout le monde agisse comme je le désire? Quand quelque chose va mal, et que je ne peux obtenir ce que je veux, est-ce que je boude encore? Est-ce que j'essaie de ne pas gaspiller d'argent pour moi-même? Et suis-je heureux de constater que ma femme a assez d'argent pour elle-même et pour les enfants? *Est-ce que j'essaie de ne pas être quelqu'un qui reçoit toujours mais ne donne jamais?*

Méditation du jour

Chaque journée est une journée de progrès, de progrès constant pour le mieux, si vous faites en sorte qu'elle le soit. Vous ne vous en rendez peut-être pas compte, mais Dieu le sait. Dieu ne juge pas selon les apparences extérieures. Il juge selon votre coeur. Laissez-le voir dans votre coeur le simple désir de toujours accomplir Sa volonté. Même si vous avez l'impression que votre travail a été gâché ou de peu de valeur, Dieu le voit comme une offrande que vous Lui faites. Lorsqu'un homme gravit une colline abrupte, il est souvent plus conscient de la faiblesse de ses jambes que de la grandeur du paysage qui s'offre à ses yeux ou même de sa montée graduelle vers le sommet.

Prière du jour

Je demande de persévérer dans toutes mes bonnes dispositions. Je demande d'avancer chaque jour malgré mes pieds chancelants.

Depuis que je fais partie du mouvement A.A., ai-je commencé à devenir plus honnête? Est-ce que j'ai cessé de mentir à mon épouse? Suis-je ponctuel au travail? Est-ce que j'essaie de bien gagner mon salaire? Est-ce que j'essaie d'être honnête avec moi-même? Est-ce que je me vois moi-même tel que je suis vraiment, et ai-je admis que je ne suis aucunement bon par moi-même, mais que je dois compter sur l'aide de Dieu pour faire le bien? *Est-ce que je commence à comprendre ce que signifie être vivant et faire face au monde sincèrement et sans crainte?*

Méditation du jour

Dieu est tout autour de nous. Son esprit enveloppe tout l'univers. Et pourtant, souvent nous ne laissons pas Son esprit entrer en nous-mêmes. Nous essayons de nous tirer d'affaire sans Son aide et nous gâchons nos vies. Nous ne pouvons rien de bon sans l'aide de Dieu. Toutes nos relations humaines dépendent de ce fait. Quand nous permettons à l'esprit de Dieu de gouverner nos vies, nous apprenons à bien nous entendre avec nos semblables et à les aider.

Prière du jour

Je demande de laisser Dieu gouverner ma vie. Je demande de ne jamais plus gâcher ma vie en essayant de la diriger moi-même.

Depuis que je suis dans le mouvement A.A., ai-je commencé à aimer davantage ma famille et mes amis? Est-ce que je rends visite à mes parents? Est-ce que j'apprécie davantage ce que fait mon épouse? Lui suis-je reconnaissant pour sa patience envers moi au cours des années passées? Est-ce que je suis devenu l'ami de mes enfants? Ai-je l'impression que les amis que j'ai trouvés chez les A.A. sont de vrais amis? Est-ce que je crois qu'ils sont toujours prêts à m'aider? Est-ce que je veux aussi les aider si je le peux? *Est-ce que je me soucie vraiment des autres?*

Méditation du jour

La vraie puissance miraculeuse ne se trouve pas tant dans ce que vous faites que dans ce que vous êtes. Vous pouvez être une force pour le bien, avec l'aide de Dieu. Dieu est ici pour vous aider et vous bénir, pour vous accompagner. Vous pouvez travailler en collaboration avec Dieu. Transformé par la grâce de Dieu, vous laissez de côté un vêtement de l'esprit pour en revêtir un autre meilleur. En temps et lieu, vous rejetez ce dernier pour en trouver un autre encore plus somptueux. Et ainsi, de caractère en caractère, vous êtes peu à peu transformé.

Prière du jour

Je demande d'être capable d'accepter chaque défi. Je demande que chaque acceptation d'un défi me fasse croître et devenir un meilleur être humain.

Quand je buvais, j'étais un parfait égoïste. Je pensais à moi-même d'abord, en dernier lieu et toujours. L'univers tournait autour de moi et j'en étais le centre. Quand je m'éveillais le matin avec la gueule de bois, ma seule pensée était de me plaindre que j'étais bien malheureux et de trouver une méthode de faire disparaître mes douleurs. Et je ne pouvais penser qu'à une seule chose, encore de l'alcool. Il m'était impossible de cesser de boire. Je ne pouvais penser à autre chose qu'à moi-même et à un autre verre de boisson. *Est-ce que je peux maintenant voir au-delà de ma propre personne égoïste?*

Méditation du jour

Rappelez-vous que la première qualité de la grandeur, c'est le service. D'une certaine façon, Dieu est le plus grand serviteur qui existe, parce qu'Il attend toujours que nous Lui demandions de nous aider dans toutes nos bonnes actions. Sa force est toujours à notre disposition, mais nous devons la Lui demander par notre volonté libre. C'est un don gratuit, mais nous devons le désirer sincèrement. Une vie de service, c'est la plus belle vie que nous puissions vivre. Nous sommes ici sur la terre pour rendre service aux autres. Tel est le commencement et la fin de notre valeur réelle.

Prière du jour

Je demande de coopérer avec Dieu dans toutes les bonnes choses. Je demande de servir Dieu et mes semblables et d'avoir ainsi une vie utile et heureuse.

Quand je suis arrivé au mouvement des A.A., j'ai trouvé des hommes et des femmes qui avaient connu une expérience semblable à la mienne. Mais ils pensaient maintenant à aider les autres plutôt qu'à eux-mêmes. Ils étaient beaucoup moins égoïstes que moi. En assistant à des assemblées et en m'associant à eux, j'ai commencé à penser un peu moins à moi-même et un peu plus aux autres. J'ai aussi appris que je n'avais pas à me fier seulement à moi-même pour sortir du gâchis où je me trouvais. Je pouvais obtenir une force supérieure à la mienne. *Est-ce que je compte maintenant moins sur moi-même et davantage sur Dieu?*

Méditation du jour

Aucun homme ne peut en aider un autre à moins de comprendre celui qu'il essaie d'aider. Pour comprendre les problèmes et les tentations de votre semblable, vous devez les avoir vécus vous-même. Vous devez faire tout ce que vous pouvez pour comprendre cette autre personne. Vous devez étudier son passé, ce qu'elle aime et ce qu'elle n'aime pas, ses réactions et ses préjugés. Quand vous connaissez ses faiblesses ne lui en faites par la remarque. Parlez-lui de vos propres faiblesse, de vos péchés et de vos tentations et laissez-la trouver ses propres convictions.

Prière du jour

Je demande de servir d'intermédiaire à la puissance de Dieu pour qu'Il agisse dans la vie des autres humains. Je demande d'essayer de comprendre mes semblables.

Les gens demandent souvent pourquoi le programme A.A. donne de tels résultats. L'une des réponses possibles, c'est que le programme A.A. donne des résultats parce qu'il enlève à cette personne l'idée qu'elle est le centre de l'univers. Et il lui enseigne à compter sur la fraternité des membres et sur cette force qui a sa source en Dieu. S'oublier soi-même dans l'association, la prière et le travail avec les autres, voilà ce qui fait que le mouvement A.A. donne de tels résultats. *Est-ce que ces principes me gardent sobre?*

Méditation du jour

Dieu est le grand interprète qui explique une personnalité humaine à une autre. Même les personnalités les plus près les unes des autres ont en elles-mêmes quelque chose qui ressemble à un livre scellé où elles ne peuvent lire. Et c'est seulement lorsque Dieu entre dans leurs vies et les dirige que les mystères de chaque personnalité sont révélés à l'autre. Chaque personnalité est tellement différente de l'autre. Dieu seul comprend parfaitement le langage de chacun et peut l'interpréter pour la compréhension de l'autre être humain. C'est ce qu'on appelle le miracle de la transformation et la véritable interprétation de la vie.

Prière du jour

Je demande de parvenir à de bonnes relations avec Dieu. Je demande que Dieu interprète pour moi les personnalités des autres humains pour que je puisse les comprendre et les aider.

Chaque alcoolique a un problème de personnalité. Il boit pour s'évader de la vie, par réaction à un complexe de solitude ou d'infériorité, ou à cause d'un certain conflit émotif en lui-même qui l'empêche de s'adapter à la vie. Son alcoolisme est un symptôme du désordre de sa personnalité. Un alcoolique ne peut pas arrêter de boire s'il ne trouve pas une façon de résoudre son problème de personnalité. C'est pourquoi le fait de ne pas prendre de boisson temporairement n'est pas une solution. C'est pourquoi les promesses, d'habitude, ne servent à rien. *Mon problème de personnalité a-t-il jamais été résolu par l'abstinence temporaire ou par une promesse?*

Méditation du jour

Dieu rayonne dans votre vie par l'ardeur de Son esprit. Vous devez ouvrir votre pensée comme une fleur à ces rayons divins. Mettez fin à votre attachement à la terre, à ses soucis et à ses inquiétudes. Détachez-vous des biens matériels, et un flot de paix et de sérénité se répandra en vous-même. Abandonnez toutes les choses matérielles et recevez-les de nouveau de Dieu. Ne tenez pas aux trésors terrestres au point que vos mains soient trop occupées pour saisir les mains de Dieu, alors qu'Il vous les tend avec amour.

Prière du jour

Je demande d'avoir l'esprit ouvert pour recevoir la bénédiction de Dieu. Je demande de consentir à me détacher des choses matérielles pour pouvoir les recevoir de nouveau de Dieu.

Dans le mouvement des A.A., l'alcoolique trouve une façon de résoudre son problème de personnalité. Il y réussit en retrouvant trois choses. Premièrement, il retrouve son intégrité personnelle. Il se ressaisit. Il devient honnête envers lui-même et envers les autres. Il se fait face à lui-même et fait face à ses problèmes honnêtement, au lieu de tout fuir. Il fait son inventaire personnel de lui-même pour connaître sa situation exacte. Puis il fait face à la réalité au lieu de trouver des excuses pour se justifier lui-même. *Ai-je retrouvé mon intégrité?*

Méditation du jour

Quand des difficultés se produisent ne dites pas: "Pourquoi cela m'arrive-t-il?" Demeurez en dehors de la situation. Pensez aux autres et à leurs problèmes et vous oublierez les vôtres. Sortez peu à peu de vous-même et vous connaîtrez la consolation du service sans égoïsme envers les autres. Après un certain temps, ce qui vous arrive ne semble pas aussi important. Ce n'est plus tellement important, sauf à titre d'expérience qui peut vous servir pour aider les autres qui sont aux prises avec le même genre de problèmes.

Prière du jour

Je demande de devenir moins égoïste. Je demande de ne pas retomber dans mes anciennes habitudes parce qu'alors je laisserais mon ancien égoïsme se glisser de nouveau dans ma vie.

Deuxièmement, un alcoolique retrouve sa foi dans une Puissance supérieure à lui-même. Il admet qu'il est impuissant par lui-même et demande de l'aide à cette Puissance supérieure. Il abandonne sa vie à Dieu tel qu'il Le comprend. Il remet son problème de boisson entre les mains de Dieu et le laisse là. Il retrouve sa foi en une Puissance supérieure qui peut l'aider. *Ai-je retrouvé ma foi?*

Méditation du jour

Vous devez vous déclarer du côté de Dieu. Ceux qui croient en Dieu sont considérés par certains comme des êtres bizarres. Vous devez même accepter d'être considéré comme insensé à cause de votre foi. Vous devez être prêt à vous retirer et à laisser passer les modes et les coutumes du monde quand les buts de Dieu sont ainsi accomplis. Qu'on reconnaisse en vous les signes qui distinguent celui qui croit en Dieu. Ce sont l'honnêteté, la pureté, la générosité, l'amour, la reconnaissance et l'humilité.

Prière du jour

Je demande d'être prêt à professer ma foi en Dieu devant les hommes. Je demande de n'être pas ébranlé par le scepticisme et le cynisme des incroyants.

Troisièmement, un alcoolique retrouve des relations convenables avec les autres personnes. Il pense moins à lui-même et davantage aux autres. Il essaie d'aider d'autres alcooliques. Il se fait de nouveaux amis, de sorte qu'il n'est plus seul. Il essaie de vivre une vie de dévouement au lieu d'une vie égoïste. Toutes ses relations avec les autres sont améliorées. Il résout son problème de personnalité en recouvrant son intégrité personnelle, sa foi en une Puissance supérieure et sa fraternité et son dévouement envers les autres. *Est-ce que mon problème de boisson est résolu en autant que mon problème de personnalité est réglé?*

Méditation du jour

Tout ce qui vous déprime, tout ce que vous craignez, ne peut vraiment pas vous faire du tort. Ces choses ne sont que le fruit de votre imagination. Alors élevez-vous au-dessus des liens de la terre, de l'abattement, du manque de confiance, de la crainte et de tout ce qui gêne votre nouvelle vie. Élevez-vous vers la beauté, la joie, la paix et le travail inspiré par l'amour. Vous n'avez même pas besoin de craindre la mort. Tous vos péchés passés sont pardonnés si vous vivez et aimez et travaillez avec Dieu. Ne laissez rien nuire à votre nouvelle vie. Cherchez à connaître de mieux en mieux ce nouveau mode de vie.

Prière du jour

Je demande de laisser Dieu vivre en moi pendant que je travaille pour Lui. Je demande de sortir au grand jour et de collaborer avec Dieu.

Quand je suis arrivé au mouvement A.A., je suis entré dans un monde nouveau, un monde sobre. Un monde de sobriété, de sérénité et de bonheur. Mais je sais que si je prends seulement une gorgée de boisson, je retournerai immédiatement dans le monde d'autrefois. Ce monde alcoolique, ce monde d'ivrognerie, de conflit et de supplice. Ce monde alcoolique n'est pas un endroit agréable pour l'alcoolique qui y vit. Il n'est pas gai de voir le monde à travers le fond d'un verre après que vous êtes devenu un alcoolique. *Est-ce que je désire retourner dans ce monde alcoolique?*

Méditation du jour

L'orgueil est comme une sentinelle à la porte du coeur et empêche l'amour de Dieu d'y entrer. Dieu ne peut habiter qu'avec les humbles et les obéissants. La soumission à la volonté de Dieu est la clef qui ouvre la porte du royaume de Dieu. Aucun homme ne peut obéir de son mieux à Dieu sans, un jour, se rendre compte de l'amour de Dieu et répondre à cet amour. Les marches rugueuses de l'obéissance montent vers l'endroit où se trouve la mosaïque de l'amour et de la joie. Où est l'esprit de Dieu, là est votre demeure. Pour vous, c'est là qu'est le ciel.

Prière du jour

Je demande que Dieu fasse Sa demeure de mon coeur humble et soumis. Je demande d'obéir de mon mieux à Son inspiration.

Dans ce monde alcoolique, un verre conduit toujours à un autre verre et vous ne pouvez arrêter avant d'être ivre. Et le lendemain matin, c'est à recommencer. Avec le temps, vous en arrivez à l'hôpital ou à la prison. Vous perdez votre emploi. Votre épouse vous quitte. Vous êtes toujours dans le pétrin. Vous êtes dans un carrousel et vous ne pouvez en descendre. Vous êtes dans une cage à écureuil qui tourne et vous ne pouvez en sortir. *Suis-je convaincu que le monde alcoolique n'est pas un endroit agréable pour moi?*

Méditation du jour

Je dois apprendre à accepter de me discipliner moi-même. Je dois essayer de ne jamais céder quand il s'agit d'une bonne décision déjà prise. Je ne dois pas me laisser aller au ressentiment, à la haine, à l'orgueil, à l'impureté ou au commérage. Même si par discipline je me tiens éloigné de certaines personnes qui n'ont pas de discipline, je continuerai dans la bonne voie. Mes méthodes et ma façon de vivre peuvent être différentes de celles de certaines autres personnes. Mes motifs peuvent être différents de ceux de mes semblables. Mais j'essaierai de vivre comme je crois que Dieu veut que je vive, peu importe ce que disent les autres.

Prière du jour

Je demande d'être pour les autres un exemple d'un meilleur mode de vie. Je demande d'avoir le courage de continuer dans cette voie, malgré les obstacles.

Ce monde sobre est un endroit où, pour l'alcoolique, il est agréable de vivre. Quand vous êtes sorti de votre brouillard alcoolique, vous vous rendez compte que le monde vous semble bon. Vous trouvez de véritables amis chez les A.A. Vous trouvez du travail. Vous vous sentez bien le matin. Vous mangez un bon déjeuner et vous vous rendez au travail. Et le soir, vous revenez à votre famille qui vous accueille bien parce que vous êtes sobre. *Suis-je convaincu que ce monde sobre est pour l'alcoolique un endroit où il fait bon vivre?*

Méditation du jour

Le besoin de l'homme, c'est l'occasion de Dieu. Je dois d'abord reconnaître mon besoin. Souvent, cela signifie que je suis impuissant en face d'une faiblesse ou d'une maladie; et c'est admettre que j'ai besoin d'aide. Vient ensuite la foi dans la puissance de l'esprit de Dieu, qui est à ma disposition pour combler ce besoin. Avant que ne puisse être obtenu le secours correspondant à un besoin, la foi de l'homme doit s'exprimer. Cette expression de la foi est tout ce dont Dieu a besoin pour manifester Sa puissance dans ma vie. La foi est la clef qui ouvre la porte de l'entrepôt des ressources de Dieu.

Prière du jour

Je demande d'admettre d'abord mes besoins. Je demande de croire que Dieu répondra à ces besoins de la façon qui sera la meilleure pour moi.

Maintenant que j'ai trouvé ma place dans ce monde nouveau par la grâce de Dieu et avec l'aide des A.A., vais-je boire ce premier verre, alors que je sais qu'un seul verre changera tout mon univers? Est-ce que je retourne délibérément aux souffrances de ce monde alcoolique? Ou, au contraire, vais-je me cramponner au bonheur de ce monde sobre? Existe-t-il le moindre doute au sujet de la réponse que je dois donner à cette question? *Avec l'aide de Dieu, vais-je m'agripper des deux mains au mouvement A.A.?*

Méditation du jour

Par ma présence dans le monde, j'essaierai de le rendre meilleur et plus heureux. J'essaierai d'aider les autres à trouver comment Dieu veut qu'ils vivent. J'essaierai d'être du côté du bien, dans le flot de l'honnêteté, où les choses oeuvrent pour le bien. Je ferai mon travail avec ténacité et fidèlement, ne ménageant pas mes efforts. Je serai aimable avec tout le monde. J'essaierai de voir les difficultés de l'autre être humain et j'essaierai de l'aider à les corriger. Je demanderai toujours à Dieu d'agir comme interprète entre moi et l'autre personne.

Prière du jour

Je demande de vivre en esprit de prière. Je demande d'avoir confiance en Dieu pour obtenir la force dont j'ai besoin pour m'aider à faire ma part afin que l'univers soit un meilleur endroit pour l'humanité.

Un capitaine de police racontait un jour certaines expériences de sa carrière. La cause de la tragédie, dans chaque cas, était l'ivresse. Il raconta comment un homme avait commencé à discuter avec sa femme, alors qu'il était ivre, et comment il l'avait battue à mort. L'homme continua ensuite à boire dans une taverne voisine. Le capitaine de police raconta ensuite comment un homme ivre s'était avancé au bord d'une vieille carrière; il tomba dans ce trou de cent-cinquante pieds de profondeur et se tua. *Lorsque j'entends ou que je lis ces récits, est-ce que je songe à notre dicton: "Par la grâce de Dieu"...?*

Méditation du jour

Je dois garder mon équilibre en maintenant les principes spirituels au centre de ma vie. Dieu me donnera le calme et l'équilibre si je les demande. Cet équilibre me permettra d'aider les autres avec succès. Cet équilibre se manifestera de plus en plus dans ma propre vie. Je devrais garder les choses matérielles à leur propre rang et garder les choses spirituelles au centre de ma vie. Alors je serai en paix, malgré la confusion de la vie de chaque jour.

Prière du jour

Je demande d'habiter avec Dieu au centre de ma vie. Je demande de conserver cette paix intérieure au centre de mon être.

Des malheurs terribles auraient pu arriver à chacun d'entre nous. Nous ne saurons jamais ce qui aurait pu nous arriver pendant que nous étions soûls. Nous pensions d'habitude: "Cela ne pourrait pas m'arriver". Mais chacun d'entre nous aurait pu tuer quelqu'un ou être tué si nous étions assez ivres. Mais la crainte de ces malheurs ne nous a jamais empêchés de boire. *Est-ce que je crois que chez les A.A. nous avons quelque chose de plus efficace que la peur?*

Méditation du jour

Je dois demeurer calme et maître de mes émotions dans les vicissitudes de la vie. Je dois retourner au silence de l'union avec Dieu pour retrouver ce calme quand je l'ai perdu même pour un moment. Je vais accomplir davantage par ce calme que par toutes les actions d'une longue journée. À tout prix, je demeurerai calme. Je ne peux rien résoudre lorsque je suis agité. Je devrais me tenir éloigné des choses qui me bouleversent. Je devrais vivre toujours calmement au lieu d'être vaincu par mes émotions. Je devrais rechercher ce qui est calme, bon et vrai, et m'en tenir à cela.

Prière du jour

Je demande de ne pas participer aux discussions, mais de dire calmement ce que je crois être la vérité. Je demande de me garder dans cet état de calme qui découle de la foi dans les desseins de Dieu concernant l'univers.

Dans le mouvement A.A. nous avons une assurance. Notre foi en Dieu est une sorte d'assurance contre les terribles malheurs qui pourraient nous arriver si jamais nous recommencions à boire. En déposant notre problème entre les mains de Dieu, nous avons obtenu une sorte de police d'assurance qui nous protège contre les dommages de la boisson, comme nos maisons sont assurées contre leur destruction par le feu. *Est-ce que je paie mes "primes d'assurance A.A." régulièrement?*

Méditation du jour

Je dois essayer d'aimer mes semblables. L'amour a sa source dans la considération de chaque personne, homme ou femme, comme votre frère ou votre soeur parce qu'ils sont les enfants de Dieu. Cette manière de penser fait que je m'inquiète assez de leur sort pour désirer réellement les aider. Je dois agir en fonction de cet amour en rendant service à mon prochain. L'amour signifie qu'on s'abstient des jugements sévères, du ressentiment, du commérage mal intentionné et de la critique destructive. Le mot amour veut dire patience, compréhension, compassion et dévouement.

Prière du jour

Je demande de me rendre compte que Dieu m'aime puisqu'il est notre Père à tous. Je demande d'avoir, à mon tour, de l'amour pour tous Ses enfants.

Chaque fois que nous assistons à une assemblée A.A., chaque fois que nous récitons le Notre Père, chaque fois que nous méditons silencieusement le matin, nous payons notre prime d'assurance contre notre premier verre. Et chaque fois que nous aidons un autre alcoolique, nous versons une somme considérable pour notre assurance contre l'alcool. Nous nous assurons que notre assurance est toujours en vigueur. *Est-ce que je me prépare une dotation de sérénité, de paix et de bonheur qui me permettra de vivre sans difficulté le reste de ma vie?*

Méditation du jour

Ma foi augmente parce que je constate la puissance de Dieu dans ma vie. Le fait de reconnaître constamment et avec persistance l'esprit de Dieu dans toutes mes relations personnelles, l'évidence toujours plus considérable de l'orientation de Dieu, les occasions innombrables où ce qui semble la chance ou une merveilleuse coïncidence peut m'indiquer le but de Dieu dans ma vie; toutes ces choses peu à peu produisent une impression d'émerveillement, d'humilité et de gratitude envers Dieu. Nous obtenons ainsi une confiance plus sûre et plus immuable en Dieu et en Ses desseins à notre égard.

Prière du jour

Je demande que ma foi soit chaque jour de plus en plus forte. Je demande de trouver dans les bonnes choses qui se produisent dans ma vie la confirmation de ma foi.

Quand je passe en revue ma vie de buveur, est-ce que je constate qu'on retire de la vie ce qu'on y place? Quand j'ai mis la boisson dans ma vie, est-ce que j'en ai retiré bien des difficultés? Les hôpitaux et le délire? La prison pour avoir conduit en état d'ébriété? Ai-je perdu mon emploi? Ai-je perdu mon foyer, ma femme et mes enfants? *Lorsque j'ai mis la boisson dans ma vie, est-ce que presque tout ce qui en est résulté n'était pas mauvais?*

Méditation du jour

Je devrais tâcher d'acquérir de la bienveillance et un esprit d'entraide qui aidera tous ceux qui se trouveront dans mon entourage. Je devrais essayer de trouver en eux quelque chose d'aimable. Je devrais les accueillir aimablement, avec politesse et compréhension, et les aider s'ils demandent de l'aide. Je ne dois éloigner personne sans dire un mot d'encouragement, sans lui donner l'impression que je tiens à son bien-être. Dieu peut avoir inspiré à une personne désespérée de venir à moi. Je ne dois pas décevoir Dieu en repoussant cette personne. Elle peut fort bien avoir des besoins profonds qu'elle n'exprimera pas à moins d'être certaine d'un accueil chaleureux.

Prière du jour

Je demande d'accueillir chaleureusement tous ceux qui viendront à moi pour obtenir de l'aide. Je demande de leur donner l'impression que je me soucie réellement de leur sort.

Depuis que j'ai recueilli la sobriété dans ma vie, j'en ai retiré beaucoup de bonnes choses. Je puis décrire ce résultat comme une satisfaction paisible. Je me sens bien. J'ai l'impression que je suis du bon côté dans le monde, du bon côté de la clôture. À condition que je mette de la sobriété dans ma vie, presque tout ce que je trouve dans cette dernière est bon. La satisfaction que vous trouvez à vivre sobrement est faite de beaucoup de petites choses. Vous avez l'ambition de faire des choses que vous ne désiriez pas faire lorsque vous buviez. *Est-ce que je suis satisfait de vivre une vie sobre?*

Méditation du jour

C'est une route glorieuse — la route qui mène au sommet. Il y a de merveilleuses découvertes à faire dans le royaume de l'esprit. Il y a de la tendre intimité dans les moments d'union silencieuse avec Dieu. Il y a cette entente étonnante et presque incompréhensible avec les autres humains. Dans ce voyage vers les sommets, vous pouvez obtenir cette Puissance supérieure dont vous avez besoin. Vous ne pouvez pas lui demander trop souvent cette énergie. Il vous donne toute la puissance qu'ils vous faut, à condition que vous soyez en route vers les sommets.

Prière du jour.

Je demande de pouvoir apercevoir de magnifiques horizons pendant mon voyage vers les sommets. Je demande de pouvoir continuer à avancer vers une vie plus abondante.

Le contentement que vous trouvez en vivant sobrement est fait de bien des petites choses, mais elles s'ajoutent les unes aux autres pour vous donner une vie satisfaisante et heureuse. Vous trouvez dans la vie ce que vous y avez mis. Je dirais donc aux gens qui arrivent au mouvement A.A.: "Ne vous inquiétez pas de ce que sera votre vie sans l'alcool. Demeurez tout simplement avec nous et bien des bonnes choses vous arriveront. Et vous aurez cette impression de satisfaction paisible, de paix, de sérénité et de gratitude envers la grâce de Dieu". *Est-ce que ma vie commence vraiment à valoir la peine d'être vécue?*

Méditation du jour

Il y a deux sentiers, l'un qui monte et l'autre qui descend. Nous avons une volonté libre qui nous permet de choisir l'un ou l'autre de ces sentiers. Nous sommes les capitaines de nos âmes seulement jusque-là. Nous pouvons choisir le bien ou le mal. Quand nous avons choisi le mauvais sentier, nous descendons continuellement, jusqu'à la mort. Mais si nous choisissons le bon sentier, nous montons continuellement, jusqu'au jour de la résurrection. Dans le mauvais sentier, nous n'avons aucune puissance pour le bien parce que nous ne choisissons pas de le demander. Mais dans le bon sentier, nous sommes du côté du bien et nous sommes soutenus par toute la puissance de l'esprit de Dieu.

Prière du jour

Je demande de me trouver dans le fleuve de la bonté. Je demande de me trouver du bon côté, du côté de tout le bien qu'il y a dans l'univers.

Après un certain temps dans l'association des A.A., nous découvrons que si nous voulons demeurer sobres, nous devons être humbles. Les membres A.A. qui ont vraiment réussi à dominer leur problème sont tous des gens humbles. Quand je m'arrête à penser que sans la grâce de Dieu je pourrais être ivre en ce moment même, je ne peux m'empêcher de me sentir humble. La reconnaissance envers Dieu pour Sa grâce me rend humble. Quand je songe à la sorte de personne que j'étais il n'y a pas si longtemps, quand je songe à l'homme de mon passé, je n'ai aucune raison d'être orgueilleux. *Suis-je reconnaissant et humble?*

Méditation du jour

Je dois reprendre vie en quittant la mort du péché et de l'égoïsme et trouver une nouvelle vie d'intégrité. Tous les anciens péchés et toutes les anciennes tentations doivent être déposés dans la tombe et une nouvelle existence doit naître de leurs cendres. Hier est disparu. Tous mes péchés me sont pardonnés si j'essaie honnêtement de faire la volonté de Dieu aujourd'hui. Aujourd'hui est ici, c'est le temps de la résurrection et du renouvellement. Je dois commencer maintenant, aujourd'hui, à construire une nouvelle vie qui ait pour base une foi et une confiance totales en Dieu et la détermination de faire Sa volonté en tout.

Prière du jour

Je demande de faire ma part pour faire du monde un meilleur endroit où l'homme peut vivre. Je demande de faire mon possible pour apporter un peu plus de bonté sur la terre.

Les gens croient au mouvement A.A. quand ils constatent ses résultats. Une démonstration actuelle, voilà ce qui les convainc. Ce qu'ils lisent dans les livres, ce qu'ils entendent dire ne leur donne pas toujours cette conviction. Mais quand ils constatent un changement véritable chez une personne, la transformation d'un ivrogne en un citoyen sobre et utile, c'est quelque chose qu'ils peuvent croire, car ils le voient de leurs propres yeux. Il n'y a vraiment qu'une chose qui me prouve que le mouvement A.A. produit des résultats. *Est-ce que j'ai vu le changement qui se produit chez les personnes qui viennent au mouvement A.A.?*

Méditation du jour

L'autorité divine et une soumission parfaite à Dieu, voilà les seules conditions nécessaires à la vie spirituelle. "Autorité divine" signifie "foi et confiance absolue en Dieu"; il s'agit de croire que Dieu est le divin principe de l'univers et qu'Il est l'Intelligence et l'Amour qui régissent l'univers. Soumission parfaite à Dieu signifie vivre chaque jour comme vous croyez que Dieu veut que vous viviez, recherchant constamment l'inspiration de Dieu dans chaque circonstance, et être disposé à faire le bien en tout temps.

Prière du jour

Je demande d'être toujours soumis à l'autorité de Dieu et de toujours obéir parfaitement à Dieu. Je demande d'être toujours prêt à Le servir.

Des hommes et des femmes vaincus par l'alcool viennent chaque jour aux A.A., souvent abandonnés par les médecins comme des cas désespérés, et admettant eux-mêmes qu'ils ne peuvent rien faire pour arrêter de boire. Lorsque je vois ces hommes et ces femmes devenir sobres et demeurer sobres pendant des mois et des années, je sais que le mouvement A.A. est efficace. Le changement que je constate dans les humains qui viennent au mouvement A.A. non seulement me convainc que le mouvement A.A. est efficace, mais il me convainc aussi qu'une Puissance supérieure à nous-mêmes doit exister et nous aider à produire cette transformation. *Suis-je convaincu qu'une Puissance supérieure peut m'aider à changer?*

Méditation du jour

La coopération avec Dieu est la grande nécessité de nos vies. Tout le reste en découle naturellement. Notre coopération avec Dieu découle du fait que nous sommes conscients de Sa présence. L'inspiration nous sera sûrement donnée si nous vivons de plus en plus avec Dieu, à mesure que notre conscience devient de plus en plus au diapason de la grande Conscience de l'univers. Pendant nos périodes de méditation nous ne demandons pas surtout que Dieu nous renseigne et nous dirige; nous essayons plutôt de sentir et de constater Sa présence. Cette coopération avec Dieu produit naturellement une nouvelle croissance spirituelle.

Prière du jour

Je demande que Dieu m'accorde la force et qu'Il m'indique comment Il veut que je croisse spirituellement. Je demande que ces grâces me soient accordées à cause de ma coopération avec Lui.

Il est prouvé que nous, les alcooliques, nous ne pouvons devenir sobres par notre propre force de volonté. Nous avons manqué notre coup tant et tant de fois. C'est pourquoi, je crois qu'il doit exister une Puissance supérieure qui m'aide. Je considère que cette puissance est la grâce de Dieu. Et je prie Dieu chaque matin pour obtenir la force de demeurer sobre aujourd'hui. Je sais que cette Puissance est là parce qu'elle ne manque jamais de m'aider. *Est-ce que je crois que le mouvement A.A. est rendu efficace par la grâce de Dieu?*

Méditation du jour

À partir du moment où "je suis né de l'esprit", j'y trouve le souffle de ma vie. En moi se trouve la Vie même de la vie, de sorte que je ne peux jamais périr. La Vie qui, au cours des âges, a préservé les enfants de Dieu dans le péril, l'adversité et la tristesse. Je dois essayer de ne jamais douter ni m'inquiéter, mais de suivre la route que m'indique la vie de l'esprit. Combien souvent, même quand je ne le sais pas, Dieu me précède pour préparer mon chemin, pour attendrir un coeur ou pour subjuguer un ressentiment. À mesure que se développe la vie de l'esprit, les désirs naturels deviennent moins importants.

Prière du jour

Je demande que ma vie parvienne à s'orienter vers Dieu au lieu de s'orienter vers moi-même. Je demande que ma volonté tende à accomplir Sa volonté.

Je ne crois pas à l'efficacité du mouvement A.A. parce que je lis cette affirmation dans un livre ou parce qu'on le dit. Je le crois parce que je vois des gens devenir sobres et demeurer sobres. Une démonstration véritable, telle est la cause de ma conviction. Lorsque je constate le changement qui se produit dans une personne, je ne peux m'empêcher de croire que le mouvement A.A. est efficace. Nous pourrions entendre expliquer le mouvement A.A. toute la journée et n'y pas croire quand même; mais quand nous constatons ses bons résultats, nous sommes forcés d'y croire. Voir, c'est croire. *Est-ce que je constate chaque jour l'efficacité du mouvement A.A.?*

Méditation du jour

Au sujet de chaque personne qui ne semble pas en harmonie avec vous, essayez de dire: "Que Dieu le bénisse!" Dites-le aussi dans le cas de toute personne qui a des difficultés par sa propre faute. Dites-le en désirant que des pluies de bénédictions descendent sur eux. Laissez Dieu répandre ses bénédictions. Laissez à Dieu le travail de correction ou de discipline, s'il est nécessaire. Vous ne devriez désirer que Ses bénédictions pour ces personnes. Laissez à Dieu le travail de Dieu. Occupez-vous à la tâche qu'Il vous donne à faire. Les bénédictions de Dieu feront aussi disparaître vos propres difficultés et prépareront vos succès.

Prière du jour

Je demande de me servir de la bonté de Dieu de manière à ce qu'elle soit une bénédiction pour les autres. Je demande d'accepter les bénédictions de Dieu de façon à obtenir l'harmonie de la beauté, de la joie et du bonheur.

Le programme A.A. en est un de soumission, de délivrance et d'action. Lorsque nous buvions, nous étions soumis à une puissance supérieure à nous-mêmes, l'alcool. Nos volontés personnelles ne peuvent rien contre la puissance de l'alcool. Un seul verre, et nous faisons naufrage. Dans le mouvement A.A., nous cessons de nous soumettre à la puissance de l'alcool. Nous nous soumettons plutôt à une Puissance qui est, elle aussi, supérieure à nous-mêmes et que nous appelons Dieu. *Me suis-je soumis à cette Puissance supérieure?*

Méditation du jour

L'activité constante ne correspond pas au plan de Dieu pour votre vie. Les périodes de retraite pour renouveler vos forces sont toujours nécessaires. Quand se produit la moindre vague de crainte, arrêtez tout travail, tout, et reposez-vous en présence de Dieu jusqu'au moment où, de nouveau, vous serez fort. Procédez de la même manière dans les moments de fatigue. C'est alors que vous avez besoin de repos pour votre corps et d'un renouvellement de la force de votre esprit. Saint Paul a dit: "Je peux tout par Celui qui me fortifie". Cela ne veut pas dire que vous ferez tout ce que vous avez à faire et qu'ensuite vous compterez sur Dieu pour obtenir de l'énergie. Cela signifie que vous devez faire ce que vous croyez que Dieu veut que vous fassiez et qu'alors seulement vous pouvez compter sur le secours de Sa puissance.

Prière du jour

Je demande que l'esprit de Dieu soit toujours mon maître. Je demande d'apprendre comment me reposer et écouter, comme je demande d'apprendre comment travailler.

Par notre soumission à Dieu, nous sommes délivrés de la puissance de l'alcool. Il n'a plus d'emprise sur nous. Nous sommes aussi délivrés des choses qui nous tenaient prisonniers: l'orgueil, l'égoïsme et la crainte. Et nous sommes libres de faire du progrès dans une nouvelle vie, qui est tellement meilleure que notre ancienne vie qu'il n'y a pas de comparaison possible. Cette délivrance nous donne la sérénité et la paix avec nos semblables. *Ai-je été délivré de la puissance de l'alcool?*

Méditation du jour

Nous connaissons Dieu par la vision spirituelle. Nous avons l'impression qu'Il est à côté de nous. Nous sentons Sa présence. Nous ne connaissons pas Dieu par nos sens. La conscience de notre esprit remplace nos yeux. Comme nous ne pouvons pas voir Dieu, nous devons Le découvrir par une perception spirituelle. Dieu doit franchir les obstacles physiques et spirituels en nous offrant le don de la vision spirituelle. Bien des hommes, même s'ils ne pouvaient Le voir, ont eu spirituellement une claire conscience de Dieu. Nous sommes à l'intérieur d'une prison d'espace et de temps, mais nous savons qu'il doit exister quelque chose à l'extérieur de cette prison, un espace illimité, une éternité de temps, et Dieu.

Prière du jour

Je demande d'être conscient de la présence de Dieu. Je demande que Dieu me donne la vision spirituelle.

Nous sommes si heureux d'être libres de l'alcool que nous passons à l'action. Nous assistons aux assemblées régulièrement. Nous sortons de notre maison pour essayer d'aider d'autres alcooliques. Nous répandons la bonne nouvelle chaque fois que nous en avons l'occasion. Par esprit de reconnaissance envers Dieu, nous passons à l'action. Le programme A.A. est simple. Soumettez-vous à Dieu, soyez libérés de l'alcool et agissez. Faites cela et continuez à le faire, et vous avez ce qu'il vous faut pour le reste de votre vie. *Suis-je passé à l'action?*

Méditation du jour

Dieu doit chercher éternellement à retrouver les âmes. Vous devriez vous joindre à Lui dans cette recherche. Dans les champs, dans les endroits perdus, dans les clairières, au sommet des montagnes, dans les vallées, Dieu va devant vous. Mais votre main secourable suit Ses directives. C'est votre gloire de suivre un tel Chef. Vous recherchez les brebis perdues. Vous apportez la bonne nouvelle dans les endroits où elle n'avait jamais été entendue. Il est possible que vous ne sachiez pas quelle âme vous aiderez, mais vous pouvez abandonner tous les résultats à Dieu. Accompagnez-Le tout simplement dans Sa recherche éternelle des âmes.

Prière du jour

Je demande de suivre Dieu dans Sa recherche éternelle des âmes. Je demande d'offrir à Dieu ma main secourable.

Le programme A.A. est un programme de foi, d'espérance et de charité. C'est un programme d'espoir parce que lorsqu'un nouveau membre vient aux A.A., la première chose qu'il trouve, c'est l'espoir. Il entend les membres plus expérimentés raconter comment ils ont passé par le même genre d'enfer que lui et comment ils ont trouvé la méthode d'en sortir grâce aux A.A. Et cela lui donne l'espoir que s'ils ont pu réussir, il le peut aussi. *L'espoir est-il encore puissant en moi?*

Méditation du jour

La loi du royaume de Dieu, c'est l'ordre parfait, l'harmonie parfaite, l'abondance parfaite, l'amour parfait, l'honnêteté parfaite, la soumission parfaite. Il n'y a pas de discorde dans le royaume de Dieu; il n'y a que des défauts qui ne sont pas encore corrigés dans les âmes des enfants de Dieu. Les difficultés de la vie ont pour cause le manque d'harmonie dans l'individu, homme ou femme. Les gens manquent de puissance parce qu'ils ne sont pas en harmonie avec Dieu et entre eux. Ils pensent que Dieu ne répond pas à leurs désirs parce qu'il n'y a pas de puissance dans leurs vies. Dieu ne refuse son aide à personne. Les humains ne réussissent pas parce qu'ils ne sont pas en harmonie avec Lui.

Prière du jour

Je demande d'être en harmonie avec Dieu et avec mes compagnons humains. Je demande que cette harmonie me procure force et succès.

Le programme A.A. est un programme de foi parce que nous apprenons que nous devons avoir la foi en une Puissance supérieure à nous-mêmes pour devenir sobres. Nous sommes impuissants devant l'alcool, mais si nous confions notre problème de boisson à Dieu et si nous croyons qu'Il peut nous donner toute la force dont nous avons besoin, alors notre problème de boisson est vaincu. La foi envers ce divin Principe de l'univers que nous appelons Dieu est le point essentiel du programme A.A. *La foi est-elle encore puissante en moi?*

Méditation du jour

Chaque personne est un enfant de Dieu et, comme telle, a la grande promesse du perfectionnement spirituel. Quand une personne est jeune, elle est comme le printemps de l'année. Le temps des fruits n'est pas encore arrivé, mais sa promesse existe dans chaque fleur. Il y a une étincelle de Dieu en chacun de nous. Chaque être humain possède quelque chose de l'esprit de Dieu, qu'il peut développer par des exercices spirituels. Sachez que votre vie est remplie d'une merveilleuse promesse. De telles merveilles peuvent être vôtres, à condition que vous vous développiez grâce au soleil de l'amour de Dieu.

Prière du jour

Je demande de développer l'étincelle divine en moi. Je demande d'accomplir ainsi la promesse d'une vie plus abondante.

Le programme A.A. est un programme de charité parce que le vrai sens du mot charité c'est de nous soucier assez des autres pour désirer véritablement les aider. Pour obtenir pleinement les avantages de cette méthode, nous devons essayer d'aider d'autres alcooliques. Nous pouvons essayer d'aider quelqu'un, tout en pensant que nous n'y avons pas réussi, mais cette semence germera peut-être un jour. Nous ne savons jamais les résultats que même une seule de nos paroles peut produire. Mais le point principal, c'est de désirer vraiment aider les autres, avec ou sans succès. *Ai-je la véritable charité?*

Méditation du jour

Toutes les choses matérielles, l'univers, le monde, même nos corps peuvent bien être la Pensée éternelle exprimée sous forme de temps et d'espace. Plus les physiciens et les astronomes réduisent la matière, plus elle devient une formule mathématique, ce qui est une pensée. En dernière analyse, la matière est pensée. Quand la Pensée éternelle s'exprime en terme d'espace et de temps, elle devient matière. Nos pensées, dans le système de l'espace et du temps, ne peuvent rien connaître directement, sauf les choses matérielles. Mais nous pouvons conclure qu'en dehors de la prison de l'espace et du temps existe l'éternelle Pensée que nous appelons Dieu.

Prière du jour

Je demande d'être une expression véritable de la Pensée éternelle. Je demande que les pensées de Dieu accomplissent leur oeuvre par l'entremise de mes pensées.

Dans le mouvement A.A., on entend souvent le dicton: "Peu à peu, ça se fait". Les alcooliques agissent toujours à l'excès. Ils boivent trop. Ils s'inquiètent trop. Ils ont trop de ressentiments. Ils se font mal physiquement et mentalement par leurs excès en tout. Alors, quand ils arrivent au mouvement A.A., ils doivent apprendre à agir avec modération. Personne d'entre nous ne sait combien de temps il a encore à vivre. Il est probable que nous n'aurions pas vécu bien longtemps, si nous avions continué à boire comme dans le passé. En arrêtant de boire, nous avons augmenté nos chances de vivre encore un certain temps. *Est-ce que j'ai appris à prendre les choses aisément?*

Méditation du jour

Vous devez être avant de pouvoir agir. Pour accomplir beaucoup, soyez beaucoup. En toute occasion, l'action doit être l'expression de l'être. Il est sot de penser que nous pouvons accomplir beaucoup dans le domaine des relations personnelles, si nous ne nous préparons pas d'abord nous-mêmes en étant honnêtes, purs, généreux et aimants. Nous devons choisir le bien et continuer à le choisir, avant que Dieu puisse se servir de nous pour accomplir quelque chose qui en vaut la peine. Nous n'aurons pas les occasions d'agir ainsi tant que nous ne serons pas prêts. Les périodes de calme communication avec Dieu sont une bonne préparation en vue de l'action créatrice.

Prière du jour

Je demande de me préparer constamment en vue de choses meilleures qui viendront plus tard. Je demande que les occasions ne me soient données que quand je serai prêt.

Le mouvement A.A. nous enseigne à prendre la vie sans effort. Nous apprenons à nous détendre et à arrêter de nous inquiéter au sujet du passé ou de l'avenir, à laisser tomber nos ressentiments, nos haines et nos colères, à arrêter de critiquer les gens et à essayer plutôt de les aider. Voilà ce que veut dire "Peu à peu, ça se fait". C'est ainsi que pendant le temps qu'il me reste à vivre, je vais essayer d'agir sans énervement, à me détendre et à ne pas m'inquiéter; j'essaierai d'être utile à ceux qui m'entourent et à faire confiance à Dieu. *Pour le reste de ma vie, est-ce que mon dicton sera: "Peu à peu, ça se fait"?*

Méditation du jour

Je dois me dominer moi-même avant de pouvoir vraiment pardonner aux autres les torts qui m'ont été faits. Mon moi ne peut pardonner les torts. La pensée même des torts signifie que mon moi est à l'avant-plan. Vu que ma nature entière ne peut pardonner, je dois dominer mon égoïsme. Je dois cesser d'essayer de pardonner à ceux qui m'ont fait de la peine ou causé des dommages. C'est même une erreur pour moi de penser à ces torts. Je dois viser à la maîtrise de moi-même dans ma vie quotidienne et ensuite je me rendrai compte qu'il n'y a rien en moi qui se rappelle ces torts, parce que la seule chose blessée, mon égoïsme, sera disparue.

Prière du jour

Je demande de ne garder aucun ressentiment. Je demande que mon esprit soit nettoyé de toutes mes haines et de toutes mes craintes passées.

Quand je buvais, j'essayais toujours d'augmenter mon prestige. Je racontais toutes sortes d'histoires à mon sujet. Je les racontais si souvent que je crois encore à moitié, certaines d'entre elles, même si je sais qu'elles ne sont pas vraies. J'avais l'habitude de passer mon temps dans les bars mal famés de façon à pouvoir me sentir supérieur à ceux qui y étaient avec moi. La raison pour laquelle j'essayais toujours d'augmenter mon prestige, c'est que dans le fond de moi-même je savais que je ne valais rien. C'était une sorte de défense contre mon complexe d'infériorité. *Est-ce que je continue à me vanter?*

Méditation du jour

Dieu a pensé à l'univers et l'a créé. Sa pensée m'a donné l'existence. Je dois penser les pensées de Dieu, comme Lui. Je dois souvent occuper mon esprit à penser à Dieu et à méditer sur la façon dont Il veut que je vive. Je dois constamment former mon esprit pendant des périodes de calme communication d'esprit avec Dieu. Il faut le travail de toute une vie pour atteindre au plein développement spirituel. C'est la raison pour laquelle je suis sur terre. Elle donne un sens à ma vie.

Prière du jour

Je demande de penser les pensées de Dieu, comme Lui. Je demande de vivre comme Il veut que je vive.

Il fallait que je me mette en valeur et que je me vante pour que les gens pensent que j'étais quelqu'un, alors que, évidemment, ils pensaient comme moi que je n'avais vraiment aucune valeur. Je ne trompais personne. Même si je suis sobre depuis un certain temps, mon ancienne habitude de me mettre en valeur n'est pas disparue. J'ai encore une tendance à penser trop de bien de moi, et à prétendre que je suis supérieur à ce que je suis réellement. *Suis-je toujours en danger d'être victime de l'orgueil tout simplement parce que je suis sobre?*

Méditation du jour

Mon intelligence ne peut pas prouver l'existence des choses spirituelles. Je ne peux le faire que par ma foi et mes facultés spirituelles. Je dois penser à Dieu avec mon coeur plutôt qu'avec ma tête. Je peux vraiment reconnaître l'esprit de Dieu dans la vie qui m'entoure. Je peux garder mes yeux dirigés vers les bonnes choses de l'univers. Je suis enfermé dans le temps et l'espace, mais par ma foi je peux ouvrir une fenêtre de ma prison. Je peux vider mon esprit de toutes les restrictions venant des choses matérielles. Je peux découvrir le sens de l'Éternel.

Prière du jour

Je demande d'obtenir ce qui est bon. Je demande de laisser à Dieu le choix du bien qui me sera donné.

J'ai remarqué que ceux qui font le plus pour le mouvement A.A. n'ont pas l'habitude de s'en vanter. Le danger de me mettre trop en évidence est que, si je le fais, il est dangereux que j'aie une rechute. Cette façon de penser s'accorde bien avec la boisson. Si l'un des côtés du bateau monte trop haut en dehors de l'eau, le bateau fera probablement naufrage. Me mettre en évidence et boire vont ensemble. L'un mène à l'autre. Si donc je veux rester sobre, je dois demeurer sans prestige. *Est-ce que je me vois sous mon vrai jour?*

Méditation du jour

La route semble parfois longue et fatigante. Tant de gens sont aujourd'hui fatigués. La fatigue des humains doit souvent être partagée par d'autres. Ceux qui sont fatigués et qui sont surchargés, quand ils viennent à moi, je devrais les aider à trouver le repos que j'ai trouvé. Il n'y a qu'un remède certain à cette fatigue des humains et c'est qu'ils tournent leurs pensées vers les choses spirituelles. Dans le but d'aider le monde fatigué à se tourner vers Dieu, je dois avoir le courage de souffrir, le courage de vaincre l'égoïsme en moi-même et oser être rempli de paix spirituelle, malgré toute la lassitude du monde.

Prière du jour

Je demande de pouvoir aider ceux qui sont découragés. Je demande d'avoir le courage de contribuer à apporter au monde épuisé ce dont il a besoin sans savoir comment l'obtenir.

Il est très important de le demander dans un état d'esprit disposé à la reconnaissance, si nous désirons demeurer sobres. Nous devrions être reconnaissants de vivre en un temps où l'alcoolique n'est pas traité comme autrefois, avant le début du mouvement des Alcooliques Anonymes. Autrefois, chaque ville avait son ivrogne reconnu, qui était considéré avec mépris et ridiculisé par le reste de la population. Nous sommes venus aux A.A. et nous avons trouvé toute la sympathie, toute la compréhension et toute l'amitié que nous pouvions désirer. Il n'y a aucune autre association comme celle des A.A. dans l'univers. *Suis-je reconnaissant?*

Méditation du jour

Dieu accepte les efforts de l'homme pour le bien et les bénit. Dieu a besoin de l'effort de l'homme. L'homme a besoin de la bénédiction de Dieu. Ensemble, ils produisent le succès spirituel. L'effort de l'homme est nécessaire. Il ne peut pas abandonner ses avirons et se laisser aller à la dérive. Il doit souvent diriger ses efforts contre le courant du matérialisme qui l'entoure. Lorsque des difficultés se produisent, il faut l'effort de l'homme pour les surmonter. Mais Dieu oriente les efforts de l'être humain dans la bonne direction et il faut la puissance de Dieu pour aider l'homme à faire le bon choix.

Prière du jour

Je demande de faire le bon choix. Je demande de recevoir la bénédiction et les directives de Dieu dans tous mes efforts en vue du bien.

Je suis reconnaissant d'avoir trouvé dans le mouvement A.A. une méthode qui a pu me garder sobre. Je suis reconnaissant parce que le mouvement A.A. m'a montré le chemin qui conduit à la foi en une Puissance supérieure, parce que le renouvellement de cette foi a modifié mon genre de vie. Et j'ai trouvé un bonheur et un contentement que j'avais oubliés, tout simplement en croyant en Dieu et en essayant de vivre le genre de vie que, j'en suis certain, Il veut que je vive. Aussi longtemps que j'aurai de la reconnaissance, je demeurerai sobre. *Est-ce que la reconnaissance fait partie de ma façon de penser?*

Méditation du jour

Dieu peut bien facilement agir par votre entremise quand vous ne vous hâtez pas. Agissez très lentement, très calmement, d'un devoir à l'autre, prenant le temps de vous reposer entre temps. Ne soyez pas trop occupé. Occupez-vous d'une chose à la fois. Prenez souvent du repos en Dieu et vous trouverez la paix. Tout travail qui découle de votre repos en Dieu est du bon travail. Demandez le pouvoir d'effectuer des miracles dans les vies humaines. Sachez que vous pouvez faire beaucoup par l'intermédiaire de la Puissance supérieure. Sachez que vous pouvez faire de bonnes choses par l'entremise de Dieu qui vous donne le repos et la force. Adonnez-vous régulièrement au repos et à la prière.

Prière du jour

Je demande de ne pas agir avec trop de précipitation. Je demande de prendre souvent le temps de me reposer en Dieu.

Nous avions si peu de maîtrise de nous-mêmes, nous les alcooliques, lorsque nous buvions, qu'il est bon de nous priver de quelque chose de temps à autre. Il est bon pour nous de nous discipliner nous-mêmes et de nous priver de certaines choses. Au tout début, nous en avons amplement d'abandonner l'alcool, même avec l'aide de Dieu. Mais plus tard, nous pouvons exercer notre maîtrise de nous-mêmes dans d'autres domaines pour garder une ferme autorité sur notre esprit, et pour éviter de commencer à nous faire des illusions. Si nous rêvassons trop, il y a danger de rechutes. *Est-ce que je m'exerce à la maîtrise de moi-même?*

Méditation du jour

Dans les choses matérielles, vous devez vous fier à votre propre jugement et à celui des autres. Dans les choses spirituelles, vous devez vous fier à l'inspiration de Dieu plus qu'à votre jugement. Quand il s'agit de personnes humaines, c'est une erreur de vous fier trop à vous-même. Vous devez tenter d'obtenir l'orientation de Dieu dans toutes vos relations humaines. Vous ne pouvez accomplir beaucoup sur le plan humain jusqu'au moment où Dieu sait que vous êtes prêt. Seul, vous n'avez pas la puissance ou la sagesse de corriger ce qu'il faut corriger dans les relations entre plusieurs personnes. Vous devez faire confiance à Dieu pour qu'Il vous aide dans ce domaine essentiel.

Prière du jour

Je demande de faire confiance à Dieu quand je m'occupe de problèmes humains. Je demande d'essayer de suivre Ses conseils en tout ce qui concerne les relations personnelles.

Une chose qui me garde sobre, c'est mon sentiment de loyauté envers les autres membres de mon groupe. Je sais que je les décevrais si jamais je buvais de nouveau. Lorsque je buvais, je n'étais loyal envers personne. J'aurais dû être loyal envers ma famille, mais je ne l'étais pas. Je les décevais en buvant. Quand j'ai fait mes débuts chez les A.A., j'ai trouvé un groupe de personnes qui non seulement s'aidaient les unes les autres à demeurer sobres, mais étaient loyales les unes envers les autres en demeurant elles-mêmes sobres. *Suis-je loyal envers mon groupe?*

Méditation du jour

Le calme dispose au bien. L'agitation détruit le bien. Je ne devrais pas me précipiter dans l'action. Je devrais d'abord "être calme et savoir qu'Il est Dieu". Ensuite, je ne devrais agir que selon l'inspiration que Dieu offre à ma conscience. Seule la confiance, la confiance parfaite en Dieu, peut me garder calme quand tout le monde s'agite autour de moi. Le calme est la confiance mise en pratique. Je devrais rechercher tout ce qui peut m'aider à cultiver le calme. Pour obtenir les choses matérielles, le monde apprend à trouver la vitesse. Pour obtenir les choses spirituelles, je dois apprendre à trouver un état de calme.

Prière du jour

Je demande d'apprendre comment obtenir la paix intérieure. Je demande d'être calme, pour que Dieu puisse agir par moi.

Nous pouvons compter sur ces membres qui se sont donnés corps et âme à notre méthode. Ils viennent aux assemblées. Ils aident d'autres alcooliques. Nous n'avons pas à craindre qu'ils aient des rechutes. Ils sont des membres loyaux de leur groupe. J'essaie d'être un membre loyal de mon groupe. Quand je suis tenté de prendre de la boisson, je me dis que si je buvais je décevrais les autres membres qui sont mes meilleurs amis. *Vais-je les décevoir si je peux faire autrement?*

Méditation du jour

Là où il y a véritable association et amour entre des gens, là se trouve toujours l'esprit de Dieu, divine troisième Présence. Dans toutes les relations humaines, l'esprit de Dieu est ce qui rapproche les êtres. Quand une vie est modifiée par l'entremise d'une autre personne, c'est Dieu, la divine troisième Présence, qui effectue toujours cette transformation, en se servant de l'autre personne comme intermédiaire. La puissance efficace dans toutes les choses spirituelles, c'est Dieu, divine troisième Présence, qui est toujours là. Jamais les relations personnelles ne peuvent être parfaites sans la présence de l'esprit de Dieu.

Prière du jour

Je demande de servir d'intermédiaire à l'esprit de Dieu. Je demande de me rendre compte que la divine troisième Présence est toujours là pour m'aider.

Quand nous arrivons au mouvement A.A. en cherchant un moyen de nous libérer de la boisson, nous avons réellement besoin de beaucoup plus que cela. Nous avons besoin de fraternité. Nous avons besoin de révéler ce qui nous ronge intérieurement. Nous avons besoin d'une nouvelle manière de dépenser nos énergies et nous avons besoin d'une puissance supérieure à nous-mêmes qui nous aide à faire face à la vie au lieu de la fuir. Dans le mouvement A.A., nous trouvons ces choses dont nous avons besoin. *Ai-je trouvé les choses dont j'ai besoin?*

Méditation du jour

Chassez toutes vos pensées de doute, de peur et de ressentiment. Ne les tolérez jamais, si vous le pouvez. Fermez-leur les fenêtres et les portes de votre esprit comme vous protégeriez votre maison contre un voleur qui voudrait y pénétrer pour emporter vos trésors. Quels trésors plus précieux pouvez-vous posséder que la confiance, le courage et l'amour? Toutes ces richesses vous sont volées par le doute, la peur et le ressentiment. Faites face à chaque jour avec paix et espoir. Ils sont les résultats de la vraie confiance en Dieu. La confiance vous donne une impression de protection et de sécurité que vous ne pouvez trouver par aucun autre moyen.

Prière du jour

Je demande d'avoir l'impression d'être protégé et en sécurité, mais pas seulement quand je suis dans le port. Je demande d'être protégé et en sécurité même au milieu des tempêtes de la vie.

Dans le mouvement A.A., nous trouvons de l'amitié, de la détente et de la force. Quand nous avons trouvé cela, les vraies raisons qui nous portaient à boire disparaissent. Alors la boisson, qui était un symptôme de notre désordre intérieur, ne se justifie plus dans nos esprits. Nous n'avons plus besoin de combattre la boisson. Le désir de boire nous quitte tout naturellement. Au début, nous regrettons de ne plus pouvoir boire, mais nous arrivons à être heureux de ne plus être obligés de boire. *Suis-je heureux de n'être plus obligé de boire?*

Méditation du jour

Essayez de ne jamais juger personne. L'esprit humain est si délicat, si complexe, que seul son Créateur peut le connaître parfaitement. Chaque esprit est si différent, animé par des motifs si différents, dominé par des circonstances si différentes, influencé par des souffrances si différentes. Vous ne pouvez pas connaître toutes les influences qui ont contribué à former une personnalité. Il vous est donc impossible de juger parfaitement cette personnalité. Mais Dieu connaît à fond cette personne et Il peut la transformer. Laissez à Dieu le soin de déchiffrer les secrets de la personnalité. Et laissez à Dieu le soin de vous enseigner la véritable compréhension.

Prière du jour

Je demande de ne pas juger mes semblables. Je demande d'être certain que Dieu peut corriger les défauts de chaque personnalité.

En réussissant à dominer la boisson, nous avons à peine commencé à profiter des bénéfices du mouvement A.A. Nous nous faisons de nouveaux amis, et ainsi nous ne sommes plus seuls. Nous découvrons de nouvelles relations avec nos familles, de sorte que nous devenons heureux chez nous. Nous sommes libérés de nos problèmes et de nos inquiétudes grâce à une nouvelle façon de voir les choses. Nous trouvons une façon de dépenser nos énergies en aidant les autres. *Est-ce que je profite de ces bénéfices du mouvement A.A.?*

Méditation du jour

Le royaume du ciel est en vous. Dieu voit, comme aucun homme ne peut le faire, ce qui est en vous. Il vous voit croître et devenir de plus en plus semblable à Lui-même. Vous existez pour devenir de plus en plus semblable à Dieu et développer de plus en plus l'esprit de Dieu en vous-même. Vous pouvez souvent voir dans vos semblables ces qualités et ces aspirations que vous possédez vous-même. Ainsi Dieu peut reconnaître en vous Son propre esprit. Vos intentions et vos aspirations ne peuvent être comprises que par ceux qui ont atteint le même niveau spirituel que vous.

Prière du jour

Je demande de ne pas m'attendre à une compréhension complète de la part des autres. Je demande de n'attendre cela que de Dieu, à mesure que j'essaie de devenir de plus en plus semblable à Lui.

Dans le mouvement A.A., nous trouvons une nouvelle force et une nouvelle paix parce que nous nous rendons compte qu'il doit exister une Puissance supérieure à nous-mêmes, qui dirige l'univers et qui nous aide quand nous vivons une bonne vie. C'est ainsi que le programme A.A. n'a vraiment pas de fin. Vous commencez par surmonter la boisson et vous continuez en découvrant de nombreuses nouvelles occasions de bonheur et de générosité. *Est-ce que je profite vraiment de tous les avantages du mouvement A.A.?*

Méditation du jour

"Cherchez d'abord le royaume de Dieu et Sa justice et tout le reste vous sera donné par surcroît". Nous ne devrions pas rechercher d'abord les choses matérielles, mais rechercher les choses spirituelles; et les choses matérielles nous seront données, alors que nous travaillons honnêtement à les obtenir. Bien des gens recherchent d'abord les choses matérielles et pensent qu'ils peuvent alors améliorer leur connaissance des choses spirituelles. Vous ne pouvez servir en même temps Dieu et Mammon. Les éléments de base d'une vie abondante sont des choses spirituelles; l'honnêteté, la pureté, la générosité et l'amour. Tant que vous n'avez pas ces qualités, bien des choses matérielles ne vous sont pas vraiment utiles.

Prière du jour

Je demande de faire beaucoup d'efforts pour acquérir les choses spirituelles. Je demande de ne pas m'attendre à obtenir certains bienfaits tant que je ne serai pas spirituellement prêt à les recevoir.

La parabole du bon Samaritain raconte que le voyageur tomba entre les mains des voleurs qui le laissèrent à moitié mort dans le fossé. Et un prêtre et un lévite passèrent de l'autre côté du chemin. Mais le bon Samaritain fut ému de compassion et se pencha vers le malheureux, pansa ses blessures et le conduisit à une auberge et prit soin de lui. *Est-ce que je traite un compagnon alcoolique à la manière du prêtre et du lévite ou à la manière du bon Samaritain?*

Méditation du jour

Ne vous fatiguez jamais de prier. Lorsque vous verrez, un jour, comment vos prières ont été exaucées, vous regretterez alors profondément d'avoir prié si peu. La prière transforme les choses pour vous. Priez jusqu'à ce que votre confiance en Dieu devienne ferme. Et alors, priez encore parce qu'elle sera devenue une telle habitude que vous en aurez besoin chaque jour. Continuez à prier jusqu'à ce que votre prière semble devenir une communion d'esprit avec Dieu. Voilà la note sur laquelle les périodes de véritable prière devraient se terminer.

Prière du jour

Je demande de développer l'habitude de la prière quotidienne. Je demande de trouver la force dont j'ai besoin, comme résultat de cette communion d'esprit.

Beaucoup de gens bien intentionnés traitent l'alcoolique comme le prêtre et le lévite dans l'histoire du Samaritain. Ils passent de l'autre côté du chemin parce qu'ils le méprisent et lui disent qu'il est un être dégradé, sans force de volonté. Et pourtant, il est victime de l'alcool comme le voyageur a été victime des voleurs. Et le membre A.A. qui aide les autres est semblable au bon Samaritain. Suis-je touché de compassion? *Est-ce que je me rends auprès d'un autre alcoolique? Est-ce que je prends soin de lui?*

Méditation du jour

Je dois vivre constamment en me préparant en vue de quelque chose de meilleur encore à venir. Toute la vie est une préparation en vue de quelque chose de meilleur. Je dois désirer le matin à venir. Je dois ressentir, durant la nuit remplie de tristesse, cette joie profonde qui me dit d'attendre avec confiance les meilleurs moments qui viendront. "La tristesse peut durer une nuit, mais la joie revient le matin." Sachez que Dieu a quelque chose de meilleur en réserve pour vous, à condition que vous vous prépariez à cette fin. Toute votre existence dans ce monde est une préparation en vue d'une vie meilleure.

Prière du jour

Je demande quand cette vie sera terminée de retourner à une vie éternelle avec Dieu. Je demande de faire de cette vie une préparation en vue d'une vie meilleure à venir.

Nous faisons partie de l'association des A.A. pour deux raisons principales: pour demeurer sobres et pour aider les autres membres à demeurer sobres. C'est un fait bien connu qu'il est très important d'aider les autres pour conserver votre propre sobriété. Il est aussi prouvé que c'est très difficile de demeurer sobre par vous-même, seul. Bien des gens ont essayé cela, mais ont manqué leur coup. Ils viennent à quelques réunions A.A. et demeurent sobres pendans quelques mois, seuls; mais d'habitude, ils finissent par se retrouver ivres. *Est-ce que je sais que je ne peux pas demeurer sobre seul?*

Méditation du jour

Regardez par la foi vers cet endroit hors du temps ou de l'espace où Dieu habite et d'où vous êtes un jour venu et où vous retournerez éventuellement. "Regardez vers Lui et soyez sauvé." Il est possible à l'imagination de chacun de voir au-delà des choses matérielles. Le regard de la foi vous préserve du désespoir. Le regard de la foi vous préserve de l'inquiétude et des soucis. Le regard de la foi vous procure une paix qui dépasse tout entendement. Le regard de la foi vous apporte toute la force dont vous avez besoin. Le regard de la foi vous donne une puissance nouvelle et vitale et une sérénité et une paix merveilleuses.

Prière du jour

Je demande d'obtenir le regard de la foi. Je demande, par cette foi, de voir au-delà du présent vers la vie éternelle.

La fraternisation est un élément important de notre sobriété. Les médecins appellent cela de la thérapie de groupe. Nous n'allons jamais à une assemblée A.A. sans en retirer quelque chose. Parfois, nous n'avons pas le goût d'aller à une réunion et nous nous imaginons des excuses pour ne pas y aller. Mais d'habitude, nous y allons quand même. Et nous trouvons toujours de l'encouragement dans chaque réunion. Les réunions font partie de la méthode qui nous permet de demeurer sobres. Et nous retirons plus de bien de chaque réunion si nous essayons de contribuer de quelque façon à son succès. *Est-ce que je fais ma part dans les réunions?*

Méditation du jour

"Il m'a tiré d'une fosse horrible et de la glaise fangeuse; il a posé mes pieds sur un rocher et a déterminé ma conduite". La première partie de cette citation: "Il m'a tiré d'une fosse horrible" signifie qu'en me tournant vers Dieu et en remettant mon problème de boisson entre Ses mains, je suis capable de surmonter mes fautes et mes tentations. "Il a posé mes pieds sur un rocher" signifie que quand je fais confiance à Dieu en tout, je trouve une véritable sécurité. "Il a déterminé ma conduite" signifie que si j'essaie sincèrement de vivre comme Dieu veut que je vive, les conseils de Dieu orienteront ma vie quotidienne.

Prière du jour

Je demande que mes pieds soient fermement posés sur un rocher. Je demande de faire confiance à Dieu pour qu'Il oriente toutes les actions de ma vie.

Si, dans une assemblée, nous expliquons quelque chose au sujet de nous-mêmes dans le but d'aider un autre membre, nous nous sentons beaucoup mieux. C'est la preuve du dicton qui dit que plus on donne, plus on reçoit. Rendre témoignage et confesser nos fautes font partie de la méthode qui nous permet de demeurer sobres. Vous ne savez jamais quand vous pouvez aider quelqu'un. Aider les autres, c'est une des meilleures méthodes pour demeurer sobres. Et la satisfaction que vous obtenez en aidant quelqu'un est une des plus belles expériences que vous pouvez connaître. *Est-ce que j'aide les autres?*

Méditation du jour

Sans Dieu il n'y a jamais aucune véritable victoire. Toutes les victoires militaires des grands conquérants sont disparues dans l'histoire. Le monde serait peut-être plus heureux sans les conquérants militaires. Les véritables victoires s'obtiennent dans le domaine spirituel. "Celui qui obtient la victoire sur lui-même est plus grand que celui qui conquiert une ville". Les véritables victoires sont les victoires sur le péché et la tentation, qui vous préparent une vie victorieuse et abondante. Donc, que votre coeur soit constamment courageux et rempli de confiance. Faites face à toutes vos difficultés avec un esprit de conquête. Rappelez-vous que là où est Dieu, là est la vraie victoire.

Prière du jour

Je demande que les forces du mal dans ma vie fuient devant la présence de Dieu. Je demande, grâce à Dieu, d'obtenir la véritable victoire sur moi-même.

L'une des plus belles choses du mouvement A.A. c'est notre façon de partager nos expériences. Partager est une chose merveilleuse, parce que plus vous partagez, plus vous obtenez vous-même. Autrefois, quand nous buvions, nous ne partagions pas beaucoup. Nous avions l'habitude de tout garder pour nous-mêmes, en partie parce que nous avions honte, mais surtout parce que nous étions égoïstes. Et nous nous sentions très seuls parce que nous ne partagions pas. Quand nous sommes venus aux A.A., la première chose que nous avons trouvée, ce fut cette façon de partager. Nous avons entendu des alcooliques qui partageaient avec les autres leurs expériences concernant les hôpitaux, les prisons et toutes les difficultés causées par la boisson. *Est-ce que je sais partager?*

Méditation du jour

Le caractère se forme grâce à la discipline du devoir accompli chaque jour. Obéissez à la vision céleste et marchez dans le droit chemin. Ne tombez pas dans l'erreur de dire "Seigneur, Seigneur", et de ne rien faire de ce qui devrait être fait. Un homme a besoin d'une vie de prière et de méditation, mais il doit aussi accomplir son travail dans l'agitation de la vie. L'homme occupé est sage de se reposer et d'attendre patiemment l'inspiration de Dieu. Si vous obéissez à la vision céleste, vous pouvez être en paix.

Prière du jour

Je demande la vision céleste. Je demande de me relever, si je tombe, et de continuer dans la bonne voie.

Ce qui nous impressionne le plus dans une assemblée A.A., c'est la bonne volonté des membres de partager leur expérience sans rien cacher. Et bientôt nous partageons aussi notre expérience avec les autres. Nous commençons à raconter notre vie et en le faisant nous aidons un autre membre. Et après avoir raconté ce que nous avons sur le coeur, nous nous sentons beaucoup mieux. C'est très bon pour nous de partager ainsi notre expérience avec une autre personne malheureuse qui est présentement dans la situation où nous étions autrefois. Et plus nous partageons ainsi avec ce membre, plus il nous reste de richesse à nous-mêmes. *Est-ce que je sais que plus je partage, plus j'ai de chance de demeurer sobre?*

Méditation du jour

Demandez constamment la force qui vient de Dieu. Quand vous êtes convaincu que vous savez quelle est la bonne décision à prendre, quand vous êtes raisonnablement certain des directives de Dieu, demandez cette force immédiatement. Vous pouvez réclamer toute la force dont vous avez besoin pour faire face à chaque situation. Vous pouvez réclamer un nouvel approvisionnement de force quand la vôtre est épuisée. Vous avez le droit de la réclamer et vous devriez vous servir de votre droit. Un mendiant supplie, un fils s'approprie les choses. Quand vous suppliez, on vous fait souvent attendre, mais quand vous vous appropriez la force de Dieu pour une bonne cause, vous l'obtenez à l'instant même.

Prière du jour

Je demande de réclamer la force de Dieu chaque fois que j'en ai besoin. Je demande d'essayer de vivre comme un enfant de Dieu.

La douzième étape A.A., celle de l'aide aux autres, peut se subdiviser en cinq étapes indiquées par cinq mots commençant par "C": confiance, confession, conviction, conversion et continuation. La première chose, quand il s'agit d'aider un autre alcoolique, c'est d'obtenir sa confiance. Nous y parvenons en racontant nos propres expériences de boisson, de façon à ce qu'il se rende compte que nous savons de quoi nous parlons. Si nous partageons nos expériences avec franchise, il saura que nous essayons sincèrement de l'aider. Il s'apercevra qu'il n'est pas seul et que d'autres personnes ont eu des aventures aussi mauvaises ou même plus graves que les siennes. Cela lui donne confiance et il commence à croire que son cas n'est pas désespéré. *Est-ce que je me soucie assez d'un autre alcoolique pour obtenir sa confiance?*

Méditation du jour

Je n'échoue pas tant lorsque la tragédie se produit qu'avant qu'elle ne se produise, à cause des petites choses que j'aurais pu faire mais que je n'ai pas faites. Je dois me préparer pour l'avenir en faisant la bonne action au bon moment, maintenant. Si une chose doit être faite, je devrais m'en occuper aujourd'hui, selon la volonté de Dieu, avant de me permettre d'entreprendre tout nouveau travail. Je devrais me considérer comme celui qui transmet les messages de Dieu et revient ensuite Lui dire pendant sa méditation que Son message a été transmis ou que la tâche est accomplie.

Prière du jour

Je demande de ne rechercher aucun crédit pour les résultats de ce que je fais. Je demande de m'en remettre à Dieu pour le résultat de mes actes.

Dans le travail de douzième étape, la seconde chose importante, c'est la confession. En partageant franchement notre expérience avec le nouveau venu, nous le faisons parler de ses propres expériences. Il parlera et nous confessera des choses qu'il n'a jamais pu dire à d'autres personnes. Et il se sent mieux après que sa confession a exprimé ce qu'il avait sur le coeur. C'est un lourd poids qui est ainsi enlevé de son esprit. Ce sont les choses qui sont gardées intérieurement qui pèsent sur notre esprit. Il se sent libéré et libre après nous avoir ouvert son coeur. *Est-ce que je me soucie assez d'un autre alcoolique pour l'aider à faire une confession?*

Méditation du jour

Je devrais aider les autres autant que je le peux. Chaque âme troublée que Dieu place sur ma route, voilà celle que je dois aider. Quand j'essaierai sincèrement d'aider quelqu'un, un flot de force descendra de Dieu en moi. Le cercle de mon utilité s'agrandira de plus en plus. Dieu me donne la nourriture spirituelle et je la transmets aux autres. Je ne dois jamais dire que ma force ne suffit qu'à mes propres besoins. Plus j'en donne, plus il m'en reste. Ce que je garde pour moi-même, à la fin je le perdrai.

Prière du jour

Je demande d'avoir sincèrement la bonne volonté de donner. Je demande de ne pas retenir pour moi seul la force que j'ai reçue.

Dans le travail de douzième étape, la troisième chose importante est la conviction. Le nouveau venu devrait être convaincu qu'il veut sincèrement arrêter de boire. Il doit se rendre compte et admettre qu'il a perdu la maîtrise de sa vie. Il doit envisager la réalité qu'il doit faire quelque chose au sujet de sa façon de boire. Il doit être absolument honnête avec lui-même et se voir réellement tel qu'il est. Il doit être convaincu qu'il doit arrêter de boire et il doit se rendre compte que toute sa vie dépend de cette conviction. *Est-ce que je me soucie assez d'un autre alcoolique pour l'aider à en arriver à cette conviction?*

Méditation du jour

Il n'y a pas de limite à ce que vous pouvez faire pour aider les autres. Conservez toujours cette pensée. N'abandonnez jamais aucun travail et ne rejetez jamais la pensée de telle ou telle action parce que cela semble au-dessus de vos forces. Dieu vous aidera dans toute bonne action. N'abandonnez la partie que si vous avez l'impression que ce n'est pas la volonté de Dieu pour vous. En aidant les autres, songez au petit grain de semence dans le sol obscur et dur. Il n'est pas certain que lorsqu'il aura réussi à atteindre la surface du sol il trouvera la lumière et la chaleur du soleil. Souvent une tâche semble au-dessus de vos forces, mais il n'y a aucune limite à ce que vous pouvez accomplir avec l'aide de Dieu.

Prière du jour

Je demande de ne jamais me décourager en aidant les autres. Je demande de toujours me fier à la puissance de Dieu pour obtenir de l'aide.

Dans le travail de douzième étape, la quatrième chose importante est la conversion. Conversion veut dire changement. Le nouveau venu doit apprendre à changer sa manière de penser. Jusqu'à maintenant, tout ce qu'il a fait était relié à la boisson. Maintenant, il doit faire face à un nouveau genre de vie, sans alcool. Il doit comprendre et admettre qu'il ne peut pas vaincre la boisson par sa seule force de volonté; il doit donc apprendre à se tourner vers une Puissance supérieure pour obtenir de l'aide. Il doit commencer chaque journée en demandant à cette Puissance supérieure la force de demeurer sobre. Cette conversion à la foi en une Puissance supérieure se produit peu à peu, à mesure qu'il en fait l'essai et qu'il s'aperçoit qu'elle est efficace. *Est-ce que je me soucie assez d'un alcoolique pour l'aider à parvenir à cette conversion?*

Méditation du jour

Vous devez absolument vous discipliner vous-même avant de recevoir le don de la puissance de Dieu. Quand vous voyez la puissance de Dieu se manifester chez les autres, vous ne savez probablement pas que la discipline y existe déjà. Il se sont préparés. Toute votre vie vous prépare à accomplir plus de bien quand Dieu saura que vous avez la préparation nécessaire. Continuez donc à vous discipliner vous-même dans la vie spirituelle chaque jour. Apprenez les lois spirituelles jusqu'au point où votre vie ne pourra être de nouveau une faillite. Les autres constateront les manifestations extérieures de votre discipline intérieure dans votre vie quotidienne.

Prière du jour

Je demande de manifester la puissance de Dieu dans ma vie quotidienne. Je demande de me discipliner moi-même de façon à être prêt en toute occasion.

Dans le travail de douzième étape, la cinquième chose importante est la continuation. Continuation veut dire que nous continuons à aider le nouveau venu après qu'il a commencé à vivre selon ce nouveau mode de vie. Nous devons demeurer avec lui et ne pas l'abandonner. Nous devons l'encourager à aller aux réunions régulièrement pour l'amitié et l'aide qu'il y trouvera. Il apprendra qu'il est beaucoup plus facile de demeurer sobre en s'associant à d'autres personnes qui essaient de faire la même chose que lui. Nous devons continuer à l'aider en allant le visiter régulièrement ou en lui téléphonant ou en lui écrivant pour qu'il reste en contact avec le mouvement A.A. Continuation signifie bon parrainage. *Est-ce que je me soucie assez d'un alcoolique pour continuer à l'aider aussi longtemps que c'est nécessaire?*

Méditation du jour

Chaque fleur vigoureuse et belle doit avoir une bonne racine dans la terre. Elle doit avoir une racine pour être bien ancrée au sol, alors que sa tige qui produit la fleur s'élance vers le ciel pour la joie du monde. Les deux organes sont nécessaires. Sans une racine puissante, la fleur se flétrirait bientôt. Plus haute sera la fleur, plus profondes devront être ses racines. Ma vie ne peut s'épanouir avec succès et en aidant les autres à moins d'être enracinée dans une foi profonde, ou sans que j'aie une profonde confiance dans la bonté et le but de l'univers.

Prière du jour

Je demande que ma vie soit profondément enracinée dans la foi. Je demande de me sentir profondément en sécurité.

Dans le mouvement A.A. nous apprenons que, parce que nous sommes alcooliques, nous pouvons être des gens qui sont utiles d'une façon toute spéciale. En d'autres mots, nous pouvons aider un autre alcoolique alors que quelqu'un qui n'a pas eu notre expérience de la boisson ne pourrait peut-être pas l'aider. Nous sommes ainsi utiles d'une façon unique. Les A.A. forment une association seule en son genre parce qu'ils se sont servis de leur échec, de leur défaite et de leur maladie la plus grave comme moyen d'aider les autres. Nous qui avons passé par ces épreuves, nous sommes les êtres humains qui peuvent le mieux aider d'autres alcooliques. *Est-ce que je crois que je peux être utile d'une façon unique?*

Méditation du jour

Je devrais m'exercer à la présence de Dieu. Je peux ressentir qu'Il est avec moi et près de moi, pour me protéger et me rendre toujours plus fort. Malgré toutes les difficultés, malgré toutes les épreuves, malgré toutes les faiblesses, la présence de Dieu nous suffit. Le simple fait de croire qu'Il est près de moi m'apporte force et paix. Je devrais essayer de vivre comme si Dieu était tout près de moi. Je ne peux pas Le voir parce que je n'ai pas été créé avec cette possibilité: autrement, la foi n'aurait plus sa raison d'être. Mais je peux me rendre compte que Son esprit est avec moi.

Prière du jour

Je demande de m'exercer à la présence de Dieu. Je demande qu'en agissant ainsi, je ne me sente plus jamais seul ou impuissant.

Nous qui avons appris à remettre notre problème de boisson entre les mains de Dieu, nous pouvons aider les autres à faire de même. Nous pouvons servir d'intermédiaire entre les besoins d'un alcoolique et la force de Dieu. Dans le mouvement des Alcooliques Anonymes, nous pouvons être utiles d'une manière unique en son genre, tout simplement parce que nous avons le malheur ou le bonheur d'être nous-mêmes alcooliques. Est-ce que je désire être une personne utile d'une façon toute spéciale? *Est-ce que je me servirai de ma plus grande défaite, de mon plus grand échec et de ma maladie comme d'un moyen d'aider les autres?*

Méditation du jour

Je vais essayer d'aider les autres. J'essaierai de ne pas laisser se terminer un jour sans tendre une main secourable à quelqu'un. Chaque jour, j'essaierai de faire quelque chose pour aider un autre humain à sortir de la mer du découragement dans laquelle il (ou elle) est tombé(e). On a besoin de mon aide pour redonner aux désespérés le courage, la force, la confiance et la santé. Dans ma propre gratitude, j'aiderai un autre alcoolique à porter le fardeau qui pèse trop lourdement sur ses épaules.

Prière du jour

Je demande que Dieu se serve de moi pour alléger de nombreux fardeaux. Je demande que nombre d'âmes soient aidées par mes efforts.

Je fais partie des A.A., un membre parmi une foule d'autres, mais je suis tout de même un membre. J'ai besoin des principes A.A. pour le développement de la vie qui est cachée en moi. Le mouvement A.A. peut être humain dans son organisation, mais il est divin dans son but. Son but est de me diriger vers Dieu et vers une vie meilleure. En participant aux avantages du mouvement, j'en partagerai les responsabilités, prenant sur moi-même de porter une bonne part du fardeau, non pas en le regrettant, mais joyeusement. Dans la proportion où je manque à mes responsabilités, dans la même proportion le mouvement A.A. faillit à sa tâche. Dans la proportion où je réussis, le mouvement A.A. réussit. *Est-ce que j'accepte cette idée comme mon Credo A.A.?*

Méditation du jour

"Rendez gloire à Dieu." Que veut dire l'expression "rendre gloire à Dieu"? Elle signifie être reconnaissant pour toutes les choses merveilleuses de l'univers et pour les bienfaits dont est remplie votre vie. Rendez donc gloire à Dieu en étant reconnaissant et humble. Cette sorte de louange a plus de puissance pour vaincre le mal que la seule résignation. L'homme qui est vraiment humble et reconnaissant et qui rend constamment gloire à Dieu n'est pas tenté de faire le mal. Vous trouverez une impression de sécurité parce que vous savez que fondamentalement tout est bien. Alors levez les yeux vers Dieu et rendez-Lui gloire.

Prière du jour

Je demande d'être reconnaissant pour tous les bienfaits que j'ai reçus. Je demande d'être humble parce que je ne les mérite pas.

Je n'attendrai pas qu'on me demande pour rendre service à mes compagnons humains. J'offrirai mes services librement. Je serai loyal par ma présence, généreux dans ce que je donnerai, charitable dans mes critiques, j'offrirai des suggestions positives, j'aurai des attitudes mentales remplies d'amour. Je donnerai au mouvement A.A. mon attention, mon enthousiasme, mon dévouement, et, par-dessus tout, je m'offrirai moi-même. *Est-ce que j'accepte aussi cette idée comme mon Credo A.A.?*

Méditation du jour

Il y a plusieurs sortes de prières, mais toutes les prières relient l'âme et l'esprit à Dieu. Même si la prière n'est qu'un regard de foi, un regard ou un mot d'amour, ou juste un sentiment de confiance dans la bonté et le destin de l'univers, même alors le résultat de la prière est une quantité plus grande de force pour faire face à toutes les tentations et pour les surmonter. Même si aucune demande n'est exprimée, on obtient toute la force qui nous est nécessaire. Parce que l'âme, liée et unie à Dieu, reçoit de Lui toute l'aide spirituelle dont elle a besoin. Même lorsqu'elle est dans son corps humain, l'âme a besoin de ce qui appartient à son habitation céleste.

Prière du jour

Je demande qu'on m'enseigne à prier. Je demande d'être relié par la prière à l'esprit et à la volonté de Dieu.

Parmi les choses que je ne regrette pas depuis que je suis sobre, il y a cette sensation affreuse qui se traduit chez moi par les tremblements, les migraines, les douleurs dans les bras et les jambes, les yeux hagards, les papillons dans l'estomac, les épaules tombantes, les genoux faibles, une barbe de trois jours et un teint rougeâtre. Il y a aussi le déjeuner où il me faut faire face à mon épouse, mes yeux rivés sur mon assiette. Il y a aussi la recherche des alibis qu'il faut soutenir par la suite. Il y a aussi la tentative de me raser d'une main tremblante. Il y a aussi la déception de découvrir qu'une fois de plus mon porte-monnaie est vide. *Je ne regrette pas ces choses, n'est-ce pas?*

Méditation du jour

Vous êtes né avec une étincelle divine en vous. Cette étincelle s'est presque éteinte à cause de votre vie passée. Ce feu éternel doit être protégé et nourri afin que puisse renaître le véritable désir de marcher dans le droit chemin. En essayant de faire la volonté de Dieu, vous grandissez petit à petit dans ce nouveau mode de vie. En pensant à Dieu, en Le priant et par votre communion d'esprit avec Lui, vous devenez de plus en plus semblable à Lui. En passant du matériel au spirituel vous trouvez le chemin de l'amitié divine.

Prière du jour

Je demande d'alimenter l'étincelle divine que je porte en moi afin qu'elle se développe. Je demande de passer peu à peu de la vie d'autrefois à la vie nouvelle.

Il y a d'autres choses que je ne regrette pas depuis que je suis sobre. Je me demandais si mon automobile était bien dans le garage et comment j'étais revenu à la maison. Je me cassais la tête pour essayer de me rappeler où j'étais et ce que j'avais fait depuis que j'avais perdu conscience de mes actes. J'essayais de retarder mon départ pour le travail. Je me demandais de quoi j'aurais l'air en arrivant au bureau. J'avais peur de la journée qui commençait. *Je suis certain de ne pas regretter ces choses, n'est-ce pas?*

Méditation du jour

Il n'y a pas un seul homme qui peut croire en Dieu et continuer à vivre égoïstement. Le moi se recroqueville et meurt, et sur l'âme s'imprime l'image de Dieu. L'élimination graduelle de l'égoïsme dans le progrès de l'amour envers Dieu et envers le prochain, tel est le but de la vie. Au début, vous ressemblez bien peu à Dieu, mais l'image s'améliore et révèle de plus en plus la ressemblance divine, jusqu'à ce que ceux qui vous entourent voient en vous quelque chose de la puissance de la grâce de Dieu à l'oeuvre dans une vie humaine.

Prière du jour

Je demande de pouvoir développer en moi cette faible ressemblance divine que je possède. Je demande que d'autres voient en moi quelque chose de cette puissance de la grâce de Dieu à l'oeuvre.

Il y a autre chose que je ne regrette pas depuis que je suis sobre. Par exemple, courir par toute la ville pour trouver une taverne ouverte pour obtenir ce "verre du matin". Rencontrer mes amis et essayer de cacher mon air misérable. Me regarder dans le miroir et me traiter de fou. Lutter pour sortir de ma torpeur pendant deux ou trois jours. Me demander souvent de quoi il s'agit. *Je suis certain que je ne regrette pas ces choses, n'est-ce pas?*

Méditation du jour

L'amour, c'est la force qui transforme votre vie. Essayez d'aimer votre famille et vos amis, essayez ensuite d'aimer le plus grand nombre de gens possible, même "les pécheurs et les publicains", tout le monde. L'amour envers Dieu est une chose encore plus grande. C'est le résultat de la gratitude envers Dieu et c'est reconnaître les bénédictions qu'Il vous a accordées. L'amour envers Dieu reconnaît Ses dons et garde la porte ouverte pour qu'Il accorde encore d'autres dons à votre coeur reconnaissant. Dites: "Merci, mon Dieu" assez souvent pour en prendre l'habitude.

Prière du jour

Je demande d'essayer d'aimer Dieu et mon prochain. Je demande de Le remercier à tout instant de Ses bienfaits.

Les choses qui me plaisent depuis que je suis sobre: me sentir bien à mon réveil; le plein usage de mon intelligence; la joie dans mon travail; de l'argent dans mes poches; l'absence totale de remords; la confiance de mes amis; la perspective d'un avenir heureux; l'appréciation des beautés de la nature; toujours savoir ce dont il s'agit. *Je suis certain d'aimer toutes ces choses, n'est-ce pas?*

Méditation du jour

Transformer votre vie veut dire façonner votre être pour en faire quelque chose de bon, quelque chose qui peut exprimer le spirituel. Toutes les choses matérielles sont l'argile au moyen de laquelle nous formons quelque chose de spirituel. Vous devez d'abord reconnaître l'égoïsme dans vos désirs et vos intentions, vos actions et vos motifs; ensuite, vous transformez votre égoïsme jusqu'à ce qu'il soit changé en une arme spirituelle pour accomplir le bien. À mesure que progresse cette transformation vous voyez plus clairement ce qui doit être fait pour orienter votre vie vers quelque chose de meilleur.

Prière du jour

Je demande la grâce de transformer ma vie en quelque chose d'utile et de bon. Je demande de n'être pas découragé par la lenteur de mes progrès.

Nous, les alcooliques, nous sommes fortunés de vivre à une époque où il existe une société telle que les Alcooliques Anonymes. Avant la fondation des A.A., il n'y avait pas beaucoup d'espoir pour les alcooliques. Le mouvement A.A. est le grand instrument de réhabilitation de loques humaines. Il accueille l'homme ou la femme dont les problèmes personnels s'expriment dans l'alcoolisme et leur offre un programme qui, s'ils consentent à l'accepter, leur permet non seulement de devenir sobres, mais de trouver un meilleur mode de vie. *Ai-je trouvé un meilleur mode de vie?*

Méditation du jour

Très discrètement, Dieu vous parle par l'entremise de vos pensées et de vos émotions. Écoutez la voix divine de votre conscience. Écoutez cette voix et vous ne serez jamais déçus de ce qui se produira dans votre vie. Écoutez cette voix calme et intime et vos nerfs fatigués se calmeront. La Voix divine vient à vous en vous apportant force et tendresse, puissance et repos. La force morale de l'homme puise son efficacité dans le pouvoir qui est nôtre lorsque nous écoutons patiemment cette voix calme et intime.

Prière du jour

Je demande de pouvoir entendre cette "Voix de Dieu" calme et intime. Je demande d'obéir aux conseils de ma conscience.

L'alcoolisme est d'ordinaire le symptôme de certains problèmes subconscients de personnalité. C'est pour les alcooliques une manière d'exprimer qu'ils sont mal adaptés à la vie. Je crois avoir été un alcoolique en puissance dès le début. J'avais un complexe d'infériorité. J'avais de la difficulté à me faire des amis. Il y avait une muraille entre moi et les autres. Et je me sentais seul. Je n'étais pas bien adapté à la vie. *Est-ce que je buvais pour m'évader de moi-même?*

Méditation du jour

Selon les besoins de chacun, ainsi chacun pense à Dieu. Il n'est pas nécessaire que vous pensiez à Dieu comme tous les autres pensent à Lui, mais il est nécessaire que vous pensiez à Lui comme à l'Être qui vous donne ce dont vous avez personnellement besoin. Le faible a besoin de la force de Dieu. Le fort a besoin de Sa tendresse. Celui qui est tenté et tombe a besoin de la miséricorde de Dieu. Le juste a besoin de la compassion de Dieu pour les pécheurs. Le délaissé a besoin de l'amitié de Dieu. Ceux qui combattent pour la justice ont besoin de Dieu comme chef. Vous pouvez penser comme vous le voulez. Les hommes, d'habitude, ne se tournent pas vers Dieu avant d'avoir besoin de Lui.

Prière du jour

Je demande de pouvoir penser à Dieu comme à Celui qui me donne ce dont j'ai besoin. Je demande de Lui présenter tous mes problèmes afin qu'Il m'aide à les résoudre.

L'alcoolisme est une maladie qui s'aggrave. Nous passons par trois étapes: nous buvons d'abord socialement; ensuite, les problèmes commencent, et, enfin, la période aiguë. Nous échouons à l'hôpital ou en prison. Plus tard, nous perdons notre maison, notre famille et le respect de nous-mêmes. En vérité, l'alcoolisme est une maladie progressive et elle n'a que trois fins possibles: l'asile d'aliénés, la morgue ou une abstinence totale. *Vais-je décider de ne pas prendre mon premier verre?*

Méditation du jour

Vous pouvez non seulement refaire votre vie, mais vous pouvez aussi croître en grâce, en puissance et en beauté. Allez de l'avant et toujours plus haut vers les choses spirituelles. Dans le monde animal, la forme même de l'animal change pour lui permettre d'atteindre sa nourriture préférée. Votre caractère change lorsque vous cherchez à atteindre les choses de l'âme, la beauté, l'amour, l'honnêteté, la pureté et l'oubli de soi. En cherchant à atteindre ces choses spirituelles, toute votre nature se transforme et vous permet de mieux recevoir et de goûter davantage les merveilles d'une vie plus abondante.

Prière du jour

Je demande la grâce d'aller de l'avant et toujours plus haut. Je demande que mon caractère soit transformé parce que je cherche à atteindre les choses spirituelles.

Une fois alcoolique, toujours alcoolique. La maladie devient toujours plus grave, jamais elle ne diminue. Nous ne sommes jamais guéris. Notre alcoolisme ne peut qu'être arrêté dans ses effets. Peu importe la durée de la sobriété d'un homme, s'il essaie de prendre son premier verre, il est de nouveau aussi malade, ou même plus, qu'il ne l'a jamais été. Il n'y a aucune exception à cette règle dans toute l'histoire des A.A. Nous ne pourrons jamais retrouver les plaisirs d'autrefois. Ils sont à jamais disparus. *Vais-je essayer de les retrouver?*

Méditation du jour

Votre vie vous a été donnée dans le but principal d'améliorer votre âme. Cette vie que nous vivons n'a pas pour but notre bien corporel autant que celui de notre âme. Les hommes choisissent souvent un mode de vie qui convient au corps plutôt qu'à l'âme. Dieu veut que vous choisissiez ce qui convient le mieux à l'âme et au corps. Acceptez cette idée et vous aurez comme résultat une merveilleuse formation de caractère. Rejetez-la et vous nuisez aux desseins de Dieu à votre égard, et votre progrès spirituel est retardé. Le perfectionnement de votre âme dépend des bonnes choses que vous choisissez. C'est ainsi que vous atteignez le but de votre vie.

Prière du jour

Je demande la grâce de choisir ce qui est bon pour mon âme. Je demande d'agir selon le but de Dieu en ce qui concerne ma vie.

Nous avons finalement atteint le fond. Nous n'avions pas besoin d'être financièrement ruinés, même si plusieurs l'étaient. Mais nous étions spirituellement ruinés. Nous avions l'âme malade, nous étions dégoûtés de nous-mêmes et de notre mode de vie. La vie nous était devenue intolérable. Nous devions en finir ou faire quelque chose pour nous libérer de la boisson. *Suis-je content d'avoir fait quelque chose pour me libérer?*

Méditation du jour

La foi ce n'est pas voir, mais croire. Je vis dans une boîte d'espace et de temps et je ne puis voir ce qui est sans espace ou éternel. Mais Dieu n'est pas enfermé dans l'espace et le temps. Il est éternel et partout. Nos esprits imparfaits sont incapables de Le comprendre parfaitement. Mais nous devons essayer d'unir nos desseins aux desseins de Dieu. En essayant d'unir nos esprits à l'esprit de Dieu, cette unité de dessein se produit. Cette unité de but nous met en harmonie avec Dieu et avec notre prochain. Le mal vient de ce que nous ne sommes pas en harmonie avec Dieu, et le bien, de ce que nous sommes en harmonie avec Lui.

Prière du jour

Je demande d'être en harmonie avec Dieu. Je demande de participer à l'abondance de bonté qui existe dans l'univers.

Si un homme a une certaine formation morale, religieuse ou spirituelle, il est un meilleur candidat pour le mouvement A.A. Lorsqu'il atteint le bas de l'échelle, à ce moment critique où il est tout à fait vaincu, il se tourne instinctivement vers ce qui lui reste d'honnêteté. Il en appelle à ce qui reste de sens moral et de foi au plus profond de son coeur. *Ai-je connu une expérience spirituelle?*

Méditation du jour

Le monde s'étonne lorsqu'il voit un homme retirer de fortes sommes d'argent de sa banque dans un cas d'urgence. On ne croyait pas qu'il possédait un tel avoir. Mais ce que le monde n'a pas vu, ce sont les petits montants d'argent déposés à la banque, le fruit d'un travail honnête, et ce, depuis longtemps. Il en est ainsi de la banque spirituelle. Le monde voit un homme qui a la foi obtenir soudain de Dieu la puissance dont il a besoin. Le monde ignore ce que cet homme a déposé dans cette banque spirituelle, en remerciements et en hommages, en prières et en méditation, en bonnes actions, fidèlement et avec persistance pendant nombre d'années.

Prière du jour

Je demande de continuer à déposer à la banque de Dieu. Je demande, dans mes heures de détresse, de pouvoir compter sur ces valeurs.

Nous avons besoin, nous les alcooliques, de croire en une Puissance supérieure à nous-mêmes. Oui, nous avons besoin de croire en Dieu. Ne pas croire en une Puissance supérieure nous conduit à l'athéisme. L'athéisme, on l'a déjà dit, c'est une foi aveugle dans une étrange proposition qui affirme que l'univers a eu une origine mystérieuse et qu'il ne va nulle part. C'est pratiquement impossible à croire. Aussi nous nous tournons vers ce Principe divin de l'univers que nous appelons Dieu. *Ai-je cessé d'essayer de diriger ma propre vie?*

Méditation du jour

"Seigneur, nous vous remercions pour ce grand don de la paix, cette paix qui surpasse tout sentiment, cette paix que le monde ne peut ni donner ni enlever." C'est la paix que seul Dieu peut donner dans un monde désaxé, rempli de problèmes et de difficultés. Posséder cette paix c'est avoir reçu l'empreinte du royaume de Dieu. Lorsque vous avez obtenu cette paix, vous êtes apte à juger entre les fausses et les vraies valeurs, entre les valeurs du royaume de Dieu et les valeurs que vous offre le monde.

Prière du jour

Je demande d'avoir aujourd'hui la paix intérieure. Je demande, pour aujourd'hui, d'être en paix avec moi-même.

En venant aux A.A. nous avons fait une découverte formidable. Nous avons appris que nous étions des malades et non pas, moralement, des lépreux. Nous n'étions pas de si drôles de personnages. Nous en avons trouvé d'autres qui avaient la même maladie que nous, qui avaient passé par les mêmes expériences que nous. Ils étaient rétablis. S'ils ont pu le faire, nous le pouvons aussi. *L'espérance est-elle née en moi dès mon entrée dans A.A.?*

Méditation du jour

"Celui qui écoute ma parole et la met en pratique, ressemble à un homme qui bâtit sa maison sur le roc; et la tempête vint, et la pluie tomba à torrent, et le vent souffla sur cette maison et elle ne s'écroula pas parce qu'elle était bâtie sur le roc." Si votre vie a pour fondement l'obéissance à Dieu et l'accomplissement de Sa volonté telle que vous la comprenez, vous tiendrez bon et vous serez ferme dans l'adversité. La vie sereine, stable, inébranlable — la maison sur le roc — se bâtit pierre par pierre — fondation, murs et toits — par des actes d'obéissance à la vision céleste. En agissant chaque jour selon les plans de Dieu en en accomplissant Sa volonté, vous construisez votre maison sur le roc.

Prière du jour

Je demande que ma vie ait pour fondement le roc de la foi. Je demande d'obéir à la vision céleste.

Dans le mouvement A.A. il nous faut rééduquer notre esprit. Il nous faut apprendre à penser différemment. Nous devons nous rappeler les mauvais effets de l'alcool et non pas nous contenter du plaisir immédiat de prendre un verre. Il nous faut voir dans ce verre ce qui nous attend dans l'avenir. Il nous faut penser à l'horrible lendemain de la veille. Qu'importe l'attrait immédiat de la boisson, il nous faut penser qu'à la longue la boisson est un poison pour nous. *Ai-je appris à regarder plus loin que la bouteille pour découvrir la vie meilleure qui m'attend?*

Méditation du jour

Si vous essayez sincèrement de vivre comme vous croyez que Dieu désire que vous viviez, vous serez guidé par Lui dans le calme de votre communion d'esprit avec Lui, à condition que vos pensées s'orientent vers la volonté de Dieu et tout ce qui est bon. L'attitude mentale "Que Votre volonté soit faite et non la mienne" nous prépare une orientation précise. Agissez selon cette intuition et vous parviendrez à des choses meilleures. Vos impulsions semblent vous appartenir de moins en moins et appartenir de plus en plus à l'esprit de Dieu qui agit par votre pensée. Si vous leur obéissez, elles vous apporteront la réponse à vos prières.

Prière du jour

Je demande d'essayer de penser selon les pensées de Dieu. Je demande que mes pensées soient guidées par Ses pensées.

Dans le mouvement A.A. nous devons apprendre que la boisson est notre pire ennemi. Même si nous avions l'habitude de penser que la boisson était notre amie, le temps est venu où l'alcool est devenu notre pire ennemi. Nous ne savons pas exactement quand ce moment est venu, mais nous savons qu'il est venu parce que nous avons commencé à connaître des difficultés comme les prisons et les hôpitaux. Nous comprenons maintenant que l'alcool est notre ennemi. *Est-ce que la chose la plus importante pour moi est encore ma sobriété?*

Méditation du jour

Ce ne sont pas tant les circonstances qui doivent changer que nous-mêmes. Après que le changement se sera produit en vous, les circonstances changeront automatiquement. N'épargnez aucun effort pour devenir ce que Dieu voudrait que vous deveniez. Suivez toutes les bonnes inspirations de votre conscience. Acceptez chaque jour sans arrière-pensée. Faites face à vos problèmes d'aujourd'hui avec Dieu et recherchez Son aide et Ses conseils au sujet de ce que vous devriez faire dans chaque situation possible. Ne regardez jamais en arrière. Ne remettez jamais à demain ce que vous avez l'inspiration de faire aujourd'hui

Prière du jour

Je demande à Dieu de m'aider à devenir ce qu'Il veut que je sois. Je demande de faire face à mes problèmes d'aujourd'hui avec bonne grâce.

Dans le mouvement A.A. nous avons trois choses: la fraternité, la foi et le service. La fraternité est merveilleuse mais cet émerveillement ne dure qu'un temps. Les commérages, la désillusion et l'ennui peuvent s'ensuivre. L'inquiétude et la peur reviennent de temps à autre et nous apprenons que la fraternité n'est pas tout. Nous avons alors besoin de la foi. Lorsque nous sommes seuls, sans personne pour nous encourager, nous devons nous tourner vers Dieu pour obtenir Son aide. *Puis-je dire sincèrement: "Que Votre volonté soit faite"?*

Méditation du jour

Il y a de la beauté dans une vie dirigée par Dieu. Il est merveilleux de se sentir orienté par Dieu. Efforcez-vous de constater de plus en plus les bienfaits et la générosité de Dieu. Dieu établit le plan de votre vie. Ses vues sont merveilleuses, mais vous ne pouvez les connaître maintenant. Cependant, l'inspiration de Dieu qui vous guide envahira votre pensée de plus en plus et vous apportera encore plus de paix et de joie. Votre vie est tracée et bénie par Dieu. Vous pouvez compter comme perdues toutes les choses matérielles, si ces choses vous empêchent de découvrir l'inspiration de Dieu.

Prière du jour.

Je demande de mériter la récompense de la puissance et de la paix de Dieu. Je demande de développer en moi l'impression d'être guidé par Dieu.

Même la foi n'est pas tout. Nous devons aussi nous rendre utiles. Nous devons transmettre à d'autres ce que nous avons reçu si nous voulons le conserver. La mer Morte n'a pas d'issue et elle est stagnante et très salée. Le lac de Galilée est propre et limpide parce qu'il se déverse dans le fleuve Jourdain, qui, à son tour, met ses eaux au service de la population. Rendre service à notre prochain, voilà pourquoi notre vie vaut la peine d'être vécue. *Est-ce que le fait d'être utile à mon prochain me donne un véritable but dans la vie?*

Méditation du jour

Cherchez Dieu au début de votre journée, avant qu'Il n'en soit chassé par les problèmes, les difficultés ou les plaisirs de la vie. Dans le calme du matin, trouvez une confiance forte et calme dans la bonté et les buts de l'univers. Ne cherchez pas Dieu seulement lorsque les difficultés de la vie semblent trop lourdes et trop nombreuses pour que vous puissiez, à vous seul, les surmonter. Recherchez Dieu dès le matin, lorsque vous pouvez être conscient de l'esprit de Dieu dans le monde. Souvent les gens ne recherchent Dieu que lorsqu'ils ne peuvent résoudre leurs problèmes d'aucune autre façon, oubliant que s'ils demandaient l'amitié de Dieu avant d'en avoir besoin, plusieurs de leurs difficultés ne se produiraient jamais.

Prière du jour

Je demande de ne pas laisser le brouhaha de la vie chasser Dieu de mon être. Je demande de rechercher Dieu tôt et souvent.

Dans le mouvement A.A., nous avons l'avantage de vivre deux vies dans une. Une vie d'alcoolisme, de faillite et de défaite. Puis avec A.A. une vie de sobriété, de paix de l'esprit et de dévouement. Nous qui avons retrouvé la sobriété, nous sommes des miracles modernes. Et nous vivons grâce au temps qui nous est prêté. Plusieurs d'entre nous pourraient être morts depuis longtemps. Mais il nous a été donné une autre chance de vivre. *Est-ce que j'ai une dette de gratitude envers les A.A. que je ne pourrai jamais rembourser de toute ma vie?*

Méditation du jour

On chasse le mal en pensant à Dieu avec amour et adoration. C'est cette pensée qui fait fuir tous les invités du mal. La pensée d'une Puissance supérieure à vous-même, c'est votre appel au secours dans les moments de tentations. La pensée de Dieu chasse l'ennui et la tristesse. Elle vous obtient de l'aide pour corriger vos défauts. Pensez à Dieu le plus souvent possible. Servez-vous de cette pensée pieusement dans un but réfléchi. Elle éloignera vos pensées des choses matérielles et les dirigera vers les choses spirituelles qui font que la vie vaut la peine d'être vécue.

Prière du jour

Je demande la grâce de penser souvent à Dieu. Je demande de trouver la paix dans la pensée de Son amour et de Sa sollicitude à mon égard.

Le mode de vie des A.A. n'est pas facile à mettre en pratique. Mais c'est une expérience qui vaut la peine d'être vécue. Et il est tellement préférable à notre ancien mode de vie alcoolique qu'il n'y a pas de comparaison. Nos vies sans A.A. ne vaudraient rien. Avec A.A. nous avons l'occasion de vivre des vies raisonnablement bonnes. Cela en vaut bien la bataille, même si tout n'est pas facile d'un jour à l'autre. *Est-ce que notre mode de vie ne vaut pas la peine de livrer cette bataille?*

Méditation du jour

La vie spirituelle a deux aspects. L'un d'eux est la vie contemplative, la vie de prière et de calme dialogue avec Dieu. Vous passez cette partie de votre vie seul avec Dieu. Chaque jour votre esprit peut être orienté dans la bonne direction afin que vos pensées soient bonnes. L'autre aspect, c'est la vie qui donne aux autres ce que vous avez appris par votre propre expérience de la méditation. Les victoires que vous avez gagnées vous-même par la grâce de Dieu peuvent être partagées avec vos frères. Vous pouvez les aider en leur communiquant quelque chose de la victoire et de la sécurité que vous avez obtenues dans votre vie contemplative.

Prière du jour

Je demande de puiser de la force dans mes moments de solitude avec Dieu. Je demande de communiquer aux autres quelque chose de cette force.

Nous avons un choix à faire chaque jour de notre vie. Nous pouvons suivre le sentier qui conduit à la folie et à la mort. Et rappelons-nous que notre prochaine cuite pourrait être notre dernière. Ou bien, nous pouvons choisir le sentier qui mène à une vie raisonnablement heureuse et utile. C'est notre choix, chaque jour de nos vies. Que Dieu veuille que nous choisissions le bon sentier. *Ai-je fait mon choix aujourd'hui?*

Méditation du jour

L'oeuvre principale de votre vie, c'est votre perfectionnement spirituel. Pour cela, il vous faut suivre la route qui dilligemment, vous mènera au bien. Les merveilles spirituelles secrètes sont révélées à ceux qui, avec soin, recherchent ce trésor. D'un point donné au point suivant, vous devez suivre le chemin de l'obéissance aux désirs de Dieu, jusqu'à une spiritualité de plus en plus parfaite. Les choses matérielles devraient être secondaires par rapport à l'oeuvre véritable de votre vie. Les biens matériels dont vous avez le plus besoin sont ceux qui vous aident à découvrir les biens spirituels.

Prière du jour

Je demande de continuer à me développer spirituellement. Je demande de faire de ce perfectionnement l'oeuvre principale de ma vie.

Vous devriez être disposé à transmettre le message A.A. lorsque vous êtes appelé à le faire. Vivez pour un but supérieur à vous-même. Chaque jour vous avez un but à atteindre. Vous avez tellement reçu de ce mouvement que vous devriez avoir cette vision qui donne à votre vie une direction et un but vous révélant la signification de chaque nouvelle journée. N'allons pas à la dérive durant notre vie. Ayons un but pour chaque jour et faisons en sorte que ce but porte sur quelque chose de plus important que notre seule personnalité. *Quel est mon but pour aujourd'hui?*

Méditation du jour

Voir Dieu avec les yeux de la foi, c'est permettre à la puissance de Dieu de se manifester dans le monde matériel. Dieu ne peut pas faire son oeuvre à cause du manque de foi. En réponse à votre foi, Dieu peut faire des miracles dans votre propre personnalité. Tous les miracles se produisent dans le domaine psychologique et ils ont pour cause la foi en la puissance de Dieu qui ne nous déçoit jamais. Mais la puissance de Dieu ne peut se manifester dans les personnalités à moins que celles-ci ne trouvent cette puissance grâce à leur foi. Nous ne pouvons voir Dieu que par les yeux de la foi, mais ce genre de regard produit une grande transformation dans notre façon de vivre.

Prière du jour

Je demande de voir Dieu avec les yeux de la foi. Je demande que ce regard produise une transformation de ma personnalité.

Nous pouvons compter sur la foi intelligente en cette puissance supérieure à nous-mêmes pour stabiliser nos émotions. Elle peut, d'une manière incomparable, nous aider à voir la vie avec équilibre. Nous regardons plus haut, autour et en dehors de nous-mêmes et nous voyons, neuf fois sur dix, des choses qui en ce moment nous agacent mais disparaîtront sous peu. Les problèmes trouvent leurs solutions; les critiques et les petites méchancetés s'effacent, tout comme si elles n'avaient jamais existé. *Est-ce que je vois la vie sous son vrai jour?*

Méditation du jour

L'homme vraiment pieux désire posséder un esprit serein. Le seul moyen de rester calme et sain d'esprit dans ce monde troublé, c'est d'avoir un esprit serein. Celui qui est calme et sain d'esprit voit les choses spirituelles comme la vraie réalité et les choses matérielles comme seulement temporaires et fuyantes. Cet état d'esprit ne peut jamais s'obtenir par le raisonnement, parce que notre capacité de raisonner est limitée par l'espace et le temps. Cet état d'esprit ne peut jamais s'obtenir par la lecture, parce que les autres esprits sont aussi limités que le nôtre, pour la même raison. Vous ne pouvez obtenir cet état d'esprit que si vous faites un acte de foi, qu'en tentant l'aventure de la foi.

Prière du jour

Je demande d'acquérir un esprit calme et normal. Je demande de regarder plus haut, autour et en dehors de moi-même.

Si vous avez des doutes, demandez aux membres les plus expérimentés de votre groupe A.A. et ils vous diront sans hésitation que depuis qu'ils ont placé leur vie entre les mains de Dieu, tel qu'ils Le concevaient, plusieurs de leurs problèmes sont disparus dans l'oubli du passé. Lorsque vous vous laissez troubler par une chose, vous ouvrez la porte à des centaines d'autres qui vous troubleront à leur tour. *Est-ce que je me laisse troubler par des bagatelles?*

Méditation du jour

Il serait préférable que je pense pas à la Mer Rouge des difficultés à venir. Je suis assuré que, lorsque j'arriverai à cette Mer Rouge, les eaux se sépareront et que j'aurai toute la force qu'il me faudra pour surmonter ces difficultés avec courage. Je crois que je traverserai cette Mer Rouge pour parvenir à la terre promise: celle de l'esprit où bien des âmes se rencontrent dans une parfaite harmonie. Je crois que, lorsque l'heure sera venue, je serai libéré de toutes les choses matérielles et je trouverai la paix.

Prière du jour

Je demande de faire face à l'avenir courageusement. Je demande d'avoir la force d'envisager la vie et la mort sans crainte.

Aucune chaîne n'est plus solide que le plus fragile de ses chaînons. Ainsi, si vous échouez au cours de la journée dans votre programme quotidien, il est probable que le point le plus faible de votre caractère sera la cause de votre échec. Une grande foi et un contact constant avec la puissance de Dieu peuvent vous faire découvrir votre plus grande faiblesse, vous mettre en garde contre elle et vous préserver de ses effets, grâce à une force autre que la vôtre. Vous pouvez compter sur une foi intelligente envers la puissance de Dieu pour maîtriser vos émotions, vous aider à voir le bien chez les autres et vous aider dans toutes les tâches qui vous incombent, si difficiles soient-elles. *Suis-je maître de mes émotions?*

Méditation du jour

Vous avez constamment besoin de renouveler votre énergie dans la puissance de l'esprit de Dieu. Communiquez avec Dieu par la méditation jusqu'à ce que la vie qui vient de Dieu, la vie divine, par cette union même, passe en votre être et ravive votre âme défaillante. Lorsque vous êtes fatigué, reposez-vous près de la fontaine. Reposez-vous et obtenez l'énergie et la force qui viennent de Dieu; vous serez ensuite prêt à faire face à tout. Reposez-vous jusqu'à ce que vos inquiétudes, vos soucis et vos craintes soient disparus, et alors la paix et la sérénité, l'amour et la joie, descendront en votre pensée.

Prière du jour

Je demande de me reposer et de retrouver mon énergie. Je demande de m'arrêter et d'attendre le renouvellement de mes forces.

L'alcool est notre point faible. La cause de notre alcoolisme peut être largement attribuée à nos émotions instables. Nous souffrons de conflits psychologiques dont nous cherchons à nous évader en les noyant dans l'alcool. Nous essayons, par l'alcool, de fuir les réalités de la vie. Mais l'alcool ne nourrit pas, l'alcool ne construit pas; il ne fait qu'emprunter de l'avenir et, finalement, il détruit. Nous essayons de noyer nos émotions afin de nous évader de la vie réelle, sans nous rendre compte ou indifférents au fait que, si nous continuons à boire, nous ne faisons que multiplier nos problèmes. *Suis-je maintenant maître de mes émotions instables?*

Méditation du jour

Lorsque je laisse des brouilles personnelles ou la rancune nuire à ce que je devrais faire, je suis sur la mauvaise route et je détruis ce que j'avais construit par mes bonnes actions. Je ne dois jamais laisser des querelles personnelles nuire au mode de vie que je sais que Dieu m'a tracé. Lorsque je ne découvre pas clairement l'orientation de Dieu, je dois continuer paisiblement dans le sentier du devoir. Cette attitude de foi calme recevra sa récompense aussi sûrement que si vous agissiez selon l'orientation directe de Dieu. Je ne dois pas affaiblir mon énergie spirituelle en laissant le ressentiment me bouleverser.

Prière du jour

Je demande de ne pas me laisser trop bouleverser. Je demande d'avancer calmement dans la voie que j'ai choisie.

Un des faits les plus encourageants de votre vie, c'est que votre faiblesse peut devenir votre plus précieuse valeur. Les cerfs-volants et les avions s'élèvent contre le vent. En gravissant une haute montagne nous avons besoin des pointes des rochers et des endroits rugueux pour nous aider dans notre ascension. Ainsi votre faiblesse devient un actif si vous l'étudiez, si vous l'examinez et si vous en trouvez l'origine. Placez-la au centre de votre pensée. Aucune faiblesse telle que l'alcoolisme ne peut être changée en actif tant que vous ne l'avez pas envisagée franchement. *Est-ce que je suis en train de changer ma faiblesse en mon actif le plus important?*

Méditation du jour

Lorsque les hommes veulent adorer Dieu, ils pensent à l'univers immense sur lequel Dieu règne; ils pensent à la création, aux lois et à l'ordre admirables qui existent dans l'univers. Alors les hommes ressentent l'étonnement qui précède l'adoration. Il faut que moi aussi je connaisse cet étonnement, que je ressente le désir de rendre hommage à Dieu avec émerveillement. Mon esprit est borné par l'espace et le temps et il est fait de telle façon que je ne peux comprendre ce qui existe en dehors de l'espace et du temps, ce qui est sans limite et éternel. Mais je sais qu'il doit exister quelque chose au-delà de l'espace et du temps; et que ce quelque chose doit être la Puissance infinie et éternelle qui se manifeste dans l'univers. Je sais aussi que je peux faire l'expérience de cette Puissance dans ma vie.

Prière du jour

Je demande de me soumettre à l'Esprit infini et éternel. Je demande qu'Il s'exprime dans ma vie.

Nous devons connaître la nature de notre faiblesse avant de pouvoir décider des moyens à prendre à son sujet. Lorsque nous serons honnêtes, nous découvrirons peut-être que cette faiblesse est imaginaire et qu'elle peut être surmontée en changeant notre manière de penser. Nous admettons que nous sommes alcooliques et il serait ridicule de notre part de refuser d'accepter notre maladie, et de faire quelque chose pour y remédier. Ainsi, en envisageant sincèrement notre faiblesse, en nous rappelant toujours que l'alcoolisme, pour nous, est une maladie dont nous sommes affligés, nous pouvons prendre les moyens nécessaires pour en arrêter les effets. *Ai-je accepté pleinement ma maladie?*

Méditation du jour

Chaque chose en son temps. Je dois apprendre à ne pas agir au mauvais moment, c'est-à-dire avant d'être prêt ou avant que les conditions ne soient propices. C'est toujours une tentation d'agir vite au lieu d'attendre le temps approprié. Le choix du temps est important. Je dois apprendre, dans les situations ordinaires de chaque jour, à remettre mes actes à plus tard, jusqu'à ce que je sois certain que j'agis bien et au bon moment. Tant de vies manquent d'équilibre et d'ajustement au moment propice. Quand il s'agit de décisions importantes et de crises vitales, les gens demandent peut-être d'être guidés par Dieu, mais dans les circonstances ordinaires de la vie, ils se hâtent, seuls.

Prière du jour

Je demande de remettre mes décisions à plus tard, jusqu'à ce que je sois certain d'agir pour le mieux. Je demande de ne pas agir à la hâte, seul.

Si vous pouvez faire face à vos difficultés à mesure qu'elles se présentent; si vous pouvez conserver votre calme et votre sang-froid malgré votre travail et des engagements sans fin; si vous pouvez surmonter les circonstances pénibles et inquiétantes que vous trouvez sur votre chemin, vous avez découvert un secret sans prix pour votre vie quotidienne. Même si vous êtes forcé de passer votre vie écrasé sous le poids d'une infirmité incurable ou d'une infortune inévitable, si malgré tout vous vivez chaque jour avec calme et paix d'esprit, vous avez réussi là où la plupart des humains ont failli à la tâche. Ce résultat est supérieur au fait de gouverner une nation. *Est-ce que j'ai acquis de la pondération et de la paix d'esprit?*

Méditation du jour

Apportez une bénédiction avec vous partout où vous allez. Vous avez été bénis, bénissez les autres. Un nombre infini de bénédictions vous attendent dans les mois et les années à venir. Transmettez à d'autres vos bénédictions. Une bénédiction peut passer et passe vraiment, dans le monde, d'un homme à un autre. Répandez une petite bénédiction dans le coeur d'une autre personne. Cette personne est heureuse de la transmettre à d'autres, et ainsi le message de joie et de vie de Dieu continue à se répandre. Soyez le dispensateur des bénédictions de Dieu.

Prière du jour

Je demande de transmettre mes bénédictions. Je demande qu'elles se répandent dans la vie des autres.

Vous pouvez vous prouver à vous-même que la vie est fondamentalement et logiquement une attitude intérieure. Essayez de vous souvenir de ce qui vous troublait le plus il y a une semaine. Vous aurez probablement de la difficulté à vous en rappeler. Pourquoi, alors, vous inquiéter inutilement ou vous énerver au sujet des problèmes qui se présentent aujourd'hui? Votre attitude peut être changée si vous vous remettez vous-même et si vous remettez vos problèmes entre les mains de Dieu, et si vous avez confiance que chaque chose ira pour le mieux à condition que vous essayiez de faire le bien. Votre attitude mentale différente au sujet de vos problèmes vous soulage de leur poids et vous pouvez les affronter sans crainte. *Ai-je changé d'attitude mentale?*

Méditation du jour

Vous ne pouvez connaître l'avenir. Il est bon que vous ne le puissiez pas. Vous ne pourriez pas supporter la connaissance de tout l'avenir. C'est pourquoi Dieu vous le révèle jour par jour. La première chose à faire chaque jour, c'est de remettre votre volonté à Dieu, comme une offrande, acceptant que Dieu fasse ce qu'il y a de mieux pour vous. Soyez assuré que, si vous avez confiance en Dieu, ce qu'Il accomplira pour vous sera pour le mieux. La deuxième chose à faire, c'est de croire que Dieu est assez puissant pour faire tout ce qu'Il veut et qu'aucun miracle dans les vies humaines ne Lui est impossible. Donc, abandonnez l'avenir à Dieu.

Prière du jour

Je demande de laisser joyeusement mon avenir entre les mains de Dieu. Je demande d'avoir confiance que des bienfaits me seront accordés si je reste dans la bonne voie.

Le programme des Alcooliques Anonymes suggère à nos membres de faire des efforts constants pour s'améliorer. Il ne peut y avoir de longues périodes de repos. Nous devons faire des efforts dans ce sens en tout temps. Nous devons continuellement garder en mémoire que c'est un programme qui ne peut être mesuré en années, parce qu'un alcoolique n'atteint jamais complètement son idéal et n'est jamais guéri. Son alcoolisme n'est maîtrisé que par la pratique quotidienne de cette méthode. C'est un programme où le temps n'existe véritablement pas. Nous le vivons jour après jour ou plus précisément instant par instant — maintenant. *Est-ce que j'essaie toujours de m'améliorer?*

Méditation du jour

La vie tout entière est une préparation en vue de choses meilleures à venir. Dieu a préparé un plan de votre vie et il s'accomplira, si vous essayez d'agir selon Sa volonté. Dieu a préparé pour vous des plans qui surpassent de beaucoup tout ce que votre imagination peut maintenant prévoir. Mais il faut vous préparer en vue de ces choses meilleures à venir. C'est maintenant l'heure de la discipline et de la prière. L'heure de l'action viendra plus tard. La vie peut être remplie en tout temps de joie et de bonheur. Donc, préparez-vous en vue de ces choses meilleures que vous réserve l'avenir.

Prière du jour

Je demande de me préparer en vue des choses meilleures que Dieu me réserve. Je demande d'avoir confiance en Dieu au sujet de l'avenir.

L'alcoolique est incapable ou ne veut pas, pendant qu'il est soumis à l'alcool, vivre dans le présent. Il résulte de cette attitude qu'il vit continuellement dans un état de remords et de craintes à cause de son mauvais passé et de sa fascination morbide de l'avenir incertain et des malheurs qu'il imagine. Aussi la seule espérance pour l'alcoolique, c'est le présent. C'est maintenant. Maintenant est à nous. Le passé ne peut revenir. L'avenir est incertain comme la vie elle-même. Seulement l'instant présent est à nous. *Est-ce que je vis dans le moment présent?*

Méditation du jour

Je dois oublier le passé autant que possible. Le passé est terminé. Rien ne peut être fait pour le passé, sauf restituer ce qu'on peut restituer. Je ne dois pas porter le fardeau de mes défaillances passées. Je dois aller de l'avant avec confiance. Les nuages disparaîtront et la route s'éclairera. La route deviendra moins rocailleuse avec chaque pas que je ferai. Dieu ne blâme pas celui à qui Il a pardonné. Je puis renaître à la vie entièrement et librement, même si j'ai gâché ma vie passée. Souvenez-vous de cette phrase: "Je ne te condamne pas; va, et ne pèche plus."

Prière du jour

Je demande de ne pas transporter le poids de mon passé. Je demande de le rejeter et d'aller de l'avant avec confiance.

En mettant en pratique le programme des A.A. et ses douze Étapes, nous avons l'avantage de mieux comprendre nos problèmes. Jour par jour, notre sobriété se manifeste par la formation de nouvelles habitudes, d'habitudes normales. À mesure que chaque période de vingt-quatre heures s'achève, nous trouvons que notre résolution de rester sobre devient un effort moins difficile et moins redoutable qu'il ne l'était au début. *Est-ce que, peu à peu, je trouve plus facile qu'au début de rester sobre?*

Méditation du jour

Apprenez chaque jour la leçon de la confiance et du calme au milieu des orages de la vie. Quelles que soient les peines et les difficultés que la journée vous apporte, les exigences de Dieu à votre égard sont les mêmes. Soyez reconnaissant, humble, calme et bon envers tout le monde. Laissez chaque être humain plus heureux de vous avoir rencontré ou entendu. Ce devrait toujours être votre attitude: le désir d'aider et l'esprit de calme et de confiance en Dieu qui se transmet aux autres. Vous avez la réponse à la solitude et à la crainte: c'est une foi sereine dans la bonté et le destin de l'univers.

Prière du jour

Je demande de rester calme au milieu des tempêtes. Je demande de transmettre ce calme à d'autres personnes qui sont seules et remplies de crainte.

Dans notre association avec les membres du groupe A.A. auquel nous appartenons, nous profitons de l'amitié sincère et de la compréhension des autres membres qui, par leur contact social et personnel, nous font sortir de nos anciens repaires et nous aident à faire disparaître les occasions de tentations alcooliques. Nous trouvons dans cette association la sympathie et la bonne volonté de la part de presque tous les membres de faire tout en leur pouvoir pour nous aider. *Est-ce que j'apprécie la merveilleuse fraternité des A.A.?*

Méditation du jour

"Si vous ne devenez pas semblables aux petits enfants, vous ne pouvez pas entrer dans le royaume des cieux." Ces paroles affirment que ceux qui cherchent le ciel sur la terre ou dans l'au-delà, devraient devenir semblables à des petits enfants. En recherchant les choses de l'esprit et grâce à notre foi, nous devrions essayer de ressembler aux enfants. Même en vieillissant, nos années de recherches peuvent nous donner l'attitude mentale de l'enfant confiant. Nous devrions acquérir non seulement cette attitude confiante de l'enfant mais aussi sa joie de vivre, son rire spontané, son absence de critique et son désir de partager. Dans le récit de Charles Dickens "A Christmas Carol" (un conte de Noël), même le vieil avare s'est transformé lorsqu'il a reçu l'esprit de l'enfance.

Prière du jour

Je demande de devenir semblable à un enfant par ma foi et mon espérance. Je demande d'être, comme un enfant, rempli d'amitié et de confiance.

Au début des Alcooliques Anonymes, il n'y avait que deux personnes. Il y a maintenant plusieurs groupes et des milliers de membres. Il est vrai que ce n'est qu'un début. Il y a probablement des millions d'individus dans le monde qui ont besoin d'aide. Chaque jour, un nombre de plus en plus considérable de personnes se joignent aux A.A. Pour chaque individu, le début de son rétablissement se produit dès qu'il a admis son impuissance devant l'alcool et se tourne vers une Puissance supérieure à lui-même, admettant qu'il a perdu la maîtrise de sa vie. Cette Puissance Supérieure agit pour le bien en toutes choses et nous aide à nous améliorer beaucoup individuellement comme elle aide les groupes A.A. à se développer. *Est-ce que je fais ma part pour aider le mouvement A.A. à se développer?*

Méditation du jour

"Bienheureux ceux qui ont faim et soif de justice, car ils seront rassasiés." Seulement dans la plénitude de la foi ceux qui souffrent et défaillent et sont las peuvent-ils être satisfaits, soignés et reposés. Pensez à toutes ces merveilleuses révélations spirituelles qui peuvent encore être découvertes par ceux qui essaient de vivre une vie spirituelle. On en a encore beaucoup à découvrir au sujet de la vie spirituelle. Ces grandes découvertes spirituelles ne peuvent être révélées qu'à ces personnes choisies et aimantes dont l'esprit accompagne Dieu. Continuez à aller de l'avant vers la perfection.

Prière du jour

Je demande de n'être pas retenu par les biens de la terre. Je demande de me laisser conduire par Dieu dans le progrès spirituel.

Chez les Alcooliques Anonymes, on ne pense pas au profit personnel. Pas d'avidité ou d'avantages. Pas de frais d'inscription, pas de redevances, seulement des contributions volontaires de notre argent et de notre personne. Tout ce que nous attendons en retour, c'est notre sobriété et notre rétablissement, pour ainsi pouvoir vivre des vies normales et respectables et être reconnus comme des hommes et des femmes qui veulent traiter les autres comme ils voudraient être traités eux-mêmes. Nous agissons ainsi en nous aidant les uns les autres, par la pratique des douze étapes et par la grâce de Dieu. *Suis-je prêt à travailler pour le mouvement A.A. sans profit matériel pour moi-même?*

Méditation du jour

Ce que, parfois la religion appelle conversion n'est souvent que la découverte de Dieu en tant qu'ami dont nous avons besoin. Ce qu'on appelle parfois religion n'est souvent que l'expérience de l'aide et de la puissance de Dieu dans nos vies. Ce qu'on appelle parfois sainteté n'est souvent que l'invitation de Dieu qui désire être notre ami. Comme Dieu devient votre ami, vous devenez l'ami d'autres personnes. Nous faisons l'expérience de la véritable amitié humaine et, de cette même expérience, nous pouvons imaginer comment Dieu peut être pour nous un grand ami. Nous croyons qu'Il est un ami infatigable, généreux, puissant et qui fait des miracles. En pensée, nous pouvons tendre la main à ce grand Ami et prendre Sa main dans la nôtre.

Prière du jour

Je demande de penser à Dieu comme à un ami. Je demande de collaborer avec Lui.

Avant de connaître les A.A., la plupart d'entre nous avaient essayé désespérément d'arrêter de boire. Nous avions l'illusion que nous pouvions boire comme nos amis. Nous avions essayé plusieurs fois de boire ou de ne pas boire à volonté, mais c'était impossible. Nous en arrivions toujours à boire sans fin et sans joie. Épouses, mères, familles, amis et employés levaient les mains au ciel avec un étonnement offensé, en désespoir de cause et finalement avec dégoût. *Ai-je rejeté tous mes prétextes pour prendre de l'alcool?*

Méditation du jour

Mille raisons peuvent vous bouleverser et vous pouvez facilement faire fausse route. Mais souvenez-vous que Dieu est près de vous en tout temps, prêt à vous secourir si vous implorez Son aide. Aucun être humain ne peut agir pour toujours à l'encontre des desseins de Dieu à son égard, pas plus qu'il ne peut toujours entraver les plans que Dieu a tracés pour sa vie, même si l'on peut retarder l'exécution des plans de Dieu par le choix ferme et délibéré de faire le mal. Un monde entier d'hommes et de femmes ne peuvent pas de façon permanente, changer les lois de Dieu et Ses desseins concernant l'univers. La mer de la vie peut nous paraître très agitée, mais nous pouvons croire que notre Capitaine dirige bien notre barque.

Prière du jour

Je demande d'essayer de naviguer dans la bonne direction. Je demande d'accepter les directives de Dieu dans le voyage de ma vie.

Nous avons essayé d'étudier notre problème alcoolique, nous demandant quelle était la cause de notre étrange obsession. Plusieurs d'entre nous ont subi des traitements spéciaux comme l'hospitalisation; ils ont même séjourné dans d'autres institutions. Dans chaque cas, le soulagement n'était que temporaire. Nous avons essayé par toutes sortes de faux raisonnements de nous convaincre que nous savions pourquoi nous buvions, mais nous avons continué à boire quand même. Finalement, c'était beaucoup plus grave qu'une simple habitude. Nous étions devenus des alcooliques, des hommes et des femmes qui se détruisaient eux-mêmes à l'encontre de leur propre volonté. *Suis-je complètement affranchi de mon obsession alcoolique?*

Méditation du jour

"Demandez et vous recevrez". Ne vous laissez jamais aller à la pensée que vous êtes incapable d'accomplir quelque chose d'utile ou que vous ne serez jamais capable d'accomplir une oeuvre utile. La vérité est que vous pouvez faire pratiquement quoi que ce soit dans le domaine des relations humaines, si vous êtes prêt à demander le secours de Dieu. Ce secours peut bien ne pas vous être donné immédiatement parce que vous n'êtes pas absolument prêt à le recevoir. Mais il viendra certainement lorsque vous serez suffisamment préparé. À mesure que vous avancerez spirituellement, une impression de bien-être venant de la force de Dieu s'emparera de vous et vous serez capable d'accomplir un grand nombre de choses utiles.

Prière du jour

Je demande de réclamer le secours de Dieu par ma foi en Lui. Je demande qu'il me soit donné selon ma foi.

Nous étions devenus des malades sans espoir spirituellement, émotivement et physiquement. La puissance qui nous dominait était supérieure à nous-mêmes   c'était l'alcool. Plusieurs buveurs ont dit: "Je n'étais pas allé aussi loin: je n'avais pas perdu mon emploi à cause de l'alcool; j'avais encore ma famille; j'ai réussi à éviter la prison. Il est pourtant vrai que je buvais parfois trop et je crois que j'ai alors réussi à faire un fou de moi, mais je croyais encore que je pouvais maîtriser ma boisson. Je ne croyais pas vraiment que j'étais un alcoolique". *Si j'étais un de ceux-là, ai-je changé d'avis?*

Méditation du jour

Si pénible que soit le présent vous pourrez un jour connaître la raison de ces difficultés. Vous verrez que ce n'était pas seulement une épreuve, mais aussi une préparation en vue du travail que vous aurez à faire pendant votre vie. Ayez confiance que vos prières et vos aspirations seront un jour exaucées. Elles seront exaucées d'une façon qui vous semble peut-être pénible, mais qui est la seule bonne. Notre égoïsme et notre orgueil nous font souvent désirer des choses qui ne sont pas bonnes pour nous. Ils doivent être éliminés. Nous devons nous libérer de ces lourdes pierres qui nous immobilisent, autrement nous ne pouvons nous attendre à ce que nos prières soient exaucées.

Prière du jour

Je demande d'accepter de passer par une période d'épreuve. Je demande d'avoir confiance en Dieu au sujet des résultats de cette épreuve.

Les membres A.A. vous diront qu'en songeant à leur passé, ils se rendent compte clairement qu'ils n'étaient plus maître d'eux-mêmes longtemps avant de l'admettre. Chacun d'entre nous a passé par cette phase pendant laquelle nous n'admettions pas que nous étions alcooliques. Il en faut des supplices pour nous convaincre, mais une chose est certaine: nous savons tous par expérience qu'en fait de supplices à infliger l'alcool n'a pas son pareil. *Ai-je encore des restrictions en ce qui a trait à ma condition d'alcoolique?*

Méditation du jour

Il existe une force pour le bien dans le monde et, lorsque vous coopérez avec elle, de bonnes choses vous arrivent. Vous êtes libre, vous avez le choix de vous ranger du côté du bien ou du côté du mal. Cette force pour le bien, nous l'appelons la volonté de Dieu. Dieu a Son plan pour l'univers. Il a un but pour votre vie. Il veut que vous unissiez tous vos désirs à Ses désirs. Il ne peut agir que par l'entremise de l'homme. Si vous essayez de faire de la volonté de Dieu votre propre volonté, vous serez guidé par Lui. Vous serez dans le courant du bien et aidé par tout ce qui est bon. Vous serez du côté de Dieu.

Prière du jour

Je demande d'unir à la volonté de Dieu ma propre volonté. Je demande de rester dans le flot de bonté qui existe dans le monde.

Les déceptions et la confusion spirituelle marquent notre époque. Plusieurs d'entre nous ont jeté aux quatre vents leur ancien idéal sans en avoir acquis un nouveau. Un grand nombre d'hommes et de femmes échouent dans la vie tout simplement parce qu'ils refusent de s'en remettre à une Puissance autre qu'eux-mêmes. Plusieurs d'entre eux se croient braves et indépendants, mais en vérité ils ne sont qu'à la merci du danger. L'anxiété et le complexe d'infériorité sont devenus les plus grandes calamités de notre société moderne. Chez les A.A. nous connaissons le remède à ces maux. *Ai-je cessé de n'avoir confiance qu'en moi?*

Méditation du jour

Les déceptions et le doute gâtent notre vie. Ceux qui doutent sont déçus. Lorsque vous doutez vous êtes sur la clôture. Vous n'allez nulle part. Le doute empoisonne toutes vos actions. "Bien, je ne sais pas" — alors vous ne faites rien. Vous devriez faire face à la vie avec un "oui", une attitude mentale positive. Il y a du bien dans le monde et nous devrions tendre vers ce bien. Il y a une puissance à notre disposition pour nous aider à faire le bien; nous accepterons donc cette puissance. Des miracles de transformation se produisent dans la vie de certaines personnes; nous accepterons donc ces miracles comme preuve de la puissance de Dieu.

Prière du jour

Je demande de ne pas être paralysé par le doute. Je demande d'accepter le risque de la foi.

Les membres des Alcooliques Anonymes ne participent pas aux controverses théologiques mais, en transmettant leur message, ils essaient d'expliquer très simplement leur vie spirituelle. Comment la foi en une Puissance Supérieure peut vous aider à surmonter la solitude, la crainte et l'anxiété. Comment cette Puissance peut vous aider à vivre en paix avec les autres. Comment cette Puissance peut vous permettre de vous élever au-dessus de la souffrance, de la douleur et du découragement. Comment elle peut vous empêcher de désirer des choses destructrices. *En suis-je arrivé à cette foi simple et efficace?*

Méditation du jour

Attendez-vous à des changements miraculeux dans la vie des gens. Ne soyez pas arrêté par le manque de foi. Des humains peuvent être transformés et souvent ils sont prêts et attendent d'être transformés. Ne croyez jamais que l'être humain ne peut pas être changé. Chaque jour nous constatons que des mentalités ont été transformées. Avez-vous assez de foi pour rendre ces changements possibles? Des miracles modernes se produisent tous les jours dans les vies humaines. Tous les miracles sont effectués dans la personnalité. La nature humaine peut être améliorée et s'améliore continuellement. Mais il nous faut avoir assez de foi pour devenir les intermédiaires de la force de Dieu dans la vie des autres.

Prière du jour

Je demande d'avoir assez de foi pour m'attendre à des miracles. Je demande d'être l'instrument employé par Dieu afin d'aider à améliorer la vie des autres.

Dans le mouvement A.A., nous n'essayons pas de tracer une voie à l'âme humaine; nous n'essayons pas non plus de déterminer d'avance l'oeuvre de la foi, comme quelqu'un qui organiserait une campagne de charité. Nous disons au nouveau membre que nous avons ravivé notre foi en une Puissance Supérieure. Par cette révélation, notre foi est raffermie. Nous croyons que la foi est toujours à portée de la main, attendant ceux qui veulent écouter l'inspiration divine. Nous croyons qu'il y a une force en faveur du bien dans l'univers et que si nous nous joignons à cette force nous sommes dirigés vers une nouvelle vie. *Est-ce que je suis au milieu de ce fleuve de bonté?*

Méditation du jour

Dieu vous protégera contre les forces du mal, si vous comptez sur Lui. Vous pouvez faire face à tout, grâce à la puissance de Dieu qui vous donne la force nécessaire. Dieu vous ayant marqué du signe de Sa possession, toute Sa force sera à votre service et vous protégera. Souvenez-vous que vous êtes un enfant du Père. Sachez que l'aide du Père est toujours à la disposition de tous Ses enfants pour qu'ils puissent faire face à tout. Dieu fera tout ce qui est nécessaire pour votre bien-être spirituel, si vous Le laissez accomplir Sa volonté.

Prière du jour

Je demande de m'en remettre à Dieu pendant ce jour. Je demande de me sentir en sécurité, quoi qu'il m'arrive.

Aujourd'hui est à nous. Vivons ce jour comme nous croyons que Dieu veut que nous le vivions. Chaque jour se passera selon un nouveau plan que nous ne pouvons prévoir. Mais nous pouvons commencer chaque jour avec une période de méditation et une courte prière, demandant à Dieu de nous aider durant toute la journée. Notre contact personnel avec Dieu tel que nous Le concevons nous fera mieux comprendre, de jour en jour, Ses désirs à notre égard. À la fin du jour, nous lui offrons nos remerciements pour un autre jour de sobriété. Un jour bien rempli, un jour d'activité constructive vient d'être vécu et nous sommes reconnaissants. *Est-ce que chaque jour je demande à Dieu la force nécessaire? Est-ce que je Le remercie, chaque soir?*

Méditation du jour

Si vous croyez que la grâce de Dieu vous a sauvé, alors vous devez croire qu'Il veut le faire d'une manière encore plus parfaite et vous garder dans la voie qu'Il a choisie pour vous. Même un sauveteur humain ne retirera pas un homme de l'eau pour le replonger dans une eau plus profonde et plus dangereuse, mais il le placera sur un terrain sec pour le ranimer. Dieu, qui est votre sauveur, fera la même chose et même davantage. Dieu terminera la tâche qu'Il a commencée. Il ne vous jettera pas par-dessus bord, si vous comptez sur Lui.

Prière du jour

Je demande d'avoir confiance que Dieu me gardera dans la bonne voie. Je demande de croire qu'Il ne m'abandonnera pas.

13 juillet – Pensée A.A. pour aujourd'hui

Un alcoolique, avant son arrivée chez les A.A. ressemble à un pilote d'avion égaré. Mais le mouvement A.A. lui donne le signal qui le dirige vers le programme A.A. Aussi longtemps qu'il suivra ce code, le signal de la sobriété constante continuera à lui parvenir. S'il a une rechute, le signal est interrompu. S'il s'éloigne par l'ivresse, le signal disparaît. À moins de retrouver le code de direction A.A., l'avion de sa personnalité est en danger de s'écraser contre le pic du désespoir. *Suis-je dans la bonne voie?*

Méditation du jour

Soyez toujours dans l'attente. Attendez-vous constamment à des choses meilleures. Croyez que ce que Dieu vous réserve est plus avantageux que tout ce que vous avez connu auparavant. On se prépare une vieillesse heureuse en s'attendant à des choses meilleures jusqu'à la fin de ses jours et même après la mort. Une bonne vie est une vie qui s'améliore et se développe; une vie où l'on découvre des horizons de plus en plus vastes; une vie où l'on connaît un cercle toujours plus grand d'amis et de connaissances et des occasions toujours plus nombreuses d'être utile.

Prière du jour

Je demande d'attendre avec une grande confiance la prochaine bonne chose qui m'est réservée. Je demande de toujours garder dans ma vie une attitude mentale d'attente.

L'un des résultats les plus appréciables du programme A.A., c'est la paix d'esprit et la sérénité qu'il peut nous apporter. Lorsque nous buvions, nous n'avions aucune paix d'esprit ni aucune sérénité. Nous avions exactement l'opposé, une sorte de tumulte et ce "désespoir sournois" que nous connaissions si bien. Ce tumulte de ces jours de boisson était causé en partie par nos souffrances physiques, les terribles gueules de bois, les transpirations froides, les tremblements nerveux et la peur. Mais ils étaient causés encore plus par notre souffrance mentale, notre solitude, notre complexe d'infériorité, nos mensonges et le remords que tous les alcooliques connaissent bien. *Ai-je acquis un peu plus de paix d'esprit?*

Méditation du jour

Essayez de rechercher les directives de Dieu dans toutes vos relations personnelles, dans tous vos rapports avec les autres. Dieu vous aidera à régler toutes vos relations avec vos semblables si vous Le laissez vous guider. Réjouissez-vous de ce que Dieu puisse vous protéger et vous garder de toutes les tentations et de tous les insuccès. Dieu peut vous protéger dans toutes les situations, au cours de toute cette journée, si vous comptez sur Sa force et si vous allez de l'avant. Vous devriez sentir que vous entrez sur la scène du succès dans le bon mode de vie. Vous ne devriez pas douter que des choses meilleures sont en réserve pour vous. Allez de l'avant sans crainte, puisque vous vous sentez profondément en sécurité sous la protection de Dieu.

Prière du jour

Je demande que Dieu me protège et prenne soin de moi tant que j'essaierai de Le servir. Je demande de vivre aujourd'hui sans crainte.

Après avoir obtenu notre sobriété par l'entremise du programme A.A., nous avons graduellement connu une paix d'esprit et une sérénité que nous n'aurions jamais cru pouvoir obtenir. Cette tranquillité d'esprit est fondée sur l'idée que, fondamentalement, tout est bien. Ceci ne veut pas dire que tout va bien à la surface des choses. De petites choses peuvent continuer à faire défaut et les plus importantes peuvent continuer à nous alarmer. Mais au fond de notre coeur nous savons qu'un jour tout cela tournera pour le mieux, maintenant que nous vivons sobrement. *Ai-je acquis un calme intérieur vraiment profond?*

Méditation du jour

Vous montez dans l'échelle de la vie qui conduit à l'éternité. Est-ce que Dieu vous ferait monter dans une échelle dangereuse? Son appui peut être invisible, caché dans des endroits secrets, mais si Dieu vous a demandé de mettre le pied sur le barreau et de monter sans crainte, Il a certainement assuré la solidité de votre échelle. La foi vous donne la force de monter fermement dans cette échelle de la vie. Vous devriez confier à Dieu votre sécurité et croire qu'Il ne vous laissera pas tomber. Il est là pour vous donner toute l'énergie nécessaire pour vous permettre de continuer à monter.

Prière du jour

Je demande de gravir l'échelle de la vie sans crainte. Je demande d'aller de progrès en progrès, fermement, durant toute ma vie, avec foi et confiance.

Nous pouvons croire que Dieu est aux cieux et qu'Il a un plan pour nos vies, un plan qui s'accomplira éventuellement si nous essayons de vivre comme nous croyons qu'Il veut que nous vivions. Une mère de race noire a dit un jour: "Je porte le monde comme un vêtement ample". Elle voulait dire que rien ne pouvait sérieusement l'affecter parce qu'elle avait une foi profonde et immuable que Dieu prendrait toujours soin d'elle. Pour nous cela veut dire que nous ne devons pas être trop troublés par ce qui semble mauvais à la surface des choses, mais que nous devons nous sentir profondément en sécurité à cause de la bonté fondamentale et de la destinée de l'univers. *Est-ce que je me sens profondément en sécurité?*

Méditation du jour

Comme l'ombre d'un rocher élevé dans le désert, Dieu est notre refuge dans les difficultés de la vie. Un ancien cantique contient cette prière: "Rocher éternel, laisse-moi me cacher en Toi". Dieu peut être votre abri dans la tempête. La puissance de Dieu peut vous protéger contre toute tentation et toute défaillance. Essayez de vous rendre compte de Sa puissance divine — demandez-la — acceptez-la et servez-vous-en. Armé de cette puissance vous pouvez faire face à tout. Chaque jour, cherchez votre salut dans le secret de Dieu, dans votre communion d'esprit avec Lui. Vous ne pouvez pas alors être profondément peiné ou gravement blessé. Dieu peut être votre refuge.

Prière du jour

Je demande de trouver refuge dans la pensée de Dieu. Je demande de demeurer dans cette Citadelle bien gardée.

La nouvelle vie de sobriété que nous apprenons à vivre chez les A.A. se développe lentement en nous et nous commençons à trouver une paix d'esprit et une sérénité profonde que nous ne nous croyions pas possibles. Nous avons d'abord pu douter que cet état d'esprit fût un jour le nôtre; mais après un certain temps dans le mouvement A.A., à voir les figures heureuses autour de nous, nous savons que, d'une façon ou d'une autre, cela se produit aussi pour nous. En réalité, cela ne peut manquer d'arriver à ceux qui mettent en pratique la méthode A.A. sérieusement, jour après jour. *Est-ce que je peux apercevoir mon propre bonheur réfléchi dans le visage des autres?*

Méditation du jour

Dieu ne vous refuse pas Sa présence. Il ne refuse pas de vous révéler de plus en plus Sa vérité. Il ne vous cache pas Son esprit. Il ne vous refuse pas la force dont vous avez besoin. Sa présence, Sa vérité, Son esprit, Sa force sont toujours immédiatement à votre disposition dès que vous désirez sincèrement les accueillir. Mais votre égoïsme, votre orgueil intellectuel, votre crainte, votre avarice et votre matérialisme peuvent les empêcher d'agir. Nous devons essayer de nous débarrasser de ces entraves et permettre à l'esprit de Dieu d'entrer dans nos vies.

Prière du jour

Je demande de détruire toutes les entraves qui me tiennent éloigné de Dieu. Je demande de laisser entrer la puissance de Dieu dans ma vie.

Deux choses peuvent gâter l'unité d'un groupe — le commérage et la critique. Pour éviter ces choses qui nous divisent, nous devons comprendre que nous sommes tous dans le même bateau Nous ressemblons à un groupe de passagers dans une chaloupe de sauvetage après que le navire a coulé. Si nous voulons être sauvés, il nous faut ramer ensemble. C'est pour nous une question de vie ou de mort. Le commérage et la critique sont deux excellents moyens de détruire un groupe A.A. Nous sommes tous dans l'association A.A. pour rester sobres nous-mêmes et pour nous aider l'un l'autre à rester sobres. Or, ni le commérage, ni la critique n'aident qui que ce soit à demeurer sobre. *Suis-je souvent coupable de commérage ou de critique?*

Méditation du jour

Nous devrions essayer d'être reconnaissants pour tous les bienfaits que nous avons reçus et que nous ne méritons pas. La reconnaissance envers Dieu pour tous Ses bienfaits nous donnera de l'humilité. Souvenons-nous que, seuls, nous ne pouvons rien faire et que maintenant nous devons compter sur la grâce de Dieu pour nous aider nous-mêmes et aider les autres. Les gens n'aiment pas trop ceux qui sont orgueilleux et trop satisfaits d'eux-mêmes ou ceux qui font du commérage ou de la critique. Mais les gens apprécient la véritable humilité. Nous devrions donc être humbles en tout temps. La gratitude envers Dieu et l'humilité véritable sont les vertus qui nous rendent efficaces.

Prière du jour

Je demande de vivre humblement avec Dieu. Je demande de compter sur Sa grâce pour qu'elle me conduise à bonne fin.

Le commérage et la critique au sujet des gens n'ont pas leur place dans les salles de réunion A.A. Dans le mouvement A.A. chaque homme est un frère et chaque femme est une soeur, aussi longtemps qu'il (ou qu'elle) est membre des A.A. Nous ne devons pas passer de remarques désobligeantes sur les relations personnelles d'aucun homme ou d'aucune femme de notre groupe. Et si nous disons d'un membre: "Je crois qu'il prend quelques verres en cachette", c'est la pire des choses que nous pourrions faire à cette personne. Si un homme ou une femme ne vit pas selon les principes A.A. ou s'il (elle) a une rechute, c'est à lui (ou elle) de le dire dans une assemblée. S'il (ou elle) ne le dit pas, il (elle) se fait du tort à lui-même (elle-même). *Est-ce que je parle contre les autres membres lorsqu'ils ont le dos tourné?*

Méditation du jour

Pour Dieu, un miracle de transformation dans la vie d'une personne n'est qu'un événement naturel. Mais c'est là un événement naturel effectué par des forces spirituelles. Il n'y a pas de miracle de personnalité si merveilleux qu'il ne puisse se produire tous les jours. Mais les miracées n'arrivent qu'à ceux qui sont guidés et soutenus par Dieu. Des transformations merveilleuses se produisent très simplement dans les personnes humaines et pourtant elles ne relèvent d'aucun autre agent que la grâce de Dieu. Mais ces miracles ont été préparés par des jours et des mois pendant lesquels on a profondément désiré quelque chose de plus parfait.

Prière du jour

Je demande de m'attendre à des miracles dans la vie des gens. Je demande de servir d'instrument pour aider quelqu'un à se transformer spirituellement.

Nous devons être loyaux envers notre groupe et envers chaque membre qui en fait partie. Nous ne devons jamais accuser un membre en son absence ou même quand il est présent. C'est à lui de nous dire lui-même si quelque chose ne va pas. Plus que cela, nous devons essayer de ne mal penser d'aucun membre, parce que, si nous le faisons, nous lui faisons du tort consciemment ou non. Nous devons être loyaux les uns envers les autres, si nous voulons que le mouvement A.A. survive. Comme nous sommes tous dans cette chaloupe de sauvetage, essayant de nous sauver nous-mêmes et de sauver les autres de l'alcoolisme, nous devons franchement et sincèrement nous aider l'un l'autre. *Suis-je un membre loyal de mon groupe?*

Méditation du jour

Agissez autant que possible selon l'inspiration de Dieu. Abandonnez-Lui les résultats. Agissez ainsi avec obéissance et fidélité, avec l'assurance que si l'orientation de votre vie est laissée entre les mains de Dieu, ses résultats seront bons. Croyez que les directives de Dieu à votre égard sont telles qu'elles produiront les résultats requis selon votre cas et selon les circonstances où vous vous trouvez. Acceptez donc l'orientation de Dieu comme l'indique votre conscience. Dieu connaît votre vie et votre caractère personnels, vos qualités et vos défauts.

Prière du jour

Je demande de vivre selon ma conscience. Je demande d'abandonner à Dieu les résultats de mes actes.

Si nous croyons devoir dire quelque chose pour remettre un membre sur la bonne voie, nous devrions le lui dire avec compréhension et sympathie, et non pas avec une attitude de critique. Nous devrions toujours agir ouvertement et honnêtement. Le programme A.A. est merveilleux, mais il nous faut vraiment le mettre en pratique. Nous devons tous agir ensemble sinon nous périrons tous. Nous sommes heureux d'être associés au mouvement A.A. et nous avons droit à tous ses avantages. Mais le commérage et la critique ne sont pas de la tolérance, et la tolérance est un principe A.A. qui est absolument nécessaire à l'unité de nos groupes. *Suis-je vraiment tolérant envers les autres membres?*

Méditation du jour

"La foi peut transporter les montagnes". Cette expression veut dire que la foi peut changer quelque attitude que ce soit dans le domaine des relations personnelles. Si vous avez foi en Lui, Dieu vous indiquera la méthode de "transporter les montagnes". Si vous êtes assez humble pour savoir que vous ne pouvez à peu près rien faire par vous-même pour changer une situation; si vous avez assez de foi pour demander à Dieu de vous donner la puissance dont vous avez besoin et si vous êtes assez reconnaissant pour la grâce qu'Il vous accorde, vous pouvez "transporter les montagnes". Les attitudes psychologiques seront changées pour le mieux à cause de votre présence.

Prière du jour

Je demande d'avoir assez de foi pour être vraiment efficace. Je demande d'apprendre à moins compter sur moi-même et à compter davantage sur Dieu.

Un des points les plus agréables du mouvement A.A., c'est la diversité de ses membres. Nous appartenons à tous les rangs de la société. Tous les types d'êtres humains et toutes les classes de la société sont représentés dans un groupe A.A. Différents les uns des autres, nous pouvons tous contribuer différemment au bien de l'ensemble. Certains d'entre nous sont faibles par certains côtés de leur personnalité, mais sont forts dans d'autres domaines. Le mouvement A.A. peut se servir des points forts de tous ses membres et ignorer toutes leurs faiblesses. Le mouvement A.A. est puissant non seulement parce que nous avons le même problème mais aussi à cause des talents variés de ses membres. Chacun peut faire sa part. *Est-ce que je reconnais les bons points des autres membres de notre association?*

Méditation du jour

"Et vous accomplirez des oeuvres encore plus grandes que celles-ci". Chaque individu peut faire du bon travail par l'entremise de la puissance de l'esprit de Dieu. C'est la merveille de ce monde et le miracle de cette terre que la puissance de Dieu bénisse la race humaine par l'entremise de tant d'hommes animés par Sa grâce. Nous n'avons pas raison d'être paralysés par le doute, le désespoir et la peur. Un avenir brillant peut s'ouvrir devant n'importe quel être humain qui compte sur la puissance de Dieu, un avenir rempli d'une puissance illimitée pour accomplir le bien.

Prière du jour

Je demande de ne pas me laisser arrêter par le doute. Je demande de croire que je peux être utile en vue du bien.

Nous devrions nous souvenir que tous les membres A.A. ont des "pieds d'argile". Nous ne devrions jamais placer aucun membre des A.A. sur un piédestal et le marquer du sceau de la perfection. Ce n'est pas juste pour cette personne d'être ainsi placée à part et, si elle est sage, elle ne le voudra pas. Si nous considérons ainsi un membre comme notre membre A.A. idéal et s'il a une rechute, nous sommes en danger de tomber avec lui. Sans aucune exception, nous ne sommes séparés d'une cuite que par un verre. Peu importe depuis combien de temps nous sommes dans le mouvement A.A., personne n'est complètement en sûreté. Le mouvement A.A. lui-même devrait être notre idéal, et non pas un membre en particulier. *Est-ce que je mets ma confiance dans les principes A.A. et non dans un membre en particulier?*

Méditation du jour

La paix intérieure qui a sa source dans votre confiance en Dieu dépasse vraiment toute compréhension. Personne ne peut troubler cette paix intérieure. Mais vous devez prendre garde de ne pas laisser les inquiétudes et les distractions de ce monde pénétrer en vous. Vous devez essayer de ne pas laisser la crainte et le découragement s'emparer de vous. Vous devez refuser d'ouvrir la porte aux distractions qui pourraient troubler votre paix intérieure. Faites tout en votre pouvoir pour ne permettre aujourd'hui à quoi que ce soit de troubler votre paix intérieure et le calme de votre coeur.

Prière du jour

Je demande de ne pas permettre à ceux qui m'entourent de troubler ma paix d'esprit. Je demande de garder ce profond calme intérieur pendant toute cette journée.

Le mouvement A.A. est comme une digue retenant les flots de l'alcool. Si nous prenons un verre d'alcool, c'est comme si nous faisions un petit trou dans cette digue; une fois que ce trou est percé, tout l'océan de l'aclool peut se déchaîner sur nous. Par la pratique des principes A.A., nous gardons la digue solide et bien réparée. Nous découvrons tout point faible ou toute fente dans cette digue et nous y faisons les réparations voulues avant qu'aucun dommage ne nous soit causé. De l'autre côté de la digue se trouve tout l'océan de l'alcool, prêt à nous engloutir de nouveau dans le désespoir. *Est-ce que je prends soin de garder cette digue en bon état?*

Méditation du jour

Restez aussi près que possible de la Puissance Supérieure. Essayez de penser, d'agir et de vivre comme si vous étiez toujours en présence de Dieu. Rester auprès d'une Puissance supérieure à vous-même, voilà la solution de presque tous les problèmes terrestres. Essayez de pratiquer la présence de Dieu dans vos pensées et vos actions. C'est là le secret de la puissance personnelle. C'est ce qui influencera la vie des autres en vue du bien. Soyez fidèle au Seigneur et réjouissez vous en Son amour. Demeurez auprès de l'esprit divin de l'univers. Que Dieu ait sa place dans vos pensées.

Prière du jour

Je demande de demeurer auprès de l'esprit de Dieu. Je demande de vivre par mon coeur et mon esprit auprès de Lui.

Nous vivons grâce à du temps qui nous est prêté. Nous sommes vivants aujourd'hui à cause du mouvement A.A. et par la grâce de Dieu. Et ce qui reste de nos vies, nous le devons au mouvement A.A. et à Dieu. Nous devrions faire le meilleur usage possible de ce temps qui nous est prêté et, dans une certaine mesure, rembourser quelque chose pour cette partie de notre vie que nous avons gaspillée avant d'arriver aux A.A. Nos vies, à partir de maintenant, ne nous appartiennent pas. Nous les gardons en dépôt pour Dieu et pour le mouvement A.A., et nous devons faire tout ce que nous pouvons pour propager ce grand mouvement qui nous a donné un nouveau bail sur notre vie. *Est-ce que je garde ma vie en dépôt pour le mouvement A.A.?*

Méditation du jour

Vous devriez garder votre vie en dépôt pour Dieu. Pensez avec soin à ce que cela veut dire. Peut-on trop exiger d'une telle vie? Commencez-vous à deviner ce que peut être une vie conservée pour Dieu? Dans une telle vie, des miracles peuvent se produire. Si vous êtes fidèle, vous pouvez croire que Dieu vous réserve toutes sortes de bonnes choses. Dieu peut être le Seigneur de votre vie et le Maître de vos jours: de votre présent et de votre avenir. Essayez de vivre selon les suggestions de Dieu et abandonnez-Lui tous les résultats. Ne gardez rien en réserve, mais donnez-vous entièrement à Dieu et à une vie meilleure. Montrez-vous digne de la confiance de Dieu à votre égard.

Prière du jour

Je demande de conserver ma vie pour Dieu. Je demande de ne plus considérer ma vie comme étant exclusivement ma propriété.

Lorsque nous serons au terme de notre vie terrestre, nous n'apporterons avec nous aucun bien matériel. Nous n'apporterons pas un seul sou dans nos mains froides et mortes. Tout ce que nous pourrons apporter, c'est ce que nous aurons donné. Si nous avons aidé nos compagnons humains, nous pourrons apporter cela avec nous; si nous avons donné de notre argent et de notre temps pour le bien des A.A., nous pourrons apporter cela avec nous. En passant nos vies en revue, de quoi sommes-nous fiers? Non pas de ce que nous avons accumulé pour nous-mêmes, mais des quelques bonnes actions que nous avons accomplies. Ces actions sont réellement ce qui compte à la longue. *Qu'apporterai-je avec moi lorsque je mourrai?*

Méditation du jour

"Que Votre nom soit sanctifié." Qu'est-ce que cela veut dire pour nous? Ici "nom" est employé dans le sens "d'esprit". Ces mots signifient louer Dieu pour Son esprit qui, ici-bas, rend l'homme meilleur. Nous devrions être particulièrement reconnaissants à l'esprit de Dieu qui nous donne la force de surmonter tout ce qui est méprisable dans nos vies. Son esprit est puissant. Il peut nous aider à vivre une vie conquérante et abondante. Ainsi nous Lui rendons hommage et nous Le remercions pour Son esprit dans nos vies et dans celles des autres.

Prière du jour

Je demande de manifester ma gratitude, pour l'esprit de Dieu en moi. Je demande de pouvoir vivre selon cet esprit.

Comme paraphrase d'un psaume: "Nous, les alcooliques, nous déclarons que la puissance de l'alcool et de l'ivresse a révélé son oeuvre. Jour par jour, il a été la cause de nos gueules de bois, et, nuit après nuit, la cause de nos souffrances. La loi du mouvement A.A. est parfaite, elle convertit l'ivrogne. Le témoignage A.A. est fondé; il rend sages les simples d'esprit. Les règlements A.A. sont justes, ils plaisent au coeur. Le programme A.A. est pur, il illumine nos yeux. La peur du premier verre est bonne, elle demeure à jamais". *Ai-je des doutes sur la puissance de l'alcool?*

Méditation du jour

"Marchez humblement en compagnie du Seigneur." Marcher en compagnie de Dieu veut dire pratiquer la présence de Dieu dans toutes nos occupations quotidiennes. Cela veut dire: demander à Dieu de nous donner la force de faire face à chaque nouvelle journée. Cela veut dire: penser souvent à Lui au cours de la journée dans notre prière pour nous-mêmes et pour les autres. Cela veut dire: Le remercier le soir pour les bienfaits que vous avez reçus durant la journée. Rien ne peut réellement vous inquiéter si vous "marchez en compagnie de Dieu." Vous pouvez croire qu'Il est près de vous en esprit, pour vous aider et vous guider sur votre route.

Prière du jour

Je demande de marcher humblement en compagnie de Dieu. Je demande de me tourner vers Lui souvent comme vers un ami intime.

Pour continuer notre paraphrase d'un psaume: "Les jugements des douze Étapes sont véridiques et justes. Ils sont plus à désirer que l'alcool, oui, plus à désirer que le meilleur alcool et plus doux que le vin. De plus, elles mettent en garde les alcooliques, et ceux qui les mettent en pratique sont bien récompensés. Qui peut comprendre son alcoolisme? Purifiez-vous de toutes vos fautes secrètes. Seigneur, gardez-nous contre le ressentiment. Ne le laissez pas nous dominer. Ainsi, nous pourrons marcher la tête haute et nous serons libérés de nos graves manquements". *Suis-je résolu de ne plus jamais laisser l'alcool me dominer?*

Méditation du jour

Dieu peut être votre bouclier. Alors, aucun assaut du monde ne pourra vous blesser. Entre vous et le mépris et l'insulte venant des autres se trouvera votre confiance en Dieu qui vous servira de bouclier. Rien ne peut, dès lors, nuire à votre paix intérieure. Grâce à ce bouclier, vous pouvez parvenir sans délai à cette paix intérieure dans votre coeur. Avec cette paix intérieure, vous pouvez éviter d'en vouloir à ceux qui vous importunent. Vous pouvez, au contraire, dominer en vous-même ce ressentiment envers la personne qui l'a provoqué.

Prière du jour

Je demande d'essayer d'obtenir la paix intérieure. Je demande de ne pas être bouleversé, peu importe ce qui arrive autour de moi.

Il y a deux jours chaque semaine, dont nous ne devons pas nous inquiéter, deux jours qui devraient être exempts de crainte et d'appréhension. Un de ces jours c'est hier, avec ses erreurs et ses tracas, ses fautes et ses bévues, ses peines et ses souffrances. Hier est disparu pour toujours, nous n'y pouvons plus rien. Tout l'argent au monde ne peut ramener hier. Nous ne pouvons défaire une seule action accomplie hier. Nous ne pouvons faire disparaître une seule parole que nous avons prononcée. Hier est dans l'éternité. *Est-ce que je m'inquiète encore de ce qui est arrivé hier?*

Méditation du jour

Dieu ne permettra pas que vous soyez tenté au-dessus de vos forces, mais au moment de la tentation, Il vous fournira un moyen d'y résister et de surmonter cette épreuve. Si vous avez assez de foi en Dieu, Il vous donnera toute la force nécessaire pour faire face à chaque tentation sans succomber. Rien ne sera trop lourd pour vos épaules. Vous pouvez affronter toutes les situations: "Réjouissez-vous, j'ai vaincu le monde". Vous pouvez vaincre toutes les tentations avec l'aide de Dieu. En conséquence, n'ayez aucune crainte.

Prière du jour

Je demande de faire face à chaque situation sans crainte. Je demande qu'aucune épreuve ne soit trop lourde à supporter.

L'autre jour dont il ne faudrait pas nous inquiéter, c'est demain avec ses malheurs possibles, ses fardeaux, ses promesses prodigieuses et, peut-être, ses déboires. Nous ne pouvons rien au sujet de demain. Le soleil, demain, se lèvera dans toute sa splendeur ou derrière d'épais nuages, mais il se lèvera. Jusqu'à ce qu'il se lève, demain ne nous appartient pas, car il n'est pas encore arrivé. *Est-ce que je m'inquiète trop au sujet de demain?*

Méditation du jour

"La foi c'est la substance des choses que l'on désire et la révélation des choses que l'on ne voit pas." La foi, ce n'est pas voir, mais croire. À travers les âges, il y a toujours eu des personnes qui ont obéi à la vision céleste, ne voyant pas Dieu, mais croyant en Lui. Et leur foi fut récompensée. Ainsi en sera-t-il de vous. Il vous arrivera des choses merveilleuses. Vous ne pouvez voir Dieu, mais vous pouvez voir le résultat de la foi dans les vies humaines, la foi qui les fait passer de la défaite à la victoire. La grâce de Dieu est à la disposition de tous ceux qui ont foi en Lui — qui ne voient pas, mais croient. Avec la foi, la vie peut être victorieuse et heureuse.

Prière du jour

Je demande d'avoir assez de foi pour croire sans voir. Je demande d'être heureux des résultats que j'obtiendrai à cause de ma foi.

Il ne nous reste qu'un jour — aujourd'hui. Tout être humain peut faire face aux batailles d'une seule journée. Ce n'est que lorsque, vous et moi, nous y ajoutons les fardeaux de ces deux redoutables éternités, hier et demain, que nous nous décourageons. Ce n'est pas l'expérience d'aujourd'hui qui conduit l'homme à la folie. C'est le remords et l'amertume au sujet de ce qui est arrivé hier ou la crainte de ce que demain peut apporter. Faisons dès lors notre possible pour vivre un seul jour à la fois. *Est-ce que je vis un seul jour à la fois?*

Méditation du jour

Offrez à Dieu le présent d'un coeur reconnaissant. Essayez de trouver des raisons d'être reconnaissant chaque jour de votre vie. Lorsque la vie vous semble pénible et quand les difficultés s'accumulent, cherchez quelque chose dont vous pouvez être reconnaissant. L'offrande de notre reconnaissance est vraiment un encens parfumé qui monte vers Dieu durant une journée bien remplie. Cherchez avec soin quelque chose qui vous plaît et mérite votre reconnaissance. Vous acquerrez, avec le temps, l'habitude d'être toujours reconnaissant envers Dieu pour tous Ses bienfaits. Chaque jour nouveau vous apportera de nouvelles joies et la gratitude surgira dans votre esprit et vous remercierez Dieu avec sincérité.

Prière du jour

Je demande que mon coeur soit sincèrement reconnaissant. Je demande de me rappeler constamment pourquoi je dois avoir de la gratitude.

Le mouvement des Alcooliques Anonymes a emprunté ses principes à la médecine, à la psychiatrie et à la religion. Les A.A. ont choisi ce dont ils avaient besoin, ont amalgamé ces idées à leur programme qu'ils considèrent comme le mieux adapté à l'intelligence alcoolique et le mieux en mesure d'aider au rétablissement de l'alcoolique. Ses résultats ont été très satisfaisants. Nous n'essayons pas d'améliorer la méthode des A.A. Sa valeur a fait ses preuves par le succès qu'elle a obtenu en aidant des milliers d'alcooliques à se rétablir. Elle contient tout ce dont nous avons besoin en tant qu'alcooliques pour arrêter les effets de notre maladie. *Est-ce que j'essaie de suivre le programme A.A. tel qu'il est?*

Méditation du jour

Vous devez vous efforcer de faire l'union entre vos desseins dans la vie et les desseins du Principe divin qui dirige l'univers. Il n'y a aucun lien d'union sur la terre comparable à l'union entre l'âme humaine et Dieu. Cette union n'a pas de prix, elle est au-delà des récompenses terrestres. En unissant votre coeur et votre esprit au coeur et à l'esprit de la Puissance Supérieure, il se produit une unité d'objectif dont seuls ceux qui en ont fait l'expérience peuvent vaguement se rendre compte. Cette unité d'intention vous met en harmonie avec Dieu et avec les autres humains qui essaient d'accomplir Sa volonté.

Prière du jour

Je demande d'être au diapason de la volonté de Dieu. Je demande d'être en harmonie avec l'univers.

Le mouvement des Alcooliques Anonymes ne s'oppose pas à la médecine, à la psychiatrie ou à la religion. Nous avons le plus grand respect pour chacune de ces disciplines. Et nous sommes heureux du succès qu'elles ont pu obtenir auprès des alcooliques. Nous sommes heureux de coopérer avec leurs représentants. Plus il y aura de médecins, de psychiatres, de pasteurs ou de prêtres qui travailleront avec nous, plus nous en serons satisfaits. Nous en connaissons plusieurs qui s'intéressent sincèrement à notre programme et nous aimerions qu'il y en ait encore beaucoup plus. *Suis-je prêt à coopérer avec ceux qui portent un intérêt aux A.A.?*

Méditation du jour

Dieu est toujours prêt à répandre Ses bienfaits avec abondance dans nos coeurs. Mais comme pour les semailles, le terrain doit être préparé avant que le grain ne soit semé. C'est notre tâche de préparer le terrain. C'est celle de Dieu de semer le grain. Cette préparation du sol signifie des jours de vie honnête où l'on choisit le bien et évite le mal. Ainsi, chaque jour vous êtes mieux préparé en vue de l'oeuvre de Dieu, jusqu'à ce que vous arriviez au jour de la moisson. Vous partagez alors la moisson avec Dieu — la moisson d'une vie utile et plus abondante.

Prière du jour

Je demande de préparer mon mode de vie avec soin, jour par jour. Je demande de m'efforcer de me préparer en vue de la moisson que Dieu a semée dans mon coeur.

Nous des A.A., nous devons nous rappeler que nous offrons quelque chose d'intangible. Nous offrons une méthode psychologique et spirituelle. Nous n'offrons pas une méthode médicale. Si un homme a besoin de traitements médicaux, nous appelons un médecin. Si un homme a besoin d'une ordonnance médicale, nous laissons le médecin la lui prescrire. Si quelqu'un a besoin d'être hospitalisé, nous laissons l'hôpital en prendre soin. Notre travail vital chez les A.A. commence lorsque l'homme est physiquement capable d'en profiter. *Est-ce que je suis disposé à laisser les soins médicaux aux médecins?*

Méditation du jour

Chaque moment de votre journée que vous dédiez à ce nouveau mode de vie est une offrande à Dieu, l'offrande de chaque instant. Même lorsque votre désir de servir Dieu est sincère, il n'est pas facile de Lui offrir un grand nombre de ces moments. L'activité quotidienne que vous aviez l'intention d'accomplir, vous l'abandonnez avec plaisir pour rendre service ou pour dire un bon mot. Si vous pouvez voir l'intention de Dieu dans ce qui se produit, il vous sera plus facile de Lui accorder plusieurs moments de votre journée. Chaque situation s'interprète de deux façons, la vôtre et celle de Dieu. Essayez de traiter chaque événement comme vous croyez que Dieu veut qu'il soit traité.

Prière du jour

Je demande de faire en sorte que ma journée, d'une façon ou d'une autre, soit agréable à Dieu. Je demande de ne pas la vivre seulement pour moi.

Dans le mouvement A.A., nous offrons un programme psychologique en même temps que spirituel. En premier lieu, une personne doit être mentalement capable de le recevoir. Elle doit avoir décidé de cesser de boire et elle doit vouloir faire quelque chose à ce sujet. On doit obtenir sa confiance. Nous devons lui démontrer que nous désirons sincèrement l'aider. Lorsque nous aurons obtenu sa confiance, le nouveau venu nous écoutera. Ensuite, la fraternité A.A. offre une sorte de thérapie de groupe. Le nouveau venu a besoin de l'amitié d'autres alcooliques qui comprennent son problème parce qu'ils en ont souffert eux-mêmes. L'individu a besoin de rééduquer son esprit. Il doit apprendre à penser d'une manière différente. *Est-ce que je fais mon possible pour aider mentalement quelqu'un?*

Méditation du jour

"Et la vie éternelle, c'est qu'ils Vous connaissent." C'est le flot de la vie éternelle dans l'esprit, la pensée et le corps qui purifie, ranime et renouvelle. Cherchez de plus en plus chaque jour à demeurer en contact conscient avec Dieu. Que Dieu soit pour vous une présence protectrice durant cette journée. Soyez conscient que Son esprit vous aide. Tout ce qui est fait sans l'esprit de Dieu est temporaire. Tout ce qui est fait avec l'esprit de Dieu fait partie de la vie éternelle.

Prière du jour

Je demande d'être dans le courant de la vie éternelle. Je demande d'être purifié et apaisé par l'Esprit éternel.

Dans le mouvement A.A., nous offrons un programme spirituel. La base fondamentale du mouvement A.A. est la foi en une Puissance supérieure à nous-mêmes. Cette foi fait que l'homme n'est plus le centre de l'univers et lui permet de confier ses problèmes à une puissance autre que lui-même. Il se tourne vers cette Puissance pour obtenir la force dont il a besoin pour devenir et rester sobre. Il remet son problème de boisson entre les mains de Dieu et l'y laisse. Il cesse de diriger sa propre vie et essaie de laisser Dieu la diriger pour lui. *Est-ce que je fais tout en mon pouvoir pour aider spirituellement quelqu'un?*

Méditation du jour

Dieu est votre médecin et votre force. Vous n'avez pas besoin de Lui demander de venir à vous. Il est toujours avec vous en esprit. Lorsque vous avez besoin de Lui, il est là pour vous aider. Si vous pouviez comprendre l'amour de Dieu et Son désir de vous aider, vous sauriez qu'Il n'a pas besoin qu'on Lui demande de l'aide. Votre besoin est pour Dieu l'occasion qu'il attend. Vous devez apprendre à vous fier à la puissance de Dieu chaque fois que vous en avez besoin. Chaque fois que vous vous sentez incapable de faire face à quelque chose, vous devriez songer que cette impression d'impuissance est un manque de loyauté envers Dieu. Dites-vous: "Je sais que Dieu est avec moi et qu'Il va m'aider à penser, à parler et à agir de la bonne manière."

Prière du jour

Je demande de ne jamais me sentir impuissant dans aucune circonstance. Je demande d'être guidé par la pensée que Dieu est avec moi.

Des psychologues ont recours à la religion parce qu'il ne suffit pas de se connaître soi-même. L'homme a de plus besoin d'une foi dynamique en une puissance autre que lui-même, sur laquelle il peut s'appuyer. Les livres concernant les traitements psychologiques et psychiatriques ne sont pas suffisants sans la force qui découle de la foi en Dieu. Et des ministres et des prêtres ont recours aux psychologues parce que la foi est un acte de l'esprit et de la volonté. La religion doit être présentée, jusqu'à un certain point, en termes psychologiques, pour être acceptée par l'homme moderne. La foi doit reposer largement sur notre propre expérience psychologique. *Ai-je pris ce dont j'avais besoin à la fois dans la psychologie et la religion en ce qui a trait à ma façon de suivre la méthode A.A.?*

Méditation du jour

Vous retremper l'esprit, voilà quelque chose dont vous avez besoin chaque jour. Pour vous retremper l'esprit vous avez besoin de ces moments de méditation à l'écart, seul et dans le silence, sans aucune activité. Vous avez besoin de cet endroit isolé, de cet isolement dans les recoins les plus secrets de votre être, seul avec votre Créateur. Grâce à ces périodes de méditation vous trouvez une nouvelle énergie. Ces méditations sont la meilleure préparation en vue d'un travail efficace. Lorsque vous êtes spirituellement retrempé, il n'y a pour vous rien de trop difficile.

Prière du jour

Je demande de me retremper l'esprit chaque jour. Je demande de connaître la joie de la véritable vie.

Dans le mouvement A.A. nous offrons une chose intangible, une méthode psychologique et spirituelle. C'est un merveilleux programme. Lorsque nous apprenons à nous en remettre à une Puissance Supérieure, croyant que cette Puissance peut nous donner la force dont nous avons besoin, nous trouvons la paix de l'esprit. Lorsque nous rééduquons nos intelligences en apprenant à penser autrement, nous trouvons des intérêts nouveaux qui font que la vie vaut la peine d'être vécue. Nous qui avons obtenu notre sobriété par la foi en Dieu et la rééducation mentale, nous sommes des miracles modernes. C'est le rôle du programme A.A. de produire des miracles modernes. *Est-ce que je considère ma nouvelle vie comme un miracle moderne?*

Méditation du jour

Vous devriez toujours être certain que l'esprit de Dieu est toujours avec vous, partout où vous êtes, pour vous garder dans le droit chemin. La Providence de Dieu agit toujours, mais vous ne vous en rendez pas compte. Vous devez essayer de croire que Dieu est près de vous et que Sa grâce est toujours à votre disposition. Il n'est pas question de savoir si Dieu peut vous procurer un abri dans la tempête, mais de vous demander si vous désirez ou non la sécurité de cet abri. Chaque crainte, chaque inquiétude, chaque doute indique un manque de loyauté envers Dieu. Répétez souvent ceci: "Tout ira bien." Répétez-vous cette phrase souvent, jusqu'à ce que vous y croyiez profondément.

Prière du jour

Je demande de croire profondément que tout va bien. Je demande que rien ne me fasse abandonner cette profonde conviction.

Pendant quelques jours, nous allons passer en revue quelques passages du gros livre *"Alcooliques Anonymes"*, nous en choisirons des extraits pour qu'ils se gravent dans notre mémoire, jour par jour, quelques lignes à la fois. Rien ne remplace la lecture du gros livre. C'est notre "Bible". Nous devrions l'étudier à fond de sorte qu'il devienne comme une partie de nous-mêmes. Nous ne devrions essayer d'en changer aucune ligne. Dans ses pages se trouve l'exposé complet du programme A.A. Rien ne peut le remplacer. Nous devrions l'étudier souvent. *Ai-je étudié le gros livre fidèlement?*

Méditation du jour

Toute vie alterne entre l'effort et le repos. Vous avez besoin de ces deux choses chaque jour. Mais l'effort n'est vraiment efficace que si vous vous êtes d'abord préparé en vous reposant pendant quelques moments de calme méditation. Cette période quotidienne de repos et de méditation vous donne l'énergie nécessaire en vue de vos meilleurs efforts. Il y a des jours où vous êtes appelé à faire de grands efforts et alors vous avez besoin de beaucoup de repos. Il n'est pas bon de vous reposer trop longtemps et il n'est pas bon non plus de soutenir vos efforts trop longtemps sans vous reposer. Le succès de la vie dépend de l'équilibre entre ces deux éléments.

Prière du jour

Je demande d'être prêt à faire l'effort nécessaire. Je demande de reconnaître que j'ai aussi besoin de repos.

"Nous sommes allergiques à l'alcool. Les effets de l'alcool sur l'alcoolique chronique sont la manifestation d'une allergie. Parce que nous sommes allergiques, nous ne pouvons jamais boire sans danger de l'alcool sous aucune forme que ce soit. Nous ne pourrons accepter une vie sans alcool, à moins de faire l'expérience d'une transformation psychique complète. Une fois que ce changement psychique s'est produit nous qui semblions condamnés, nous qui avions tant de problèmes qui semblaient impossibles à résoudre, nous nous sentons capables de dominer notre besoin d'alcool". *Ai-je subi une transformation psychique?*

Méditation du jour

Demandez à Dieu dans votre prière quotidienne de vous donner la force de vous transformer mentalement. Lorsque vous demandez à Dieu de vous changer, vous devez aussi avoir pleinement confiance en Lui. Si vous n'avez pas pleinement confiance en Lui, Dieu peut vous répondre comme un homme qui essaie de sauver un noyé qui se débat; le sauveteur doit d'abord rendre cet homme encore plus impuissant, jusqu'à ce qu'il soit totalement soumis à son sauveteur. Ainsi, nous devons être à la merci de Dieu avant de pouvoir être sauvés.

Prière du jour

Je demande d'accepter chaque jour d'être transformé. Je demande de me fier totalement à la bonté de Dieu.

"Le fait extraordinaire pour chacun de nous, c'est d'avoir découvert une solution commune. Nous qui avons trouvé une solution à notre problème alcoolique, nous qui connaissons la vérité au sujet de nous-mêmes, nous pouvons généralement obtenir l'entière confiance d'un autre alcoolique. Quand nous abordons un nouveau venu c'est que nous avons eu les mêmes problèmes que lui; nous savons vraiment de quoi nous parlons; toute notre conduite crie au nouveau venu que nous sommes des hommes qui possèdent une véritable réponse." *Ai-je trouvé la véritable réponse aux problèmes alcooliques des autres?*

Méditation du jour

On ne peut éviter de quitter la voie droite qu'en se gardant si près de la pensée de Dieu que rien, aucun autre intérêt, ne puisse gravement intervenir entre vous et Dieu. Certain de cela, vous pouvez demeurer du côté de Dieu. Connaissant la route, rien ne peut vous empêcher de rester dans la bonne voie et rien ne peut vraiment vous en éloigner. Dieu a promis la paix à ceux qui demeurent près de Lui, mais Il n'a pas promis une vie oisive. Vous devez continuer à vivre dans le monde. Il a promis le repos du coeur et le réconfort, et non pas le plaisir dans le sens ordinaire de ce mot. La paix et le réconfort apportent le vrai bonheur intérieur.

Prière du jour

Je demande de demeurer dans la bonne voie. Je demande de demeurer du côté de Dieu.

"Pendant que l'alcoolique se tient rigoureusement éloigné de l'alcool, il se comporte dans la vie comme les autres humains. Mais le premier verre déclenche le terrible cycle. Un alcoolique ne sait habituellement pas pourquoi il prend son premier verre. Quelques alcooliques ont des excuses qui leur plaisent, mais dans leur for intérieur ils ne savent vraiment pas pourquoi ils boivent. La vérité, c'est qu'à un certain moment de leur vie, ils sont entrés dans un état où le plus puissant désir d'arrêter de boire n'a aucun effet." *Suis-je convaincu que j'ai dépassé mon point de tolérance de l'alcool?*

Méditation du jour

Celui qui du chaos a créé l'univers, qui a établi le parcours des étoiles et fait connaître à chaque plante sa saison, Celui-là peut faire surgir la paix et l'ordre de votre chaos particulier si vous Le laissez agir. Dieu veille aussi sur vous pour vous bénir et prendre soin de vous. De l'obscurité Il vous guide vers la lumière, de l'agitation vers le repos, du désordre vers l'ordre, de vos fautes et de vos insuccès vers le succès. Vous appartenez à Dieu et vos intérêts sont Ses intérêts et Il peut y mettre de l'ordre, si vous le voulez.

Prière du jour

Je demande d'être guidé du désordre vers l'ordre. Je demande que mes insuccès soient changés en succès.

"Il n'y avait plus rien à faire que de ramasser les quelques outils spirituels que les Alcooliques Anonymes nous offraient. De cette façon, nous subissons une expérience spirituelle qui transforme totalement notre attitude envers la vie, envers les autres et envers l'univers de Dieu. Le point culminant de nos vies, aujourd'hui, est la certitude absolue que notre Créateur est entré dans nos coeurs et y vit d'une façon tout à fait miraculeuse. Il a commencé à accomplir pour nous des choses que nous n'aurions jamais pu accomplir pour nous-mêmes". *Ai-je laissé Dieu entrer dans ma vie?*

Méditation du jour

Au moment précis où quelque chose vous semble de travers ou que les actions d'une personne ne vous semblent pas telles qu'elles devraient être, à ce moment-là commence votre obligation et votre responsabilité de prier pour que ces choses soient corrigées ou que cette personne change d'attitude. Qu'est-ce qui ne va pas dans votre entourage ou chez les personnes que vous connaissez? Pensez à ces choses et faites-en votre responsabilité. Non pas pour y intervenir ou par curiosité, mais pour prier afin qu'un changement se produise par votre influence. Peu à peu, vous pouvez voir des vies se transformer et le mal disparaître. Vous pouvez devenir une force pour le bien partout où vous passez.

Prière du jour

Je demande de devenir un collaborateur de Dieu. Je demande d'aider les autres par mon exemple.

"Nous n'avions que deux choix; l'un consistait à nous rendre jusqu'au fond de notre intolérable situation en étant conscient le moins possible, et l'autre, à accepter de l'aide spirituelle. Nous avons peu à peu consenti à maintenir une certaine attitude simple envers la vie. Ce qui semblait être à première vue un faible roseau, s'est révélé la main aimante et puissante de Dieu. Une nouvelle vie nous a été donnée, un mode de vie qui réussit vraiment. Chaque individu établit à sa guise ses relations personnelles avec Dieu." *Ai-je établi mes propres relations avec Dieu?*

Méditation du jour

Prenez l'habitude de faire chaque jour l'analyse de votre caractère. Étudiez votre caractère en relation avec votre vie quotidienne, vos proches, vos amis, vos connaissances et votre travail. Chaque jour essayez de déterminer ce que Dieu veut que vous changiez. Essayez d'apprendre comment chaque faute peut être déracinée, comment chaque erreur peut être corrigée. Ne vous contentez pas de vous comparer avec ceux qui vous entourent. Travaillez fermement en vue d'une vie meilleure qui soit votre idéal ultime. Dieu est votre aide pour que vous passiez de la faiblesse à la puissance, du danger à la sécurité, de la peur et de l'inquiétude à la paix et à la sérénité.

Prière du jour

Je demande de faire vraiment du progrès en vue d'une vie meilleure. Je demande de n'être jamais satisfait de mon état actuel.

"Personne n'aime croire qu'il est physiquement et mentalement différent de ses semblables. Nos vies de buveurs ont été caractérisées par de multiples et vains efforts afin de prouver que nous pouvions boire comme les autres. Cette illusion que nous sommes semblables aux autres doit disparaître. Il a été prouvé hors de tout doute que pas un seul véritable alcoolique n'a jamais pu retrouver la maîtrise de la boisson. Au cours d'une période de temps considérable, notre condition s'aggrave; elle ne s'améliore jamais. Il est impossible de faire d'un alcoolique un buveur normal". *Suis-je convaincu que je ne pourrai plus jamais boire normalement?*

Méditation du jour

Nous avons droit à la vie et à une vie plus abondante — spirituellement, mentalement, physiquement; une vie abondante, joyeuse et puissante. Nous pouvons avoir ce bonheur si nous continuons dans la bonne voie. Tous ne veulent pas accepter de Dieu le don d'une vie abondante, un don qui est mis gratuitement à la portée de tous. Tous ne prennent pas la peine de tendre la main pour s'approprier ce don. Ce don de Dieu, le plus précieux qu'Il a à offrir, c'est le don précieux d'une vie abondante. Plusieurs s'en détournent et, tout en l'appréciant, la refusent. Ne soyez pas un de ceux-là.

Prière du jour

Je demande de me hâter d'accepter le don d'une vie spirituelle abondante. Je demande de vivre la meilleure vie possible.

"Une fois alcoolique, toujours alcoolique. Si l'on boit de nouveau après une période de sobriété, on devient en très peu de temps aussi malade qu'auparavant. Si nous avons admis que nous sommes alcooliques, nous devons le faire sans aucune réserve et sans aucune idée secrète qu'un jour nous serons immunisés contre l'alcool. Quelle façon de penser domine un alcoolique qui recommence souvent la terrible expérience du premier verre? En même temps qu'un raisonnement sain se trouvent certaines folles excuses qui le portent à prendre son premier verre. Cet homme ne pense guère aux terribles conséquences qui peuvent s'ensuivre." *Ai-je rejeté toute excuse au sujet de mon premier verre?*

Méditation du jour

"Là où se trouveront deux ou trois personnes rassemblées, je serai au milieu d'elles." Lorsque Dieu trouve deux ou trois personnes unies dans le même désir de ne faire que Sa volonté, qui ne veulent que Le servir, Il peut leur révéler Ses plans. La grâce de Dieu peut être donnée à ceux qui se rassemblent dans un endroit et d'un commun accord. Une telle union d'esprit produit des miracles. Dieu peut se servir de ces personnes. Ces personnes consacrées ne peuvent que faire le bien, car elles sont groupées dans un même but et dans un même esprit.

Prière du jour

Je demande de faire partie d'un groupe uni. Je demande de faire ma part pour aider à l'accomplissement de son but sacré.

"L'alcoolique est absolument incapable d'arrêter de boire parce qu'il se connaît lui-même. Nous devons admettre que nous n'y pouvons rien par nous-mêmes. La force de volonté et la connaissance de soi-même ne nous aideront jamais dans notre étrange état mental, lorsque nous serons tentés de boire. Celui qui est mentalement alcoolique est dans une condition désespérée. Notre dernier soupçon de conviction que nous pouvons y arriver seuls doit être abandonné. Seuls des principes spirituels et un programme d'action pourront résoudre nos problèmes. Nous sommes tout à fait impuissants sans l'aide divine. Notre protection contre la boisson doit provenir d'une Puissance Supérieure." *Ai-je accepté la réponse spirituelle et le programme d'action qu'on me propose?*

Méditation du jour

Reposez-vous maintenant jusqu'à ce que la vie, une vie éternelle, passant dans vos veines, votre cœur et votre esprit, vous ordonne de vous éveiller. Alors votre travail sera joyeux. Le travail d'une personne fatiguée n'est jamais efficace. La puissance de l'esprit de Dieu est toujours à la disposition de l'intelligence et du corps fatigués. Dieu est votre médecin et votre remède. Cherchez ces moments paisibles de communion d'esprit avec Dieu où vous trouverez le repos, la paix, le soulagement. Puis levez-vous l'esprit reposé et allez au travail, sachant que votre force peut faire face à tous vos problèmes parce qu'elle est raffermie par la puissance de Dieu.

Prière du jour

Je demande que la paix que j'ai trouvée me rende utile. Je demande d'être débarrassé de toute tension durant ce jour.

"À celui qui se croit athée ou agnostique, une expérience spirituelle semble impossible, mais s'il continue comme dans le passé, il est menacé de désastre. Il n'est pas toujours facile de choisir entre être condamné à une mort alcoolique ou vivre selon des principes spirituels. Mais nous devons envisager le fait que nous devons trouver à notre vie une base spirituelle, sinon c'est le désespoir. Notre grand problème, c'est que nous sommes impuissants. Il nous faut trouver une puissance grâce à laquelle nous pouvons vivre, et elle doit être supérieure à nous-mêmes." *Ai-je trouvé cette puissance qui me permet de vivre?*

Méditation du jour

La lumière du soleil est le sourire de la nature. Vivez au soleil. Le soleil et l'air sont de bons médicaments. La nature est une bonne infirmière pour les corps fatigués. Laissez-la vous soigner. La grâce de Dieu est comme les rayons du soleil. Que tout votre être soit immergé dans l'Esprit divin. La foi est la respiration de l'âme qui accueille l'esprit de Dieu. Elle rend heureux le coeur de l'homme. L'Esprit divin rend la santé à notre esprit. Laissez-lui carte blanche et tout ira pour le mieux.

Prière du jour

Je demande de vivre au soleil de l'esprit de Dieu. Je demande que mon intelligence et mon âme trouvent en Lui leur énergie.

"Nous qui avons des tendances agnostiques, nous avons trouvé que dès que nous avons pu mettre de côté nos préjugés et exprimer le bon vouloir de croire en une Puissance supérieure à nous-mêmes, nous avons commencé à obtenir des résultats, même s'il nous était impossible de définir parfaitement ou de comprendre cette Puissance que nous appelons Dieu. Dès qu'un homme peut dire qu'il croit ou qu'il consent à croire, il est dans la bonne voie. Sur cette simple pierre de base, une charpente spirituelle merveilleuse et efficace peut être érigée." *Est-ce que je consens à m'en remettre à une Puissance supérieure que je ne peux pas définir ou comprendre pleinement?*

Méditation du jour

Nous recherchons la présence de Dieu et "ceux qui cherchent trouveront." Il ne s'agit pas tant de recherche que d'une conscience profonde dans votre coeur. Pour comprendre la présence de Dieu, vous devez vous abandonner à Sa volonté dans les petites comme dans les grandes choses de la vie. Dieu peut ainsi orienter votre vie. Un mot erroné, un insuccès causé par la crainte, une critique malveillante, un ressentiment entêté, voilà certaine choses qui vous séparent de Dieu. Ce sont ces choses qui mettent de la distance entre votre esprit et Dieu. Un mot aimable, une réconciliation généreuse, un acte secourable — voilà ce qui vous rapproche de Dieu.

Prière du jour

Je demande de penser, dire et faire ce qui me rapproche de Dieu. Je demande de Le trouver grâce à une prière sincère, un mot bienveillant ou une action généreuse.

"Les personnes qui ont la foi ont une idée logique de la vie. Il y a bien des manières pour chacun de nous d'étudier et de concevoir cette Puissance supérieure à nous-mêmes. Il semble peu important que nous choisissions une théorie ou l'autre. Ce sont des questions auxquelles chaque individu peut seul répondre. Mais dans chacun des cas, la foi en une Puissance supérieure a accompli le miracle, ce qui était humainement impossible. Il en est résulté une transformation révolutionnaire de leur façon de vivre et de penser." *Y a-t-il eu une transformation révolutionnaire en moi?*

Méditation du jour

Le culte est la reconnaissance de la majesté de Dieu. Quand vous vous arrêtez pour L'adorer, Dieu vous aide à élever votre humanité au niveau de Sa divinité. La terre est un temple matériel où s'enferme la divinité de Dieu. Dieu donne à ceux qui L'adorent une puissance divine, un amour divin et un soulagement divin. Vous n'avez qu'à ouvrir votre esprit, et à essayer d'absorber un peu de Son esprit divin. En vous arrêtant calmement en esprit d'adoration, tournez vos pensées vers Lui et comprenez que Sa divine puissance peut vous appartenir, que vous pouvez faire l'expérience de Son amour et de Son aide.

Prière du jour

Je demande d'adorer Dieu en ayant conscience de l'Esprit éternel. Je demande de faire l'expérience d'une nouvelle puissance dans ma vie.

"Lorsque plusieurs centaines de personnes peuvent affirmer que la connaissance de la présence de Dieu est aujourd'hui le fait le plus important de leur vie, c'est un argument puissant pour expliquer pourquoi quelqu'un devrait croire. Lorsque nous voyons les autres résoudre leurs problèmes grâce à leur simple confiance envers un certain Esprit de l'univers, nous sommes obligés de cesser de douter de la puissance de Dieu. Nos idées n'ont pas réussi, mais l'idée de Dieu réussit. Au plus profond de chaque homme, femme ou enfant se trouve l'idée fondamentale de Dieu. La foi en une Puissance supérieure à nous-mêmes et les démonstrations miraculeuses de cette puissance dans les vies humaines sont des faits aussi anciens que l'homme lui-même." *Suis-je prêt à m'en remettre à l'Esprit de l'univers?*

Méditation du jour

Vous ne devriez pas trop vous attarder aux erreurs, aux fautes et aux défaillances de votre passé. Finissez-en avec la honte et les remords et le dégoût de vous-même. Avec l'aide de Dieu, trouvez un nouveau respect de vous-meme. Si vous ne vous respectez pas vous-même, personne ne vous respectera. Vous étiez dans une course, vous avez trébuché et vous êtes tombé; vous vous êtes relevé et maintenant vous allez de l'avant vers le but d'une vie meilleure. Ne vous attardez pas à examiner l'endroit où vous êtes tombé, ne regrettez que votre retard et le manque de clairvoyance qui vous a empêché d'apercevoir votre véritable but plus tôt.

Prière du jour

Je demande de ne pas regarder en arrière. Je demande de me relever et de reprendre ma course chaque jour.

"Qui êtes-vous pour affirmer qu'il n'y a pas de Dieu? Ce défi est lancé à chacun de nous. Pouvons-nous nier qu'il existe un plan et un but dominant toute la vie telle que nous la connaissons? Ou, au contraire, sommes-nous prêts à admettre que la foi en une sorte de Principe divin fait partie de notre existence, tout comme le sentiment que nous éprouvons à l'égard d'un ami? Nous trouvons cette grande Réalité au plus profond de notre être, si nous nous voyons tels que nous sommes réellement. En dernière analyse, ce n'est qu'en vous que Dieu peut être découvert. Lorsque nous trouvons cette Réalité en nous-mêmes, nous redevenons sains d'esprit." *Ai-je découvert la grande Réalité?*

Méditation du jour

"Voyez, je renouvelle toutes choses." Lorsque vous changez de mode de vie, vous abandonnez plusieurs choses. Ce n'est que l'esprit terrestre qui ne peut s'élever. Déliez un tant soit peu les liens qui vous attachent à la terre. Ce ne sont que les désirs terrestres qui vous lient. Votre nouvelle liberté dépendra de votre habileté à vous élever au-dessus des choses de la terre. Les ailes coupées peuvent croître de nouveau. Les ailes brisées peuvent recouvrer une force et une beauté jusqu'ici inconnues. Si vous le voulez, vous pouvez être délivré et retrouver votre liberté.

Prière du jour

Je demande d'être libéré des choses qui me retiennent. Je demande que mon esprit puisse prendre son essor librement.

"Ceux qui ne se rétablissent pas sont des individus qui, mentalement, sont incapables d'être honnêtes avec eux-mêmes. Il y a de tels infortunés. Ils ne sont pas coupables. Ils semblent être nés ainsi. Ils sont naturellement incapables de comprendre et de développer un mode de vie qui demande une rigoureuse honnêteté. Leurs chances sont inférieures à la moyenne. Il y a aussi ceux qui souffrent de graves désordres mentaux et émotifs, mais beaucoup d'entre eux se rétablissent s'ils peuvent être honnêtes." *Suis-je entièrement honnête avec moi-même et avec les autres?*

Méditation du jour

Vous pouvez vous servir de vos erreurs, de vos défaillances, de vos embarras et de vos souffrances. Ce n'est pas tellement ce qui vous arrive qui compte, mais bien l'usage que vous en faites. Servez-vous de vos difficultés et de vos malheurs pour aider telle ou telle âme infortunée qui fait face aux mêmes problèmes que vous. Alors vos souffrances produiront quelque chose de bon et le monde sera amélioré à cause de vous. Le bien que vous faites chaque jour survivra à la détresse et aux problèmes, quand les difficultés et la détresse seront disparues.

Prière du jour

Je demande de faire bon usage de mes erreurs et de mes insuccès. Je demande que mes expériences douloureuses produisent de bons résultats.

"Nous qui avons accepté les principes A.A., nous avons eu à faire face à la nécessité d'un nettoyage complet de notre conscience. Nous devons voir et faire disparaître de nous-mêmes ces choses qui nous rendaient prisonniers. Nous faisons donc notre inventaire personnel. Nous faisons cet inventaire honnêtement. Nous recherchons nos défauts de caractère qui ont causé notre insuccès. Le ressentiment est notre ennemi le plus redoutable. Une vie remplie de profond ressentiment ne conduit qu'à la futilité et au malheur. Si nous voulons vivre, nous ne devons pas être esclaves de la colère." *Suis-je libéré du ressentiment et de la colère?*

Méditation du jour

Gardez à l'esprit le but que vous vous êtes tracé, la bonne vie que vous essayez d'obtenir. Ne laissez pas de petites choses entraver votre route. Ne vous laissez pas dominer par les petits ennuis et les vexations quotidiennes. Essayez de découvrir le but et le plan vers lesquels tout se dirige. Si, lorsque vous escaladez une montagne, vous rivez vos yeux sur chaque endroit rocailleux ou abrupt, votre ascension est fatigante. Mais si vous pensez que chaque pas vous achemine vers le sommet d'où vous pourrez admirer un merveilleux paysage, votre ascension sera plus supportable et vous atteindrez votre but.

Prière du jour

Je demande de comprendre qu'une vie sans but est une vie sans valeur. Je demande de reconnaître que j'ai raison de faire mon possible en vue d'une vie meilleure.

"Après avoir constaté nos fautes, nous en avons fait une liste. Nous avons gardé cette liste sous nos yeux. Nous avons admis honnêtement nos torts et nous avons voulu nous corriger. Nous avons examiné nos craintes soigneusement. Nous avons demandé à Dieu de faire disparaître nos craintes et nous avons commencé à les surmonter. Plusieurs parmi nous eurent besoin de corriger leur vie sexuelle. Nous en sommes venus à croire que nos puissances sexuelles sont un don de Dieu et par conséquent quelque chose de bon si elles sont employées convenablement. Le sexe ne doit jamais être utilisé à la légère ou égoïstement; il ne doit pas non plus être considéré avec mépris ou aversion. Si nous avons des problèmes sexuels, nous nous dévouons encore davantage envers les autres et, ainsi, nous nous oublions nous-mêmes." *Est-ce que je fais face à mes problèmes sexuels comme il le faut?*

Méditation du jour

Cramponnez-vous à l'idée que tout est possible avec Dieu. Si cette conviction est acceptée avec sincérité, elle devient l'échelle dont l'âme humaine se sert pour gravir du plus profond désespoir jusqu'aux sublimes hauteurs de la paix d'esprit. Dieu peut transformer votre façon de vivre. Lorsque vous constatez ce changement dans la vie d'un autre par la grâce de Dieu, vous ne pouvez douter que tout est possible dans les vies humaines par la force qui a son origine dans la foi en Celui qui est notre Maître à tous.

Prière du jour

Je demande de vivre dans l'attente. Je demande de croire profondément que tout est possible avec Dieu.

"À moins d'étudier nos défauts avec une autre personne, nous n'acquerrons pas assez d'humilité, de courage, et d'honnêteté pour absorber vraiment ce programme. Nous devons être parfaitement sincères avec chacun, si nous espérons vivre une vie heureuse en ce monde. Nous devons être sévères envers nous-mêmes mais toujours indulgents envers les autres. Nous devons mettre notre orgueil de côté et y aller à fond, dévoilant tous nos défauts de caractère et tous les points noirs de notre passé. Après avoir fait cette confession, sans rien cacher, nous pouvons faire face au monde." *Ai-je étudié avec soin tous mes défauts avec une autre personne?*

Méditation du jour

Ne vous laissez jamais aller à la fatigue mentale. Il arrive parfois que les soucis et les distractions vous accaparent et que votre esprit perde de son énergie. Dans ces moments, ne vous découragez pas et bientôt votre esprit retrouvera sa force. L'esprit de Dieu est toujours avec vous pour tout renouveler. Personne n'a jamais demandé l'aide de Dieu en vain. La fatigue et l'épuisement physiques rendent plus nécessaire une période de repos et de recueillement avec Dieu. Lorsque vous êtes abattu par certaines conditions temporaires qui ne relèvent pas de votre volonté, restez calme et attendez que la puissance de l'Esprit revienne en vous.

Prière du jour

Je demande de me taire et de ne pas agir sous l'effet de l'énervement. Je demande d'attendre que la tempête émotive soit passée.

"Si nous nous agrippons encore à des choses que nous ne voulons pas abandonner, nous devons demander sincèrement à Dieu de nous aider à consentir à nous séparer même de ces choses. Nous ne pouvons pas diviser notre vie en compartiments de façon à en garder certains pour nous-mêmes. Nous devons tout donner à Dieu. Nous devons dire: "Mon Créateur, je consens maintenant à vous donner tout mon être, bon et mauvais. Je vous demande de faire disparaître chaque défaut de mon caractère qui entrave l'utilité que je peux avoir pour Vous et pour mon prochain." *Est-ce que je m'agrippe encore à quelque chose que je ne veux pas abandonner?*

Méditation du jour

On ne peut changer les lois naturelles et vous devez leur obéir si vous voulez garder votre santé. Il n'y a pas d'exception dans votre cas. Soumettez-vous aux lois de la nature ou bien, à la fin, elles vous détruiront. Et dans le royaume de l'esprit, dans toutes les relations humaines, soumettez-vous aux lois morales et à la volonté de Dieu. Si vous continuez à enfreindre les lois de l'honnêteté, de la pureté, de la générosité et de l'amour, vous serez, dans une certaine mesure, malheureux. Les lois divines, morales et spirituelles sont comme les lois de la nature et on ne peut les enfreindre sans un certain désastre. Si vous êtes malhonnête, impur, égoïste et sans amour, vous ne vivrez pas selon les lois de l'esprit et vous en subirez les conséquences.

Prière du jour

Je demande de me soumettre aux lois naturelles et aux lois divines. Je demande de vivre en harmonie avec toutes les lois de la vie.

241

"Nous devons consentir à faire des excuses à tous ceux que nous avons lésés. Nous devons faire ce que nous pouvons pour réparer les dommages que nous avons causés dans le passé. Lorsque nous faisons amende honorable, lorsque nous disons: "Je le regrette", cette personne a du moins l'impression que nous avons le désir sincère de corriger le mal que nous avons causé. Parfois la personne à qui nous faisons des excuses avoue elle-même ses propres torts, et ainsi de vieilles querelles prennent fin. Notre créancier le plus difficile peut parfois nous surprendre. En général, nous devons vouloir faire le bien, peu importent les conséquences de cette décision pour nous." *Ai-je fait un effort sincère pour faire amende honorable aux personnes que j'ai lésées?*

Méditation du jour

La grâce de Dieu corrige le manque d'harmonie et le désordre dans les relations humaines. Dès que vous remettez vos affaires confuses et vos difficultés entre les mains de Dieu, Il commence à remédier à vos problèmes et à vos difficultés. Vous pouvez croire qu'Il ne vous causera alors pas plus de souffrance qu'un médecin, connaissant les remèdes nécessaires, n'en causerait à son patient. Mais vous devez accepter de vous soumettre à Son traitement, même si vous ne pouvez pas, dès maintenant, en découvrir le sens et le but.

Prière du jour

Je demande de me soumettre à toute discipline spirituelle nécessaire. Je demande d'accepter tout ce qu'il me faut accepter pour vivre une vie meilleure.

"Nous devons continuer à faire notre inventaire personnel et continuer à corriger nos nouvelles erreurs à mesure qu'elles se produisent. Nous devrions nous améliorer dans les domaines de la compréhension et de l'efficacité. Cela ne se fait pas du jour au lendemain; ce travail devrait se continuer jusqu'à la fin de nos jours. Surveillez toujours l'égoïsme, la malhonnêteté, le ressentiment et la peur. Lorsque ces émotions se manifestent nous demandons à Dieu immédiatement de les faire disparaître. Nous ne devons pas nous reposer sur nos lauriers. Nous nous acheminons vers la ruine si nous agissons ainsi. Nous ne sommes pas guéris de l'alcoolisme. Nous n'avons en vérité qu'un sursis quotidien, à condition de nous maintenir en bon état spirituel." *Est-ce que je vérifie mon état spirituel chaque jour?*

Méditation du jour

On ne peut rechercher directement le bonheur; il est un sous-produit de l'amour et du dévouement. Le dévouement est la loi de notre vie. Si vous avez de l'amour dans votre coeur, vous pouvez toujours rendre service à quelqu'un. Une vie utile et agréable a pour fondement l'amour et le dévouement. Un homme qui a de la haine ou qui est trop égoïste agit contre la loi de son être. Il s'éloigne de Dieu et de son prochain. De petits actes d'amour et d'encouragement, de service et d'entraide effacent les mauvais moments de la vie et aident à améliorer notre route. Si nous agissons ainsi, nous ne pouvons manquer d'avoir notre part de bonheur.

Prière du jour

Je demande de faire ma part d'amour et de service. Je demande de ne pas me fatiguer d'essayer de faire le bien.

"Nous ne pouvons nous passer de la prière et de la méditation. Au réveil, pensons aux 24 heures qui commencent. Considérons le plan de notre journée. Avant de commencer, nous demandons à Dieu d'orienter nos pensées. Nos pensées se maintiendront à un niveau beaucoup plus élevé si nous commençons la journée par la prière et la méditation. Nous terminons cette période de méditation en demandant d'être guidés durant toute la journée au sujet de ce que nous devons faire d'un moment à l'autre. L'essentiel de toutes nos prières est ceci: "Que Votre volonté soit faite en moi et par moi aujourd'hui." *Suis-je sincère dans mon désir d'accomplir la volonté de Dieu aujourd'hui?*

Méditation du jour

Accueillez en vous-même l'inspiration de la bonté et de la vérité. Il s'agit de l'esprit d'honnêteté, de pureté, de générosité et d'amour. Cette inspiration est à votre disposition si vous consentez à l'accepter de tout coeur. Dieu nous a donné deux choses, Son esprit et la faculté de choisir — pour l'accepter ou non, comme nous le voulons. Nous avons reçu le don de la liberté. Lorsque nous choisissons le sentier de l'égoïsme, de l'avarice et de l'orgueil, nous refusons d'accepter l'esprit de Dieu. Lorsque nous choisissons le sentier de l'amour et du service, nous acceptons l'esprit de Dieu et cet esprit descend en nous et renouvelle tout notre être.

Prière du jour

Je demande de choisir la bonne voie. Je demande de la suivre jusqu'à la fin de mes jours.

"Notre expérience pratique démontre que rien ne peut assurer notre immunité contre l'alcool autant que le travail soutenu en faveur des autres alcooliques. Portez le message à d'autres alcooliques. Vous pouvez aider alors qu'aucune autre personne ne le pourrait. Vous pouvez obtenir leur confiance quand d'autres n'y réussissent pas. La vie prendra pour vous une nouvelle signification. Voir des individus se rétablir, les voir en aider d'autres à leur tour, voir la solitude disparaître, voir un groupe grandir autour de vous, avoir beaucoup d'amis, voilà une expérience que vous ne devez pas manquer." *Suis-je toujours prêt à aider d'autres alcooliques?*

Méditation du jour

Un des secrets de la vie abondante, c'est l'art de donner. Le paradoxe de la vie c'est que plus vous donnez, plus vous possédez. Si vous perdez votre vie au service des autres, vous la conserverez. Vous pouvez donner abondamment et, ainsi, vivre abondamment. Vous êtes riche dans un domaine; votre esprit est inépuisable. Ne laissez aucune idée égoïste vous empêcher de partager avec d'autres cet esprit. Donnez et continuez à donner de l'amour, de l'aide, de la compréhension et de la sympathie. Donnez votre bien-être et votre confort personnels, votre argent et votre temps; et surtout donnez-vous vous-même. Alors vous vivrez abondamment.

Prière du jour

Je demande de vivre pour donner. Je demande de comprendre ce secret qui permet de vivre abondamment.

"Allez voir un alcoolique lorsqu'il tremble encore de tous ses membres. Il comprendra peut-être mieux pendant qu'il est déprimé. Voyez-le seul à seul si possible. Racontez-lui assez de détails au sujet de vos habitudes alcooliques, de vos symptômes et de votre expérience pour lui donner le courage de parler de lui-même. S'il désire parler, laissez-le faire. S'il ne veut rien dire, parlez-lui des difficultés que la boisson vous a causées, prenant soin de ne pas moraliser ou prêcher. Lorsqu'il verra que vous savez tout ce qui a trait au sport de la bouteille, commencez à parler de vous-même comme alcoolique et dites-lui comment vous avez appris que vous étiez malade." *Suis-je prêt à parler de moi-même à un nouveau venu?*

Méditation du jour

Essayez de ne pas critiquer, blâmer, mépriser ou juger les autres, lorsque vous essayez de les aider. Vous pouvez mieux aider les autres si vous êtes maître de vous-même. Vous serez peut-être emporté par un désir naturel temporaire de critiquer ou de blâmer, à moins de garder la parfaite maîtrise de vos émotions. Vous devriez avoir un solide fondement de vie spirituelle qui vous rend vraiment humble, si vous voulez aider efficacement les autres. Soyez conciliant envers eux et sévère envers vous-même. C'est ainsi que vous pourrez le mieux servir au relèvement d'un être sans espoir. Et ne recherchez aucun prestige personnel à cause de ce que Dieu accomplit par votre intermédiaire.

Prière du jour

Je demande d'éviter de juger et de critiquer. Je demande de toujours essayer de dire du bien d'une personne au lieu de la mépriser.

"Il ne faut pas dire à un nouveau venu qu'il est un alcoolique. Laissez-le tirer ses propres conclusions. Mais parlez-lui du désespoir que cause l'alcoolisme. Dites-lui exactement ce qui vous est arrivé et comment vous vous êtes rétabli. Parlez sans réserve du caractère spirituel de notre association. Si l'individu est agnostique ou athée, faites-lui comprendre nettement qu'il n'est pas obligé d'adopter vos notions sur Dieu. Il peut choisir toute idée qui lui plaît et qu'il trouve logique. Le principal est qu'il veuille croire en une Puissance supérieure à lui-même et qu'il vive selon des principes spirituels." *Est-ce que j'hésite trop à parler des principes spirituels de notre programme?*

Méditation du jour

"Jamais je ne vous abandonnerai ni ne vous délaisserai." À travers les siècles, des milliers d'humains ont cru à la constance de Dieu, à Sa persévérance inlassable et à Son amour inépuisable. Dieu est amour. Vous êtes donc certain à jamais de Son amour. Dieu est puissant. Donc vous êtes sûr à jamais de Sa force dans chaque difficulté et dans chaque tentation. Dieu est patient. Alors il y a toujours Quelqu'un qui ne peut jamais se lasser. Dieu sait comprendre. Alors, toujours, vous comprendrez et vous serez compris. À moins que vous ne vouliez qu'Il s'en aille, Dieu ne vous abandonnera jamais. Sa puissance est toujours à votre disposition.

Prière du jour

Je demande de comprendre que l'amour de Dieu ne me fera jamais défaut. Je demande d'avoir confiance en Sa puissance infinie.

"Expliquez notre programme d'action à un nouveau venu, lui indiquant comment vous vous êtes examiné vous-même, comment vous avez remis de l'ordre dans votre vie, et pourquoi vous cherchez maintenant à l'aider. Il est important qu'il se rende compte que votre tentative de lui transmettre ce message joue un rôle capital dans votre propre relèvement. Plus il se sent abattu, mieux c'est. Il sera plus enclin à suivre vos suggestions. Parlez-lui de la fraternité des A.A. et, s'il montre de l'intérêt, prêtez-lui un exemplaire du **gros livre.**" *Puis-je transmettre le message A.A. à un autre alcoolique?*

Méditation du jour

Vous devriez essayer de vous tenir à l'écart et laisser Dieu agir par votre intermédiaire. Vous devriez essayer de ne pas nuire à Son oeuvre par vos propres efforts, ou de ne pas empêcher Son esprit d'agir par votre intermédiaire. Dieu veut que vous vous consacriez en toute obéissance et loyauté aux idéaux de la nouvelle vie que vous recherchez. Si vous êtes loyal envers Dieu, vous éviterez bien des erreurs. Son esprit préparera le plan de votre vie et vous fournira toute l'aide spirituelle dont vous aurez besoin. Vous obtiendrez de vraies victoires et des succès réels, si vous demeurez à l'écart et laissez Dieu agir par votre intermédiaire.

Prière du jour

Je demande de ne pas nuire à l'oeuvre qu'accomplit l'esprit de Dieu en moi et par moi. Je demande de Lui abandonner complètement la direction de ma vie.

"Offrez au nouveau venu amitié et fraternité. Ditez-lui que, s'il veut se rétablir, vous ferez tout pour l'aider. Gravez profondément en lui l'idée qu'il peut se rétablir sans se soucier de qui que ce soit. Emploi ou non, épouse ou non, il ne pourra pas arrêter de boire tant qu'il ne se fiera pas à Dieu plus qu'aux humains. Ne laissez pas un alcoolique vous dire qu'il ne pourra pas se rétablir à moins que sa famille ne lui soit rendue. Ce n'est tout simplement pas exact. Sa réhabilitation ne dépend pas des autres; elle dépend de ses propres relations avec Dieu." *Puis-je reconnaître toute excuse avancée par un nouveau venu?*

Méditation du jour

La vie spirituelle a sa source dans l'Invisible. Pour vivre de la vie spirituelle, il faut croire à l'Invisible. Entraînez-vous à voir l'esprit de Dieu en vous-même et en votre prochain. Tel un enfant dans les bras de sa mère, abritez-vous dans la compréhension et l'amour de Dieu. Dieu vous soulagera du poids des soucis et de l'inquiétude, de la misère et du découragement, du besoin et du malheur, de la faiblesse et de la peine, si seulement vous Le laissiez agir. Détournez vos yeux des difficultés d'ici-bas et contemplez la gloire du Dieu invisible. Chaque jour, efforcez-vous de voir un plus grand nombre de bonnes personnes, essayez de mieux voir l'Invisible dans le visible.

Prière du jour

Je demande de me reposer et de demeurer en présence du Dieu invisible. Je demande d'abandonner mon fardeau à Ses soins.

"Nous devons prendre soin de ne pas montrer d'intolérance ou de haine envers la boisson comme telle. L'expérience nous enseigne qu'une telle attitude n'aide personne. Nous ne sommes pas fanatiques ou intolérants envers les gens qui peuvent boire normalement. Chaque nouveau venu éprouve du soulagement quand il découvre que nous ne sommes pas des chasseurs de sorcières. Boire modérément, c'est parfait, mais nous les alcooliques, nous ne pouvons y réussir. Et aucun alcoolique n'aime entendre parler d'alcool par quelqu'un qui déteste la boisson. Nous serons de peu d'utilité si notre attitude en est une d'amertume ou d'hostilité." *Est-ce que j'ai de la tolérance envers ceux qui peuvent boire normalement?*

Méditation du jour

Ne vous laissez pas abattre par de petites contrariétés. Ne vous laissez pas bouleverser par vos émotions. Essayez de garder votre calme en toute circonstance. Essayez de ne pas réagir violemment. Faites appel à la grâce de Dieu pour vous calmer quand vous avez le désir de vous venger. Cherchez en Dieu la force intérieure de laisser tomber ces ressentiments qui vous abattent. Si les ennuis vous dominent vous perdrez votre paix intérieure et l'esprit de Dieu ne pourra habiter en vous. Essayez de garder votre âme en paix.

Prière du jour

Je demande de faire ce qui m'apportera la paix. Je demande que ma mission en soit une de conciliation.

L'une des maximes A.A. est celle-ci: "Les premières choses les premières". C'est dire que nous devrions toujours avoir à l'esprit que l'alcool est notre problème numéro un. Nous ne devrions jamais permettre à un autre problème, que ce soit un problème de famille, d'affaires, d'amis ou quoi que ce soit, d'avoir priorité en notre esprit sur celui de l'alcool. À mesure que nous avançons dans A.A., nous apprenons à déceler ce qui peut nous bouleverser. Quand nous voyons qu'une chose commence à nous bouleverser, nous devons nous rendre compte que c'est pour nous, alcooliques, un luxe que nous ne pouvons pas nous permettre. Tout ce qui nous fait oublier notre premier problème est dangereux pour nous. *Est-ce que je place la sobriété au premier rang dans mon esprit?*

Méditation du jour

Le perfectionnement spirituel est la loi de votre être. Efforcez-vous de découvrir autour de vous toujours plus de beauté et de vérité, de savoir et de puissance. Aujourd'hui, essayez d'être plus fort, plus brave, plus aimant, comme résultat de ce que vous avez fait hier. Cette loi du progrès spirituel donne un sens et un but à votre vie. Attendez-vous toujours à un avenir meilleur. Vous pouvez accomplir beaucoup de bien grâce à la force de l'esprit de Dieu en vous. Ne vous découragez jamais trop. Le monde va sûrement s'améliorer malgré les déceptions causées par la guerre, la haine et l'amour de l'argent. Participez à la guérison des maux du monde plutôt qu'à sa maladie.

Prière du jour

Je demande de continuer à me perfectionner dans la vie meilleure. Je demande de faire partie des forces du bien dans le monde.

Une autre des maximes A.A. est "Vivre et laisser vivre". Ceci, bien entendu, veut dire avoir de la tolérance envers ceux qui pensent autrement que nous, qu'ils fassent partie ou non du mouvement A.A. Nous ne pouvons pas nous payer le luxe de critiquer ou de ne pas tolérer les autres. Nous n'essayons pas d'imposer notre volonté à ceux qui n'ont pas la même opinion que nous. Nous ne sommes pas des "mieux que toi". Nous n'avons pas réponse à tout. Nous ne sommes pas supérieurs aux autres bonnes gens. Nous vivons du mieux que nous le pouvons et nous laissons les autres faire de même. *Suis-je disposé à vivre et laisser vivre?*

Méditation du jour

"Et ceci est la vie éternelle que nous puissions Vous connaître, seul vrai Dieu." Apprendre à connaître Dieu le mieux possible vous rapproche de la vie éternelle. Libéré de certaines entraves de l'humanité, vous pouvez croître dans les choses éternelles. Vous pouvez tendre vos efforts vers ce qui a une valeur véritable et éternelle. Plus vous vous efforcerez de vivre dans la connaissance consciente de l'Invisible, plus facilement vous entrerez dans ce monde mystérieux quand le temps viendra d'y aller. La vie ici-bas devrait être surtout la préparation de la vie éternelle à venir.

Prière du jour

Je demande de vivre chaque jour comme si c'était le dernier de ma vie. Je demande de vivre ma vie comme si elle devait durer toujours.

Une autre des maximes A.A. est la suivante: "Peu à peu, sans trop d'effort, ça se fait." C'est dire que dans le mouvement A.A. nous allons tout simplement, faisant de notre mieux, sans nous énerver à propos des problèmes qui surviennent dans A.A. ou ailleurs. Nous, les alcooliques, nous sommes des gens émotifs et nous avons touché l'excès dans tout ce que nous avons fait. Nous n'avons pas souvent agi avec modération. Nous n'avons pas su comment nous détendre. La foi en une Puissance supérieure peut nous enseigner à prendre les choses comme elles viennent. Nous ne dirigeons pas l'univers. Je ne suis qu'une personne parmi plusieurs. Nous avons résolu de vivre une vie normale et régulière. Notre expérience A.A. nous amène à comprendre cette maxime. *Ai-je appris à agir sans énervement?*

Méditation du jour

"Le Dieu éternel est ton refuge et ses bras puissants te protègent." Ces bras puissants expriment l'aimante protection de l'esprit de Dieu. Rien n'est plus nécessaire à l'homme, au milieu de ses difficultés, qu'un refuge, un endroit de détente, un lieu où il peut déposer son fardeau et être soulagé de ses soucis. Dites-vous: "Dieu est mon refuge!" Dites-le jusqu'à ce que cette vérité s'imprime au plus profond de votre âme. Dites-le jusqu'à ce que vous le sachiez et en soyez convaincus. Rien ne peut gravement vous troubler ou vous effrayer, si Dieu est vraiment votre refuge.

Prière du jour

Je demande de me réfugier en Dieu chaque jour pour remplacer en moi la peur par la paix et la sécurité. Je demande de me sentir profondément en sécurité à l'abri de Son esprit.

Voici une autre des maximes A.A.: "Par la grâce de Dieu..." Une fois que nous avons pleinement accepté le programme A.A., nous évaluons notre vie avec humilité. Nous ne nous attribuons guère le mérite de notre sobriété. Quand nous voyons un autre alcoolique dans les transes de l'alcoolisme, nous nous disons: "Sans la grâce de Dieu, j'en serais encore là." Nous n'oublions pas qui nous étions. Nous nous rappelons ceux que nous avons laissés en arrière. Et nous sommes très reconnaissants à la grâce de Dieu qui nous a donné une autre chance de nous rétablir. *Ai-je vraiment de la gratitude pour la grâce de Dieu?*

Méditation du jour

La pensée que Dieu est présent en vous comme un Être qui vous aime rend toute votre vie différente. La connaissance de l'amour de Dieu fait que votre être s'offre tout entier à Dieu. Elle apporte un merveilleux soulagement aux soucis et ennuis de nos vies quotidiennes. Le soulagement apporte la paix, et cette dernière, le contentement. Essayez de vivre dans l'amour de Dieu. Vous aurez cette paix qui dépasse toute compréhension et une satisfaction que personne ne pourra vous ravir. Rassurez-vous, l'amour de Dieu ne vous fera pas défaut et Il prend soin de vous et de tous Ses enfants. Il y a de la liberté et de la sérénité pour ceux qui vivent dans l'amour de Dieu, à l'abri de Son aimante sollicitude.

Prière du jour

Je demande de progresser dans l'amour de Dieu. Je demande de sentir la puissance de Dieu qui guide mes pas et la joie de Son amour dans mon cœur.

Un alcoolique à qui est offerte une vie sobre par le programme A.A. va considérer la perspective de vivre sans alcool et demander: "Suis-je condamné à une vie stupide, ennuyeuse et maussade comme celle que je vois vivre à certaines bonnes gens? Je sais que je dois me passer d'alcool, mais comment faire? Avez-vous quelque chose qui peut le remplacer? *"Ai-je trouvé quelque chose qui peut vraiment remplacer l'alcool?*

Méditation du jour

Quand vous êtes uni à Dieu, Sa force vous fait conquérir la vie. Votre puissance de conquête est la grâce de Dieu. Il ne peut y avoir de véritable échec avec Dieu. Voulez-vous réussir votre vie? Alors vivez le plus près possible de Dieu, maître et source de toute vie. Vous ne regretterez pas de vous être fié à la puissance de Dieu. Votre récompense consistera tantôt en un regain de vigueur pour faire face à la vie, tantôt dans la maîtrise d'une mauvaise tendance, et tantôt dans la transformation de la vie de certaines personnes. Votre succès ne sera pas dû à vos seuls efforts mais surtout à l'oeuvre de la grâce de Dieu.

Prière du jour

Je demande de m'efforcer de compter davantage sur la grâce de Dieu. Je demande de vivre une vie victorieuse.

Voici les réponses à la question: "Comment peut-on vivre sans alcool et être heureux?" — "Pour remplacer la boisson, nous avons mieux que de simples succédanés. Tout d'abord nous avons la fraternité des Alcooliques Anonymes. En cette compagnie, vous vous libérez de l'inquiétude, de l'ennui et des soucis. Votre imagination va s'enflammer. Votre vie prendra enfin une signification. Les plus belles années de votre existence sont à venir. Parmi les compagnons A.A., vous allez vous faire des amitiés durables. Vous leur serez uni par des liens nouveaux et merveilleux." *La vie signifie-t-elle quelque chose pour moi maintenant?*

Méditation du jour

Désirez-vous la pleine et entière satisfaction qui se trouve dans le service de Dieu, et désirez-vous aussi toutes les satisfactions du monde? Il n'est pas facile de servir à la fois Dieu et le monde et d'exiger des récompenses de l'un et de l'autre. Si vous travaillez pour Dieu, vous aurez certes quand même de grandes récompenses en ce monde. Mais vous devez vous préparer à vous tenir parfois à l'écart du monde. Vous ne pouvez pas toujours vous attacher au monde et vous attendre à toutes les récompenses que la vie peut vous offrir. Si vous essayez sincèrement de servir Dieu, vous aurez des récompenses différentes et meilleures que celles que le monde peut vous offrir.

Prière du jour

Je demande de ne pas attendre trop du monde. Je demande d'être satisfait des récompenses qui proviennent du service de Dieu.

Continuons à répondre à la question: "Comment peut-on vivre sans alcool et être heureux?" — "Nous disons au nouveau venu qu'il sera uni aux autres A.A. par des liens nouveaux et merveilleux, car ensemble ils échapperont au désastre et commenceront côte à côte leur voyage vers une vie meilleure et plus satisfaisante. Il va apprendre ce que veut dire donner quelque chose de soi-même et pour que les autres puissent survivre et redécouvrir la vie. Il redeviendra heureux, respecté et utile. Puisqu'il en a été ainsi pour nous, il peut en être de même pour lui". *En a-t-il été ainsi pour moi?*

Méditation du jour

Dieu se manifeste Lui-même dans les vies humaines comme force pour surmonter le mal et comme puissance pour résister à la tentation. La grâce de Dieu est cette puissance qui rend un être humain, qui se sentait inutile et désespéré, capable de devenir une personne normale et utile. Dieu se manifeste aussi comme amour — amour de notre prochain, compassion pour ses problèmes et bonne volonté authentique de les aider. La grâce de Dieu se manifeste également en tant que paix d'esprit et sérénité de caractère. Nous pouvons obtenir en abondance dans nos vies la puissance, l'amour et la sérénité, si nous voulons bien les demander à Dieu chaque jour.

Prière du jour

Je demande de découvrir la grâce de Dieu dans la force que je reçois, l'amour que je connais et la paix que j'ai en moi. Je demande d'être reconnaissant pour tout ce que j'ai reçu par la grâce de Dieu.

"Qu'est-ce qui attire un nouveau venu au mouvement A.A. et lui donne de l'espoir? Il entend les récits personnels d'hommes dont les expériences concordent avec la sienne. Les visages expressifs des femmes, cet indéfinissable quelque chose dans les yeux des hommes et l'atmosphère stimulante et enthousiaste des salles des A.A. concourent à lui faire comprendre que là, enfin, se trouve son refuge. La manière vraiment pratique de considérer ses problèmes, l'absence de toute intolérance, la simplicité, la vraie démocratie, la mystérieuse compréhension des membres A.A., sont irrésistibles." *Ai-je trouvé un véritable refuge chez les A.A.?*

Méditation du jour

"Si ton oeil est sain, tout ton corps sera rempli de lumière!" L'oeil de l'âme, c'est la volonté. Si vous avez la volonté de faire la volonté de Dieu, de Le servir par votre vie, de Le servir en aidant les autres, alors vraiment tout votre corps sera rempli de lumière. L'important, c'est de viser à accorder votre volonté à celle de Dieu, d'avoir l'oeil fixé sur le but de Dieu, ne désirant que l'accomplissement de Ses desseins. Essayez de rechercher en tout l'avancement de Son royaume; recherchez les valeurs spirituelles d'honnêteté et de pureté, de générosité et d'amour, et désirez ardemment la croissance spirituelle. Alors votre vie va émerger des ténèbres du vide dans la lumière de la victoire.

Prière du jour

Je demande que mon oeil soit sain. Je demande de vivre à la lumière de ce que je connais de mieux.

"Personne n'est trop déconsidéré ou n'est descendu trop bas pour être reçu cordialement dans le mouvement A.A., s'il est sincère. Distinctions sociales, petites rivalités et jalousies, on se moque de tout cela. Après avoir fait naufrage dans le même bateau, après avoir été rescapés et réunis sous la protection d'un même Dieu, nos coeurs et nos esprits sont à l'unisson du bien-être des autres et ce qui intéresse tant certaines gens n'a plus grande signification pour nous. Dans le mouvement A.A., nous possédons la vraie démocratie et la vraie fraternité." *Est-ce que le mouvement A.A. m'a enseigné à être vraiment démocrate?*

Méditation du jour

Quand vous faites appel à Dieu dans la prière pour qu'Il vous aide à surmonter la faiblesse, le chagrin, la peine, la désunion et le désaccord, Dieu ne manque jamais de répondre d'une façon ou d'une autre à votre appel. Quand vous avez besoin de force pour vous-même ou pour aider une autre personne, faites appel à Dieu dans la prière. La puissance dont vous avez besoin vous parviendra simplement, naturellement et efficacement. Priez Dieu non seulement quand vous avez besoin d'aide, mais aussi tout simplement pour vous unir à Lui. L'esprit de prière peut transformer une atmosphère de discorde en une ambiance de conciliation. Elle va rehausser la qualité des pensées et des paroles et faire naître l'ordre du chaos.

Prière du jour

Je demande d'apporter la paix là où il y a du désaccord. Je demande d'apporter la conciliation où existe le conflit.

"Comment se développe le mouvement A.A.? Quelques-uns d'entre nous sont des voyageurs de commerce qui vont ici et là. De petits groupes de deux, trois ou cinq membres se forment sans arrêt dans les petites villes grâce à des contacts avec les grands centres. Ceux des nôtres qui voyagent visitent les autres groupes aussi souvent qu'ils le peuvent. Cette pratique nous permet de donner notre appui à ces nouveaux groupes qui se forment un peu partout. Il y a de nouveaux groupes qui sont fondés chaque mois. Le mouvement A.A. se répand même en dehors des États-Unis et tend lentement à devenir une association mondiale. Ainsi se développe notre association." *Est-ce que je fais tout ce que je peux pour répandre le mouvement A.A. partout où je vais?*

Méditation du jour

"Seigneur nous croyons, mais aidez notre foi." Ce cri du coeur humain exprime la fragilité humaine. Il est le signe qu'une âme désire sincèrement la perfection. Au fur et à mesure qu'une personne se rend compte de l'existence de Dieu et de Sa puissance, elle croit en Lui de plus en plus. En même temps elle constate qu'elle n'a pas une confiance absolue en Dieu. Le perfectionnement de l'âme est une augmentation de sa foi; elle demande ensuite une foi plus vive et, enfin, elle supplie Dieu de lui permettre de vaincre toute incrédulité et tout manque de confiance. Nous pouvons croire que Dieu entend ces cris et les exauce en temps opportun. Et c'est ainsi que notre foi s'affermit petit à petit, jour par jour.

Prière du jour

Je demande pour ma vie plus de force et de foi. Je demande de parvenir chaque jour à une plus grande confiance en Dieu.

"Nous nous rendons compte que nous savons peu de choses. Dieu va constamment en révéler davantage à chacun de nous. Demandez-lui dans votre méditation du matin ce que vous pouvez faire chaque jour pour l'être humain qui est encore malade. Les réponses vont vous être données, si votre propre maison est en ordre. Voyez à ce que vos relations avec Dieu soient bonnes et de grands événements se produiront pour vous et pour beaucoup d'autres. Donnez libéralement de ce que vous trouvez dans le mouvement A.A. Mais, bien entendu, vous ne pouvez transmettre ce que vous n'avez pas. C'est pourquoi, faites du mouvement A.A. une étude qui se continuera durant toute votre vie." *Est-ce que je cherche constamment des moyens de présenter le programme A.A.?*

Méditation du jour

"Vous trouverez votre force dans le calme et la confiance." Confiance veut dire avoir foi en quelque chose. Nous ne pourrions vivre sans confiance dans les autres. Quand vous placez votre confiance dans la grâce de Dieu, vous pouvez faire face à tout. Quand vous avez confiance en l'amour de Dieu, vous pouvez être serein et en paix. Vous pouvez être tranquille si vous croyez que Dieu prendra soin de vous. Essayez de vous reposer en présence de Dieu jusqu'à ce que Sa grâce descende en vous. Soyez calme et dans ce calme, la Voix discrète et calme se fera entendre. Elle parle dans le calme à l'âme humaine qui est sensible à son influence.

Prière du jour

Je demande de trouver ma force, aujourd'hui, dans la tranquillité. Je demande de savoir aujourd'hui m'abandonner complètement à la protection de Dieu.

Commençons aujourd'hui une courte étude *des douze étapes suggérées* du mouvement A.A. Ces douzes étapes suggérées semblent exprimer cinq principes. La première étape est l'étape qui contient la condition requise pour devenir membre de ce mouvement. Les deuxième, troisième et onzième étapes sont les étapes spirituelles du programme. Les quatrième, cinquième, sixième, septième et dixième étapes sont les étapes de l'inventaire personnel. Les huitième et neuvième étapes sont les étapes de la restitution. La douzième étape est l'étape par laquelle nous transmettons notre programme et nous aidons les autres. Les cinq principes sont donc les suivants: la condition pour devenir membre, le fondement spirituel, l'inventaire personnel, la restitution et l'aide aux autres. *Est-ce que j'ai fait de toutes ces étapes une partie intégrante de moi-même?*

Méditation du jour

Nous semblons vivre non seulement dans le temps mais aussi dans l'éternité. Si nous demeurons en Dieu et qu'Il habite en nous, nous pouvons produire des fruits spirituels qui dureront toute l'éternité. Si nous vivons avec Dieu, nos vies s'écouleront dans le désert de cette terre comme un fleuve paisible qui peut faire pousser les arbres et les fleurs de la vie spirituelle — l'amour et le dévouement — et les faire produire abondamment. Notre travail spirituel peut avoir une portée non seulement temporelle mais éternelle. Même ici sur terre nous pouvons vivre comme si nos vraies vies étaient éternelles.

Prière du jour

Je demande de donner sans compter à tous ceux qui me demandent de l'aide.

Voici la *première étape:* "Nous avons admis que nous étions impuissants devant l'alcool — que nous avions perdu la maîtrise de nos vies". Cette étape établit la condition requise pour devenir membre des A.A. Nous devons admettre que nos vies sont anormales. Nous devons accepter le fait que l'alcool est plus fort que nous. Il nous faut admettre que nous sommes vaincus en ce qui concerne la boisson et que nous avons besoin d'aide. Nous devons nous disposer à accepter le fait brutal que nous ne pouvons pas boire comme des gens normaux. Et nous devons, avec toute la grâce possible, capituler devant le fait que nous devons arrêter de boire, *M'est-il difficile d'admettre que je ne suis pas comme les buveurs normaux?*

Méditation du jour

"Montrez-nous la voie, Seigneur, et faites-nous marcher dans Vos sentiers." Il y a, semble-t-il, une bonne façon de vivre et une mauvaise façon. Vous pouvez en faire une expérience pratique. Quand vous vivez de la bonne manière, tout semble bien s'arranger pour vous. Quand vous vivez de la mauvaise manière, tout vous paraît tourner mal. Apparemment, vous recevez de la vie de ce que vous y mettez. Si vous désobéissez aux lois naturelles, il y a chance que votre santé en souffre. Si vous allez à l'encontre des lois spirituelles et morales, il y a chance que vous soyez malheureux. En suivant les lois de la nature et les lois spirituelles d'honnêteté, pureté, désintéressement et charité, vous pouvez vous attendre à être raisonnablement en santé et heureux.

Prière du jour

Je demande d'essayer de vivre de la bonne manière. Je demande de suivre la voie qui conduit à une vie meilleure.

La *deuxième étape:* "Nous en sommes venus à croire qu'une Puissance supérieure à nous-mêmes pouvait nous rendre la raison". La *troisième étape:* "Nous avons décidé de confier notre volonté et nos vies au soin de Dieu tel que nous Le concevions". La *onzième étape:* "Nous avons cherché par la prière et la méditation à améliorer notre contact conscient avec Dieu, tel que nous Le concevions, Lui demandant seulement de nous faire connaître Sa volonté à notre égard et de nous donner la force de l'exécuter". La base fondamentale du mouvement A.A. consiste à croire en une Puissance supérieure à nous-mêmes. Ne cherchons pas à atténuer ce principe. Nous ne pouvons pas absorber pleinement ce programme sans cette aventure de la foi. *Ai-je consenti à cette aventure de la foi en une Puissance supérieure à moi-même?*

Méditation du jour

"Celui qui habite dans le lieu secret du Très-Haut séjournera à l'ombre du Tout-Puissant." Retirez-vous un moment chaque jour dans un lieu secret, le lieu de votre union avec Dieu, à l'écart du monde; et, de là, recevez la force de faire face au monde. Les choses matérielles ne peuvent faire intrusion en ce lieu secret; elles ne peuvent jamais le trouver parce qu'il est en dehors du domaine des choses matérielles. Quand vous êtes dans cet endroit secret, vous êtes à l'ombre du Tout-Puissant. Dieu est près de vous dans ce lieu paisible de méditation. Chaque jour, retirez-vous quelque temps dans ce lieu secret.

Prière du jour

Je demande de renouveler ma force dans le calme. Je demande de trouver le repos dans l'union paisible avec Dieu.

Continuons avec les *deuxième, troisième* et *onzième étapes:* Nous devons recourir à l'aide d'une Puissance Supérieure parce que nous sommes impuissants. Quand nous plaçons notre problème de boisson entre les mains de Dieu et quand nous le laissons entre ses mains, nous venons de prendre la plus importante décision de notre vie. À partir de là, nous faisons confiance à Dieu pour qu'Il nous donne la force de rester sobres. Cette décision nous enlève l'idée que nous sommes le centre de l'univers et nous permet de confier nos problèmes à une Puissance extérieure à nous-mêmes. Par la prière et la méditation, nous cherchons à améliorer nos rapports conscients avec Dieu. Nous nous efforçons de vivre chaque jour comme nous croyons que Dieu veut que nous vivions. *Est-ce que je me fie à Dieu pour obtenir la force de demeurer sobre?*

Méditation du jour

"Je vous ai parlé de ces choses afin que votre joie soit parfaite." Une conception même imparfaite de la vie spirituelle apporte beaucoup de joie. Vous vous sentez chez vous dans le monde quand vous êtes en relation avec le divin Esprit de l'univers. L'expérience spirituelle apporte une satisfaction bien définie. Recherchez le vrai sens de la vie en étant fidèle aux lois spirituelles. Dieu désire votre succès spirituel et Il veut que vous l'obteniez. Si vous vivez votre vie autant que possible selon les lois spirituelles, vous pouvez vous attendre à votre part de joie et de paix, de satisfaction et de succès.

Prière du jour

Je demande de trouver mon bonheur en faisant le bien. Je demande de trouver ma satisfaction en obéissant aux lois spirituelles.

La *quatrième étape:* "Nous avons courageusement procédé à un inventaire, moral, minutieux de nous-mêmes". La *cinquième étape:* "Nous avons avoué à Dieu, à nous-mêmes et à un autre être humain la nature exacte de nos torts". La *sixième étape:* "Nous avons pleinement consenti à ce que Dieu éliminât tous ces défauts de caractère". La *septième étape:* "Nous Lui avons humblement demandé de faire disparaître nos déficiences". La *dixième étape:* "Nous avons poursuivi notre inventaire personnel et promptement admis nos torts dès que nous nous en sommes aperçus". Quand nous faisons notre examen personnel, il nous faut être absolument honnêtes envers nous-mêmes et envers les autres. *Me suis-je examiné honnêtement moi-même?*

Méditation du jour

Dieu est bon. Vous pouvez souvent découvrir si une chose vient de Dieu ou non. Si elle vient de Dieu, elle doit être bonne. L'honnêteté, la pureté, le désintéressement, l'amour sont tous de bons sentiments; le dévouement est bon; et toutes ces dispositions conduisent à une vie abondante. Laissez dans les mains de Dieu le présent et l'avenir, sachant seulement qu'Il est bon. C'est la main de Dieu qui dissimule l'avenir. Il peut faire surgir l'ordre du chaos, le bien du mal et la paix du tumulte. Nous pouvons croire que tout ce qui est réellement bon vient de Dieu et qu'Il partage sa bonté avec nous.

Prière du jour

Je demande de rechercher le bien. Je demande de m'efforcer de choisir ce qu'il y a de mieux dans la vie.

Continuons notre étude avec les *quatrième, cinquième, sixième, septième* et *dixième étapes.* En nous examinant nous-mêmes, nous avons à faire face aux faits tels qu'ils sont en réalité. Nous devons cesser de nous défiler. Nous devons envisager la réalité. Nous devons nous voir comme nous sommes vraiment. Nous devons admettre nos fautes ouvertement et essayer de nous corriger. Nous devons essayer de voir quand nous avons été malhonnêtes, impurs, égoïstes et peu aimants. Nous ne faisons pas cet examen une seule fois pour tout oublier ensuite. Nous le faisons chaque jour, tout le long de notre vie. Nous n'avons jamais fini de nous suivre nous-mêmes de près. *Est-ce que je fais un inventaire quotidien de moi-même?*

Méditation du jour

Pour améliorer notre propre vie, nous avons l'aide de l'Invisible. Nous n'avons pas été créés de façon à pouvoir voir Dieu. Cela nous rendrait les choses trop faciles et il n'y aurait aucun mérite à Lui obéir. Il faut un acte de foi, l'aventure de la foi, pour prendre conscience de cette Puissance invisible. Cependant, nous pouvons trouver une grande preuve de l'existence de Dieu dans la force que bien des gens ont reçue grâce à leur acte de foi, grâce à ce risque de la foi. Nous sommes enfermés dans le temps et l'espace et nous ne pouvons voir ni notre âme, ni Dieu. Dieu et l'esprit humain sont tous deux hors des limites de l'espace et du temps. Cependant, notre Secours invisible agit de façon efficace et immédiate. Des milliers de vies transformées en sont la preuve.

Prière du jour

Je demande de consentir à la grande aventure de la foi. Je demande que l'orgueil intellectuel ne nuise pas à ma vision.

La *huitième étape:* "Nous avons dressé une liste de toutes les personnes que nous avions lésées et nous avons résolu de leur faire amende honorable". La *neuvième étape:* "Nous avons réparé nos torts directement envers ces personnes quand c'était possible, sauf lorsqu'en ce faisant nous pouvions leur nuire ou faire tort à d'autres." Il est souvent très difficile de réparer les torts que nous avons causés. Cela blesse notre orgueil. Mais notre récompense est grande. Quand nous exprimons nos regrets à quelqu'un, sa réaction nous est presque toujours favorable. Il faut du courage pour faire le plongeon, mais les résultats le justifient amplement. Un poids tombe de vos épaules et souvent un ennemi devient un ami. *Ai-je fait tout mon possible pour réparer?*

Méditation du jour

Nous devrions trouver de la joie à vivre la vie spirituelle. Une foi sans joie ne saurait être parfaitement bonne. Si vous n'êtes pas plus heureux à cause de votre foi, il y a probablement quelque chose qui ne va pas. La foi en Dieu devrait vous apporter un profond sentiment de bonheur et de sécurité, quoi qu'il puisse arriver à la surface de votre vie. Chaque nouveau jour nous apporte une autre occasion de servir Dieu et d'améliorer vos relations avec votre prochain. La joie devrait en résulter. La vie devrait être abondante et excellente. Elle devrait rayonner et se répandre de plus en plus autour de vous.

Prière du jour

Je demande que mes horizons deviennent de plus en plus vastes. Je demande de rendre service à un nombre toujours plus considérable de personnes.

La *douzième étape:* "Comme résultat de ces étapes, nous avons connu un réveil spirituel, nous avons alors essayé de transmettre ce message aux alcooliques et de mettre en pratique ces principes dans tous les domaines de notre vie". Notez que notre efficacité à porter le message aux autres dépend de la réalité de notre propre réveil spirituel. Si nous n'avons pas changé, nous ne pouvons servir d'instruments pour transformer les autres. Pour conserver les effets de ce programme, nous devons le communiquer aux autres. Nous ne pouvons l'accaparer pour nous-mêmes. Nous nous exposons à le perdre si nous ne le transmettons pas. Il ne peut pénétrer en nous et s'arrêter; il doit continuer en nous en même temps qu'il passe aux autres. *Suis-je toujours prêt à transmettre ce que j'ai appris dans le mouvement A.A.?*

Méditation du jour

"Rapprochez-vous de Dieu et Il s'approchera de vous." Lorsque vous devez affronter un problème qui vous dépasse, vous devez vous tourner vers Dieu dans un acte de foi. Cette habitude de vous tourner ainsi vers Dieu dans toute situation difficile, voilà ce qu'il vous faut cultiver. Vous pouvez le faire par joyeuse gratitude pour la grâce de Dieu dans votre vie. Votre appel à Dieu peut aussi avoir pour objet de réclamer Sa force pour faire face à une situation; vous constaterez ensuite, quand le temps sera venu, que vous êtes exaucé.

Prière du jour

Je demande d'essayer de me rapprocher de Dieu chaque jour dans la prière. Je demande de sentir sa présence et Sa force dans ma vie.

Continuons notre étude de la *douzième étape*. Il nous faut mettre en pratique ces principes dans tous les domaines de notre vie. Cette partie de la douzième étape ne doit pas passer inaperçue. C'est la pratique de tout le programme A.A. Nous n'appliquons pas ces principes seulement lorsqu'il s'agit de notre problèxe de boisson. Nous les pratiquons dans tous les domaines de notre vie. Nous ne divisons pas nos vies en plusieurs sections, une pour Dieu et les autres pour nous. Nous donnons nos vies entières à Dieu et nous tentons d'accomplir Sa volonté en tout. "Un horizon toujours plus vaste, voilà ce qu'est notre perfectionnement. Voilà toutes les promesses de l'avenir." *Est-ce que je suis fidèle aux principes A.A. partout où je vais?*

Méditation du jour

"Seigneur, vers qui irons-nous sinon vers Vous? Vous avez les paroles de la vie éternelle." Les paroles de la vie éternelle sont les paroles de Dieu qui gouvernent notre être véritable, qui gouvernent notre vraie personnalité spirituelle. Ces paroles de Dieu sont celles que les hommes entendent dans leur âme et leur coeur quand ils les tiennent ouverts à Son esprit. Ce sont les paroles de vie éternelle qui expriment le vrai mode de vie que nous devons accepter. Elles vous disent dans la tranquilité de votre coeur, de votre âme et de votre esprit: "Faites cela et vous vivrez."

Prière du jour

Je demande d'obéir aux conseils de ma conscience. Je demande d'obéir à la poussée intérieure de mon âme.

Considérons l'expression *"expérience spirituelle"* telle qu'elle est commentée à l'Appendice II du gros livre *"Alcooliques Anonymes"*. Une expérience spirituelle est quelque chose qui produit un changement de personnalité. Nous sommes transformés par l'abandon de nos vies à Dieu tel que nous Le concevons. La nature de ce changement est évidente chez les alcooliques rétablis. Ce changement de personnalité n'a pas nécessairement le caractère d'un bouleversement subit et spectaculaire. Il n'est pas besoin d'acquérir une conscience de Dieu immédiate et irrésistible, suivie tout de suite d'un vaste changement dans vos sentiments et vos opinions. Dans la plupart des cas, le changement se produit graduellement. *Est-ce que je constate en moi-même un changement continu et graduel?*

Méditation du jour

"Venez à moi, vous tous qui travaillez et ployez sous le fardeau et je vous donnerai le repos." Pour vous reposer des fatigues de la vie, vous pouvez vous tourner vers Dieu chaque jour dans la prière et la méditation. La détente et la sérénité réelles proviennent de la conviction profonde que tout est fondamentalement bon dans l'univers. Le bras éternel de Dieu soutient tout et vous supportera. Entrez en relation avec Dieu non pas tant pour exprimer des demandes à exaucer que pour le repos qui naît de la confiance en Sa volonté et en Ses desseins à l'égard de votre vie. Soyez sûr que la force de Dieu est à votre disposition, soyez conscient de Son soutien et attendez tranquillement que le vrai repos divin envahisse votre être.

Prière du jour

Je demande d'être conscient du soutien de Dieu aujourd'hui. Je demande de m'y reposer en toute confiance.

Continuons à étudier l'expression *"expérience spirituelle"*: "L'acquisition d'une conscience de Dieu immédiate et irrésistible, dont le résultat est une transformation éclatante, bien que fréquente, n'est aucunement la règle générale. La plupart de nos expériences spirituelles sont affaire d'éducation et se développent lentement au cours d'un certain laps de temps. Bien souvent les amis d'un nouveau membre se rendent compte du changement longtemps avant lui. Il se rend compte finalement que sa réaction devant la vie s'est profondément modifiée et qu'il n'aurait probablement pas pu obtenir une telle transformation par lui-même seulement". *Mes idées concernant la vie changent-elles pour le mieux?*

Méditation du jour

Considérez le monde comme la maison de votre Père. Voyez tous les humains que vous rencontrez comme des invités dans la maison de votre Père, qui doivent être traités avec amour et considération. Considérez-vous vous-même comme un serviteur dans la maison de votre Père, comme le serviteur de tous. Croyez qu'aucun travail n'est indigne de vous. Soyez toujours prêt à faire tout votre possible pour ceux qui ont besoin de votre aide. Il y a de la joie dans le service de Dieu. Il y a beaucoup de satisfaction à servir l'Être le plus important que vous connaissez. Exprimez votre amour envers Dieu en offrant vos services à tous ceux qui vivent avec vous dans la maison de votre Père.

Prière du jour

Je demande de servir les autres par gratitude envers Dieu. Je demande que mon travail soit considéré comme mon modeste remboursement pour la grâce qu'Il m'a octroyée si généreusement.

Continuons d'étudier l'expression "expérience spirituelle". "Des années de discipline personnelle ont rarement accompli ce qui se produit souvent en quelques mois. À peu d'exceptions près, nos membres ont l'impression qu'ils ont trouvé une richesse intérieure qu'ils ne soupçonnaient pas et qu'ils identifient maintenant à leur propre conception d'une Puissance supérieure à eux-mêmes. Presque tous, nous pensons que cette découverte d'une Puissance supérieure à nous-mêmes constitue l'essence de l'expérience spirituelle. Certains d'entre nous disent qu'il s'agit de reprendre conscience de Dieu. Dans chaque cas, la bonne volonté, l'honnêteté et le fait d'avoir l'esprit ouvert sont les points essentiels de notre rétablissement." *Ai-je trouvé cette ressource intérieure qui peut changer ma vie?*

Méditation du jour

L'emprise de Dieu dans votre vie augmente au fur et à mesure que s'accroît votre capacité de comprendre Sa grâce. La puissance de la grâce divine n'est limitée que par la compréhension et le vouloir de chaque individu. Le pouvoir miraculeux de Dieu n'est limité dans chaque âme individuelle que par le manque de vision spirituelle de cette âme. Dieu respecte la libre arbitre, le droit de chacun d'accepter ou de rejeter Sa puissance miraculeuse. Seul le désir sincère de notre âme Lui donne l'occasion de nous l'accorder.

Prière du jour

Je demande de ne pas limiter le puissance de Dieu par mon manque de vision. Je demande de garder mon esprit ouvert à Son influence.

Durant les deux derniers mois, nous avons étudié des passages et des commentaires sur les étapes, extraits du gros livre **"Alcooliques Anonymes"**. Maintenant, pourquoi ne pas lire le livre lui-même encore une fois? Il est essentiel que le programme A.A. devienne partie intégrante de nous-mêmes. Nous devons en savoir l'essentiel sur le bout des doigts. Nous ne pouvons trop, ni trop souvent, étudier le gros livre. Plus nous le lisons et l'étudions, mieux nous nous équipons pour penser en A.A., agir en A.A. et vivre en A.A. Il est impossible d'en connaître trop sur cette méthode. Il est possible que nous n'en sachions jamais assez. Cependant, nous pouvons l'absorber aussi bien que possible. *Jusqu'à quel point est-ce que je connais le gros livre?*

Méditation du jour

Il nous est nécessaire d'accepter les difficultés et les exigences de la vie pour pouvoir partager pleinement la vie ordinaire de nos semblables. Il ne faut pas considérer certaines choses qui doivent être acceptées dans la vie comme nous étant nécessaires personnellement; il s'agit plutôt d'expériences qui nous permettent de partager les souffrances et les problèmes de l'humanité. Nous avons besoin de sympathie et de compréhension. Il nous faut partager bien des expériences de la vie pour comprendre et sympathiser avec les autres. À moins d'avoir passé par les mêmes expériences, nous ne pouvons pas comprendre assez bien une autre personne ou son caractère pour l'aider.

Prière du jour

Je demande d'accepter tout ce qui m'arrive comme faisant partie de ma vie. Je demande de me servir de ces expériences pour aider mes semblables.

Rendus à ce point, allons-nous nous arrêter et nous poser en profondeur quelques questions? Nous avons besoin de nous examiner à fond périodiquement. Jusqu'à quel point suis-je un bon membre A.A.? Est-ce que j'assiste aux réunions régulièrement? Est-ce que je prends ma part de responsabilité? Quand il y a quelque chose à faire, est-ce que j'offre bénévolement mes services? Quand on me le demande, est-ce que je parle dans les réunions, sans tenir compte de ma nervosité? Est-ce que j'accepte comme un défi chaque occasion de faire du travail de douzième étape? Est-ce que je donne généreusement de mon temps et de mon argent? Est-ce que j'essaie de répandre le mouvement A.A. partout où je vais? Ma vie quotidienne reflète-t-elle les principes A.A.? *Suis-je un bon membre A.A.?*

Méditation du jour

Comment acquérir la force d'agir efficacement et d'accepter mes responsabilités? En demandant à la Puissance supérieure la force dont j'ai besoin chaque jour. C'est un fait prouvé dans d'innombrables vies que pour chaque jour de ma vie, la force nécessaire me sera donnée. Je dois faire face à chaque épreuve qui m'arrive durant la journée, sûr que Dieu me donnera la force de tenir le coup. Pour chaque tâche qui m'est confiée m'est aussi donné le pouvoir nécessaire à l'accomplissement de cette tâche. Il n'y a pas à hésiter.

Prière du jour

Je demande d'accepter chaque tâche comme un défi. Je sais que je ne peux pas échouer totalement si Dieu est avec moi.

Il n'y a pas de chef dans A.A., il n'y a que des hommes de bonne volonté qui acceptent des responsabilités. Le travail de continuer l'oeuvre des A.A. — présider les assemblées du groupe, faire partie des comités, parler dans les autres groupes, faire de la douzième étape, répandre le mouvement A.A. parmi les alcooliques des environs, — tout cela se fait librement. Si je ne m'offre pas à faire quelque chose de concret pour le mouvement A.A., le mouvement en est d'autant moins efficace. Je dois prendre une part raisonnable de responsabilité. Le mouvement A.A. compte sur tous ses membres pour rester vivant et continuer à se développer. *Est-ce que je fais ma part dans A.A.?*

Méditation du jour

Quand vous comptez sur Dieu pour obtenir la force de faire face à vos responsabilités et quand vous demeurez calme devant Lui, Sa main secourable fait descendre la divine Tranquillité au plus profond de votre être. Quand votre faiblesse vous fait crier vers Dieu, Il vous soulage, vous donne un nouveau courage et la force d'affronter victorieusement chaque problème. Quand vous vous sentez faible sur la route, quand le sentiment de votre infériorité vous bouleverse, alors comptez sur l'Esprit divin; Il vous soutiendra. Ensuite, levez-vous et allez dans la vie avec confiance.

Prière du jour

Je demande d'être disposé aujourd'hui à recevoir le secours de Dieu. Je demande de ne pas chanceler sur le bord du chemin, mais de renouveler mon courage par la prière.

Le mouvement A.A. perdra de son efficacité si je ne fais pas ma part. Est-ce que je manque à mon devoir? Y a-t-il certaines choses que je n'aime pas faire? Est-ce que ma gêne ou ma crainte m'empêchent d'agir? La gêne est un genre d'orgueil. C'est craindre que quelque chose de déplaisant puisse vous arriver. Ce qui vous arrive n'a pas beaucoup d'importance. L'impression que vous faites sur d'autres ne repose pas tant sur le genre de travail que vous faites que sur votre sincérité et l'honnêteté de vos intentions. *Est-ce que j'évite d'agir par crainte de ne pas faire bonne impression?*

Méditation du jour

Demandez à Dieu la force véritable qui vous permettra d'obtenir de bons résultats. Il n'y a aucune autre source de force sur laquelle vous pouvez vraiment compter. Voilà le secret d'une vie véritablement efficace. Et, à votre tour, vous avez l'occasion d'aider plusieurs autres personnes à trouver leur propre efficacité. Peu importe l'aide spirituelle dont vous avez besoin; peu importe l'aide spirituelle que vous désirez pour d'autres, demandez-la à Dieu. Faites en sorte que la volonté de Dieu s'accomplisse dans votre vie et que vos désirs soient conformes à ceux de Dieu. Nos erreurs proviennent de ce que nous comptons trop sur nos propres forces.

Prière du jour

Je demande de comprendre que rien n'est trop bon pour moi si je demande l'aide de Dieu. Je demande que l'orientation de Dieu rende mon travail efficace.

Qu'est-ce qui rend une causerie efficace dans une assemblée A.A.? Ce n'est pas un beau discours avec des mots choisis et une diction impressionnante. Souvent de simples mots qui viennent du coeur donnent de meilleurs résultats que les plus élégants discours. Il y a toujours la tentation de parler au-delà de votre expérience dans le but de faire bonne figure. Ceci n'est jamais efficace. Ce qui ne vient pas du coeur n'atteint pas le coeur. Ce qui vient d'une expérience personnelle et d'un désir sincère d'aider les autres va au coeur. *Est-ce que je parle pour l'effet ou avec un profond désir d'aider?*

Méditation du jour

"Que Votre volonté soit faite", telle doit être notre prière souvent récitée. Et dans ce désir d'accomplir la volonté de Dieu, il devrait y avoir de l'allégresse. Vous devriez vous réjouir d'accomplir cette volonté, parce qu'alors toute votre vie s'améliore et tout tend à tourner en votre faveur. Lorsque vous essayez sincèrement de faire la volonté de Dieu et quand vous en acceptez humblement les résultats, rien ne peut vous faire beaucoup de tort. Celui qui accepte la volonté de Dieu dans sa vie n'héritera peut-être pas de la terre, mais il obtiendra la véritable paix d'esprit.

Prière du jour

Je demande une volonté soumise. Je demande que ma volonté soit à l'unisson de la volonté de Dieu.

Quelle est ma façon de parler à un nouveau venu? Est-ce que j'essaie toujours de dominer la conversation? Est-ce que j'impose mes idées? Est-ce que je dis au nouveau venu ce qu'il doit faire? Est-ce que je le juge dans mon for intérieur et suis-je d'avis qu'il a peu de chances de réussir dans notre programme? Est-ce que, en moi-même, je le déprécie? Ou, au contraire, est-ce que je consens à lui raconter ma vie pour l'encourager à parler de lui-même? Est-ce que je sais l'écouter, sans l'interrompre, jusqu'à la fin? Est-ce que j'ai la conviction profonde qu'il est mon frère? *Est-ce que je ferai tout en mon pouvoir pour l'aider dans le sentier de la sobriété?*

Méditation du jour

"L'oeuvre de la vertu sera la paix et l'effet de la vertu sera le calme et la confiance pour toujours." C'est seulement lorsque l'âme atteint ce degré de calme, qu'il peut se faire un véritable travail spirituel; et c'est alors seulement que l'esprit, l'âme et le corps peuvent être assez forts pour tout dominer et tout supporter. La paix est le résultat de la vertu. On ne trouve pas la paix en faisant le mal, mais si nous vivons selon les désirs de Dieu, le calme et la confiance suivront. La confiance, c'est ce calme né de la certitude profonde que la force de Dieu est à notre disposition et qu'Il peut nous aimer et nous garder contre tout danger et toute défaillance.

Prière du jour

Je demande de parvenir à un état de véritable calme. Je demande de vivre en paix.

Suis-je porté à critiquer les autres membres A.A. ou les nouveaux venus? Est-ce que je dis parfois d'un membre: "Je crois qu'il n'est pas sincère, je crois qu'il nous jette de la poudre aux yeux," ou encore "je crois qu'il prend un verre en cachette"? Est-ce que je me rends compte que mes doutes et mon attitude soupçonneuse font du tort à cette personne, même si ce n'est que par mon attitude à son égard et dont elle s'apercevra sans doute? Est-ce que je dis d'un nouveau venu: "Il ne réussira jamais à mettre notre programme en pratique"? Ou encore: "Il ne restera sobre que quelques mois." Si j'adopte cette attitude, je fais inconsciemment du tort à cet homme et je lui enlève des chances de réussir. *Est-ce que mon attitude est toujours constructive et jamais destructive?*

Méditation du jour

Pour être attiré vers Dieu et une vie meilleure, vous devez être guidé par Lui. Il inspire merveilleusement ceux qui se laissent guider par Son esprit. Rien ne peut attirer vers Dieu et une vie meilleure ceux qui se laissent guider par les choses matérielles. Mais ceux qui sont guidés par l'Esprit trouvent force, paix et calme dans leur union d'esprit avec le Seigneur invisible. Pour ceux qui croient en ce Dieu qu'ils ne peuvent voir mais dont ils constatent la puissance, la vie a une signification et un but véritables. Ils sont les enfants du Seigneur invisible et tous les êtres humains sont leurs frères.

Prière du jour

Je demande d'être guidé par Son esprit. Je demande de sentir Sa présence et Sa puissance dans ma vie.

Ai-je de la rancune envers mes frères les membres ou envers d'autres groupes A.A.? Suis-je porté à critiquer la manière de penser ou d'agir d'un membre? Est-ce que je crois qu'un autre groupe ne fonctionne pas de la bonne façon? Suis-je porté à faire connaître la chose à d'autres? Au contraire, est-ce que je me rends compte que chaque membre A.A. a quelque chose à offrir, quelque chose de bon, si peu que ce soit, à faire pour le mouvement A.A., malgré ses imperfections personnelles? Est-ce que je crois qu'il y a place pour toutes sortes de groupes dans le mouvement A.A. en autant qu'ils suivent les traditions A.A., et qu'ils peuvent être efficaces, même si je n'approuve pas leurs procédés? *Suis-je tolérant envers nos membres et nos groupes?*

Méditation du jour

"Le Seigneur protègera tes allées et venues ici-bas et même dans l'éternité." Toutes vos actions, vos allées et venues peuvent être guidées par l'Esprit invisible. Chaque visite en vue d'aider un autre humain, chaque effort généreux pour assister quelqu'un peuvent être bénis par l'Esprit invisible. Il y a une bénédiction pour tout ce que vous faites, pour chaque entrevue avec un compagnon qui souffre. Chaque occasion que vous avez de répondre à un besoin ne relève peut-être pas de la chance; elle peut bien faire partie des plans de l'Esprit invisible. Dirigé par l'esprit du Seigneur, vous pouvez être indulgent, sympathique, agir avec discernement envers les autres et ainsi accomplir beaucoup.

Prière du jour

Je demande d'être dirigé par l'esprit de Dieu. Je demande au Seigneur de protéger mes allées et venues.

Est-ce que je désire devenir un personnage important chez les A.A.? Est-ce que je désire être toujours en évidence? Est-ce que je crois que personne ne peut faire un aussi bon travail que moi? Ou bien, au contraire, est-ce que je consens à prendre ma place dans les derniers rangs de temps à autre et à laisser un autre diriger le jeu? Une bonne partie de l'efficacité d'un groupe A.A. provient de la préparation de nouveaux responsables pour perpétuer le mouvement et succéder aux membres plus âgés. Est-ce que j'essaie de porter la charge de tout le groupe? S'il en est ainsi, je ne suis pas juste envers les membres plus nouveaux. Est-ce que je me rends compte que personne n'est essentiel? *Est-ce que je sais que le mouvement A.A. pourrait survivre sans moi, s'il le fallait?*

Méditation du jour

Le Dieu invisible peut nous aider à devenir vraiment reconnaissants et humbles. Comme nous ne pouvons pas voir Dieu, nous devons croire en Lui sans Le voir. Ce que nous pouvons voir clairement c'est la transformation qui se produit chez un être humain, quand il demande sincèrement à Dieu de transformer sa vie. Nous devrions nous attacher à la foi en Dieu et en Sa puissance pour modifier notre mode de vie. Notre foi en un Dieu invisible sera récompensée par une vie utile. Dieu ne manquera pas de nous faire voir comment nous devrions vivre quand, avec une humilité et une gratitude sincères, nous recourrons à Lui.

Prière du jour

Je demande de croire que Dieu peut changer ma vie. Je demande de toujours consentir à ce que mon caractère soit modifié pour le mieux.

Est-ce que je compte trop sur un membre ou l'autre de mon groupe? Est-ce que je fais d'une certaine personne mon idole? Est-ce que je la place sur un piédestal pour l'admirer? Si j'agis ainsi, je construis ma maison sur le sable. Tous les membres A.A. ont "des pieds d'argile". Un seul verre les sépare d'une cuite, peu importe la durée de leur sobriété dans le mouvement A.A. Cela a été prouvé à maintes reprises. Il n'est pas juste pour un homme d'être considéré comme un chef éminent des A.A. et il n'est pas juste de citer ses paroles au sujet de tous les détails de notre méthode. S'il devait tomber, que m'arriverait-il? *Est-ce que je pourrais me permettre de perdre ma sobriété à cause d'une rechute d'un membre que je considère comme mon idéal?*

Méditation du jour

Vous devez toujours vous souvenir que vous êtes faible mais que Dieu est fort. Dieu connaît votre faiblesse. Il écoute toutes vos demandes de pardon, tous vos signes de fatigue, toutes vos demandes d'aide, tout votre chagrin dans l'insuccès et toute la faiblesse que vous ressentez et que vous exprimez. Nous échouons seulement quand nous comptons trop sur notre propre force. Ne vous affligez pas de votre faiblesse. Lorsque vous êtes faible, c'est le temps où Dieu est fort pour vous aider. Ayez assez de confiance en Dieu et votre faiblesse ne comptera plus. Dieu est toujours puissant pour nous sauver.

Prière du jour

Je demande d'apprendre à m'appuyer sur la force de Dieu. Je demande de croire que ma faiblesse est pour Dieu l'occasion de m'aider.

Il n'est pas bon non plus d'être trop loyal envers *un* groupe en particulier. Est-ce que je me sens frustré lorsqu'un nouveau groupe prend naissance et que quelques membres de mon groupe le quittent pour se joindre à un autre dans un autre endroit? Ou, au contraire, est-ce que je les laisse partir avec mes bons souhaits? Est-ce que je les visite et les aide à réussir? Ou bien, est-ce que je boude dans mon coin? Le mouvement A.A. se développe par la fondation de nouveaux groupes en tout temps. Je dois me rendre compte qu'il est bon qu'un groupe trop considérable se divise en des groupes plus petits, même si cela veut dire que le groupe plus nombreux — mon groupe — compte moins de membres. *Suis-je toujours prêt à aider les nouveaux groupes?*

Méditation du jour

Priez — et continuez de prier jusqu'à ce que vos prières vous apportent la paix et la sérénité et une impression de communication avec Celui qui est près de vous et est disposé à vous aider. La pensée de Dieu est un baume pour nos haines et nos craintes. En priant Dieu nous trouvons un remède contre les blessures de notre sensibilité et de nos ressentiments. Quand nous pensons à Dieu nos doutes et nos craintes disparaissent. Au lieu de ces doutes et de ces craintes, nous découvrirons dans nos coeurs une foi et un amour bien supérieurs à tout ce que les choses matérielles peuvent nous offrir ainsi que cette paix que le monde ne peut ni nous donner ni nous enlever.

Prière du jour

Je demande de connaître la tolérance et la compréhension véritables. Je demande de continuer mes efforts en vue d'obtenir ces qualités rares.

Est-ce que j'accepte de ne pas trouver toutes les réunions intéressantes? Suis-je prêt à entendre répéter souvent les principes A.A.? Suis-je disposé à écouter les mêmes choses à plusieurs reprises? Suis-je prêt à écouter un récit personnel détaillé parce qu'il peut aider un nouveau membre? Est-ce que j'accepte de m'asseoir paisiblement et de prêter l'oreille à l'histoire d'un membre qui parle longtemps et donne tous les détails de son passé? Suis-je prêt à l'écouter parce que cela lui fait du bien de tout raconter? Mes sentiments ne sont pas tellement importants. Le plus grand bien du mouvement A.A. passe en premier lieu, même si je ne trouve pas toujours cela agréable. *Est-ce que j'ai appris à accepter?*

Méditation du jour

Dieu veut bien nous attirer plus près de Lui dans le rayonnement de son esprit. Il voudrait attirer tous les humains plus près les uns des autres dans les liens de l'esprit. Dieu, l'esprit supérieur de l'univers, dont chacun de nos propres esprits est une parcelle, doit vouloir que l'unité existe entre Lui et tous ses enfants. "L'unité d'esprit dans les liens de la paix." Chaque expérience, dans la vie d'un homme; la joie, la peine, le danger, la sécurité, les difficultés, le succès, les déboires, le repos — tout devrait être accepté comme faisant partie de notre lot commun dans le rayonnement de son esprit.

Prière du jour

Je demande d'accepter les liens de la vraie fraternité. Je demande que s'améliore mon union avec Dieu et avec mes frères.

Lorsqu'un nouveau membre arrive dans un groupe A.A., est-ce que je fais un effort spécial pour qu'il se sente chez lui? Est-ce que je m'oublie moi-même pour l'écouter, même si ses idées concernant les A.A. sont très vagues? Est-ce que je me fais un devoir de parler moi-même à chaque nouveau membre, ou est-ce que je laisse à d'autres le soin de le faire? Je ne peux peut-être pas l'aider, mais il se peut aussi que, dans ce que je lui dirai, il se trouve un mot qui le mette sur la bonne voie. Lorsque je vois un membre assis à l'écart, est-ce que je fais un effort pour être aimable envers lui; ou bien est-ce que je reste parmi mon groupe d'amis sans me soucier de lui? *Est-ce que j'accepte ma responsabilité au sujet de tous les nouveaux membres A.A.?*

Méditation du jour

Vous êtes le serviteur de Dieu. Servez-Le avec joie et empressement. Personne n'aime un serviteur qui évite le travail supplémentaire, qui se plaint lorsqu'il est appelé à laisser là un travail déjà commencé pour en faire un autre moins agréable. Un maître se croirait mal servi par un tel serviteur. Mais n'est-ce pas de cette manière que vous servez souvent Dieu? Examinez votre journée sous cet aspect. Essayez d'accomplir le travail de votre journée comme vous croyez que Dieu veut que vous le fassiez, sans jamais vous soustraire à aucune responsabilité et souvent en oubliant votre confort personnel pour rendre service.

Prière du jour

Je demande d'être un bon serviteur. Je demande de vouloir m'oublier moi-même pour rendre service.

Suis-je vraiment un bon parrain? Quand j'ai accompagné un nouveau venu dans une assemblée, est-ce que je crois que ma responsabilité finit à ce moment-là? Ou bien, au contraire, est-ce que je reste avec lui dans ses difficultés jusqu'à ce qu'il soit devenu un bon membre A.A. ou qu'il ait trouvé un autre parrain? S'il ne vient pas à une assemblée, est-ce que je me dis: "Eh bien! il connaît le mouvement, s'il n'en veut pas, je ne peux rien faire de plus"? Ou bien, est-ce que je vais le voir; est-ce que je me renseigne afin de savoir s'il a une raison valable pour excuser son absence ou si vraiment il refuse de se joindre au mouvement A.A.? Est-ce que je fais tout en mon possible pour découvrir si je ne peux pas faire quelque chose pour l'aider? *Suis-je un bon parrain?*

Méditation du jour

"Réconcilie-toi d'abord avec ton frère et viens ensuite présenter ton offrande à Dieu." Je dois d'abord faire la paix avec les humains et je peux ensuite être en paix avec Dieu. Si j'ai du ressentiment envers mon prochain, ressentiment que je trouve très difficile à surmonter, je devrais essayer d'occuper mon esprit à des choses constructives. Je devrais prier pour cette personne contre laquelle j'ai du ressentiment. Je devrais la confier au soin de Dieu et laisser Dieu lui enseigner comment elle doit vivre. "Si un homme dit: "J'aime Dieu" et déteste son frère, il est un menteur, car celui qui n'aime pas son frère qu'il voit, comment peut-il aimer Dieu qu'il n'a jamais vu?"

Prière du jour

Je demande de voir quelque chose de Dieu dans chaque personne, même dans une personne qui me déplaît. Je demande de laisser Dieu développer le bien dans cette personne.

Est-ce que tout est encore gratuit pour moi dans le mouvement A.A.? Suis-je de ceux qui reçoivent tout et ne donnent rien en retour? Est-ce que je vais aux assemblées, toujours assis en arrière et laissant aux autres le soin de faire tout le travail? Est-ce que je crois qu'il est suffisant d'être sobre et de me reposer sur mes lauriers? S'il en est ainsi, je ne suis pas très avancé dans le programme A.A. et je ne reçois pas non plus tout ce que cette méthode peut m'offrir. Je resterai faible jusqu'au jour où je me lèverai et aiderai à porter le fardeau commun. Je dois éventuellement passer à l'action et faire ma part. Je ne suis pas seulement un spectateur, je fais partie de l'équipe. *Est-ce que j'entre vraiment dans le jeu?*

Méditation du jour

Essayez d'être reconnaissant pour toute inspiration qui vient à votre esprit. Essayez, même dans les petites choses, de rendre fidèlement service à Dieu et aux hommes. Faites votre modeste part chaque jour dans un esprit de service envers Dieu. Agissez selon la parole de Dieu, ne vous contentez pas d'écouter seulement. Dans votre vie quotidienne, essayez de garder votre foi en Dieu. Chaque jour apporte de nouvelles occasions de dévouement. Même lorsque vous êtes tenté de vous reposer, de laisser tout tomber ou d'esquiver un problème, prenez l'habitude de faire face aux difficultés avec courage comme à un défi et ne ménagez pas vos efforts.

Prière du jour

Je demande d'accomplir chaque tâche fidèlement. Je demande de faire face à chaque problème de la vie avec courage et de ne pas ménager mes efforts.

L'entraide A.A. est absolument bénévole. Chaque membre est libre de faire volontairement sa part. Un nouveau venu peut attendre jusqu'à ce qu'il ait dominé sa nervosité et sa confusion. Il a le droit de se faire aider par tous les membres, jusqu'à ce qu'il puisse se tenir solidement sur ses deux pieds. Mais vient inévitablement le jour où il lui faudra s'avancer et offrir de faire sa part dans les assemblées et dans le travail de douzième étape. Jusqu'à ce jour-là, il n'est pas un membre essentiel des A.A. son assimilation au mouvement n'est pas terminée. *Le temps est-il venu d'offrir mon aide bénévole?*

Méditation du jour

Le royaume de Dieu sur terre s'améliore lentement comme le grain dans le sol. Le développement de Son royaume apporte toujours de l'amélioration à ceux qui, en petit nombre, battent la marche. Continuez à tendre vers quelque chose de meilleur et votre vie ne sera pas dans un état de stagnation. La vie éternelle, cette vie abondante, est à votre disposition, si vous la recherchez. Ne perdez pas votre temps en songeant aux défaillances passées. Comptez sur les leçons apprises de ces défaillances comme sur les barreaux de l'échelle du progrès. Allez de l'avant vers votre but.

Prière du jour

Je demande d'être disposé à m'améliorer. Je demande de continuer à gravir les barreaux de l'échelle de la vie.

Quelle est l'importance de la partie de ma vie que je donne au mouvement A.A.? Est-ce seulement une de mes activités, et même une des moins importantes? Est-ce que j'assiste aux assemblées seulement de temps à autre — et, pendant certaines périodes, pas du tout? Est-ce que je pense au mouvement A.A. seulement à l'occasion? Est-ce que j'hésite lorsqu'il s'agit de parler du mouvement A.A. à des gens qui en ont peut-être besoin? Ou bien, au contraire, le mouvement A.A. remplit-il une partie importante de ma vie? Est-il le fondement de toute ma vie? Où serais-je sans les A.A.? Est-ce que tout ce que j'ai et tout ce que je fais ne dépendent pas de mon rétablissement? *Le mouvement A.A. est-il le fondement sur lequel je construis ma vie?*

Méditation du jour

Remettez entre les mains de Dieu vos insuccès, vos erreurs et vos faiblesses. Ne songez pas à vos échecs et au fait que dans le passé vous ressembliez plus aux bêtes qu'aux anges. Vous avez un médiateur entre vous et Dieu — votre foi grandissante — qui peut vous soulever de la fange et vous diriger vers le ciel. Vous pouvez encore vous réconcilier avec l'esprit de Dieu. Vous pouvez encore retrouver votre harmonie avec le Principe divin de l'univers.

Prière du jour

Je demande de ne pas laisser la bête en moi m'empêcher de parvenir à ma destinée spirituelle. Je demande de me relever et de rester debout.

Suis-je profondément reconnaissant envers les A.A. pour ce qu'ils ont fait pour que je retrouve ma sobriété et que je connaisse une vie entièrement nouvelle? Le mouvement A.A. m'a rendu la possibilité de poursuivre d'autres intérêts, en affaires et dans différentes associations. Il m'a rendu possible une vie utile. Il serait peut-être malheureux que toute mon activité soit limitée au travail A.A. Le mouvement m'a rendu une vie équilibrée en ce qui a trait à mon travail, mes distractions et mes divers passe-temps. Mais, vais-je abandonner les A.A. à cause de ce résultat? Vais-je recevoir un parchemin et devenir un diplômé A.A.? *Est-ce que je me rends compte que je ne posséderais rien de cela sans les A.A.?*

Méditation du jour

Il n'y a qu'un seul moyen d'obtenir du bonheur dans la vie, c'est de vivre selon ce que vous croyez être la volonté de Dieu. Vivez avec Dieu dans cette partie intime de votre esprit et vous vous sentirez sur la bonne voie. Vous serez profondément satisfait. Le monde signifiera quelque chose pour vous et vous aurez une place dans ce monde, un travail important à faire dans l'ordre éternel des choses. Plusieurs circonstances vous aideront aussi longtemps que vous vous sentirez du côté de Dieu.

Prière du jour

Je demande de comprendre la valeur éternelle de ce que je fais. Je demande de ne pas travailler uniquement pour le présent, mais aussi pour l'éternité.

Est-ce que j'accepte mes obligations envers le mouvement A.A. d'une façon vraiment sérieuse? Ai-je pris tout ce qui était bon pour moi et négligé mes obligations? Au contraire, est-ce que je considère que j'ai une profonde dette de reconnaissance envers tout le mouvement A.A. auquel je veux demeurer profondément loyal? Suis-je non seulement reconnaissant mais fier de faire partie d'une association aussi merveilleuse, qui rend de si grands services aux alcooliques? Suis-je heureux de contribuer à la grande oeuvre des A.A.? Est-ce que je ressens une profonde obligation de poursuivre cette oeuvre chaque fois que j'en ai l'occasion? *Est-ce que je suis convaincu que je dois au mouvement A.A. ma loyauté et mon dévouement?*

Méditation du jour

Si votre coeur est bon votre vie sera bonne. Le commencement de toute réforme doit se produire en vous-même. Ce n'est pas ce qui vous arrive qui compte mais bien votre façon de l'accepter. Si difficiles que soient les circonstances de votre vie, si modeste que soit votre capacité d'améliorer votre situation financière, vous pouvez toujours vous étudier vous-même et, voyant ce qui ne va pas, essayer de le corriger. Et comme toute réforme vient de l'intérieur pour se manifester à l'extérieur, vous constaterez toujours que l'extérieur se corrige si l'intérieur s'améliore. À mesure que vous vous perfectionnez, les circonstances extérieures changeront pour le mieux. La puissance qui surgit de vous-même transformera votre vie extérieure.

Prière du jour

Je demande que soit libérée la puissance cachée en moi. Je demande de ne pas emprisonner l'esprit qui est en moi.

Qu'est-ce que je ferai aujourd'hui pour le mouvement A.A.? Y a-t-il quelqu'un à appeler au téléphone ou quelqu'un à visiter? Y a-t-il une lettre à écrire? Y a-t-il une occasion de contribuer à l'oeuvre des A.A.? Ai-je remis ma participation à plus tard? L'ai-je négligée? S'il en est ainsi, est-ce que je ferai ce travail *aujourd'hui?* Ai-je mis fin à mes retards et suis-je décidé à faire aujourd'hui ce qui doit être fait? Il sera peut-être trop tard, demain. Comment puis-je savoir s'il y aura un demain pour moi? Pourquoi ne pas me lever de mon fauteuil confortable et passer aux actes? *Est-ce que je crois que le mouvement A.A., d'une certaine façon, compte sur moi aujourd'hui?*

Méditation du jour

Aujourd'hui, levez les yeux vers Dieu et ne regardez pas vers vous-même. Laissez de côté l'environnement désagréable, le manque de beauté, vos imperfections et celles de ceux qui vous entourent. Dans votre inquiétude, implorez le calme de Dieu, dans vos restrictions, recherchez la perfection de Dieu. En levant vos yeux vers Dieu, votre esprit avancera vers la perfection. Alors d'autres personnes verront en vous quelque chose qu'elles désirent aussi. À mesure que vous croissez spirituellement, vous devenez capable de faire plusieurs choses qui, jusqu'à ce jour, vous semblaient trop difficiles.

Prière du jour

Je demande de regarder au-dessus de l'horizon de moi-même. Je demande de voir mes possibilités infinies de perfectionnement spirituel.

Est-ce que je domine presque complètement ma susceptibilité, mes sentiments trop souvent blessés, ma paresse et mon amour-propre? Suis-je prêt à tout faire pour le mouvement A.A. à n'importe quel prix et au détriment de mon précieux moi? Est-ce que mon bien-être personnel est plus important pour moi que ce que j'ai à faire? Suis-je parvenu à croire que ce qui m'arrive n'est pas tellement important? Puis-je faire face aux choses embarrassantes ou désagréables si ces choses sont pour le bien du mouvement A.A.? N'ai-je donné au mouvement A.A. qu'une petite partie de moi-même? *Suis-je disposé à me donner entièrement lorsque c'est nécessaire?*

Méditation du jour

Un homme ne devient vraiment humble que lorsqu'il a connu la défaite. L'humilité naît d'un profond sentiment de gratitude envers Dieu pour avoir donné à cette personne la force de se relever de ses défaites. L'humilité n'est pas incompatible avec le respect de soi-même. L'homme sincère a le respect de soi-même et le respect des autres; et pourtant il est humble. Celui qui est humble est tolérant envers les fautes d'autrui; il ne critique pas les faiblesses des autres. Il est sévère pour lui-même et bon envers les autres.

Prière du jour

Je demande de devenir vraiment humble tout en gardant le respect de moi-même. Je demande de voir en moi-même le bien comme le mal.

Est que je me rends compte que j'ignore ce qu'il me reste à vivre? Il est peut-être plus tard que je ne le pense. Est-ce que je ferai ce que je crois devoir faire avant qu'il ne soit trop tard? Et pendant que nous y sommes, quel est mon but pour le reste de ma vie? Est-ce que je pense à tout ce que j'ai à faire pour compenser pour ma vie passée que j'ai gaspillée? Est-ce que je songe qu'il s'agit de temps emprunté et que je n'aurais même pas ce temps sans les A.A. et sans la grâce de Dieu? *Est-ce que je vais me servir du temps qui me reste pour aider le mouvement A.A.?*

Méditation du jour

Nous pouvons croire que, d'une manière ou d'une autre, le cri de l'âme humaine est toujours entendu par Dieu. Il se peut que Dieu entende ce cri, même si l'homme ne semble pas s'apercevoir de la réponse de Dieu. Le cri de l'être humain demandant de l'aide doit toujours provoquer une certaine réponse de Dieu. Il se peut que, parce qu'il ne peut vraiment l'entendre, l'homme ignore cette réponse. Mais nous pouvons croire ceci: la grâce de Dieu est toujours à la disposition de chaque être humain qui la demande sincèrement. Plusieurs vies transformées en sont des preuves vivantes.

Prière du jour

Je demande d'avoir confiance que Dieu exaucera ma prière comme bon Lui semblera. Je demande d'être satisfait de Sa réponse quelle qu'elle soit.

Depuis quelques semaines, nous nous sommes posé des questions importantes. Nous n'avons pas pu répondre à toutes les questions comme nous l'aurions voulu. Mais des bonnes réponses à ces questions dépendront l'utilité et l'efficacité de nos vies, et pour une bonne partie, l'utilité et l'efficacité de tout le mouvement A.A. En résumé, j'ai une énorme dette envers le mouvement A.A. et envers Dieu. Vais-je faire tout ce que je peux pour rembourser cette dette? Étudions nos âmes, prenons nos décisions et agissons en conséquence. Tout véritable succès de notre vie sera subordonné à cette attitude. Voici le temps de mettre nos plans à exécution. *Qu'est-ce que je vais faire à ce sujet?*

Méditation du jour

"Notre Seigneur et notre Dieu qu'il nous soit fait selon Votre volonté." La simple acceptation de la volonté de Dieu en tout ce qui arrive, voilà la clé d'une vie abondante. Nous devons continuer de prier: "Non pas ma volonté mais la Vôtre." Il est possible que vous ne receviez pas ce que vous désirez, mais ce sera mieux ainsi, à la longue, parce que c'est la volonté de Dieu. Si vous décidez d'accepter quoique ce soit parce que c'est la Volonté de Dieu pour vous, quelle qu'elle soit, votre fardeau sera plus léger. Essayez de voir en toutes choses l'accomplissement de l'Intention divine.

Prière du jour

Je demande de comprendre comment s'accomplit la volonté de Dieu dans ma vie. Je demande d'être satisfait de tout ce qu'Il veut pour moi.

Maintenant que nous avons envisagé les obligations des membres actifs A.A., voyons les récompenses que nous avons reçues comme résultat de notre nouveau mode de vie. D'abord, je me comprends mieux moi-même que jamais auparavant. J'ai appris ce qui faisait défaut en moi et je sais maintenant où je vais. Je ne serai plus jamais seul. Je ne suis qu'une personne parmi tant d'autres qui souffrent de la maladie de l'alcoolisme et une personne parmi tant d'autres qui ont appris ce qu'il faut faire. Je ne suis pas un drôle de spécimen ou, comme on dit, une cheville carrée dans un trou rond. Je crois avoir trouvé ma place dans le monde. *Est-ce que je commence à me comprendre moi-même?*

Méditation du jour

"Voyez, je suis à la porte et je frappe, si quelqu'un entend ma voix et ouvre la porte, je viendrai à Lui et je demeurerai avec lui et lui avec moi." L'appel de l'esprit de Dieu, qui demande d'entrer dans votre vie ne vous parvient pas parce que vous l'avez mérité, même s'il répond au désir de votre coeur. Continuez à écouter pour entendre lorsque l'esprit de Dieu frappera à la porte de votre coeur. Alors ouvrez la porte de votre coeur et laissez entrer l'esprit de Dieu.

Prière du jour

Je demande de laisser entrer l'esprit de Dieu dans mon coeur. Je demande qu'il me remplisse d'une paix immuable.

Deuxièmement, je suis satisfait d'envisager le reste de ma vie sans alcool. J'ai pris la grande décision une fois pour toutes. J'ai capitulé avec autant de grâce que possible devant l'inévitable. J'espère que je n'ai plus de restriction dans ce domaine. J'espère que rien ne peut maintenant m'arriver pour me justifier de prendre un verre. Ni la mort d'une personne aimée, ni une grande épreuve dans ma vie ne pourrait me justifier de boire. Même si j'étais sur une île déserte, loin du reste du monde, mais non loin de Dieu, je ne devrais penser que j'ai le droit de boire. L'alcool n'est pas pour moi, un point c'est tout. Je serai toujours en sécurité si je ne prends pas mon premier verre. *Suis-je complètement résigné à ce fait?*

Méditation du jour

Jour par jour, nous devrions lentement améliorer notre foi en une Puissance supérieure et croire qu'elle peut nous donner toute l'aide dont nous avons besoin. Grâce à ces méditations chaque matin, nous commençons chaque jour en renouvelant notre foi jusqu'à ce qu'elle devienne comme une partie de nous-mêmes et une puissante habitude. Nous devrions continuer à meubler notre âme au moyen de ce que nous offre la foi. Chaque jour, nous devrions essayer de remplir nos pensées de tout ce qu'il y a d'harmonieux et de bon, de beau et de durable.

Prière du jour

Je demande de construire une maison dans mon âme afin que l'esprit de Dieu y habite. Je demande de parvenir enfin à une foi inébranlable.

Troisièmement, j'ai appris à être honnête. Quel soulagement! Plus d'évasion ou de détours. Plus d'histoires invraisemblables. Plus de prétention d'être ce que je ne suis pas. J'ai mis cartes sur table, à la vue de tous. Je suis ce que je suis, comme dirait l'autre, et c'est tout ce que je suis. J'ai eu un passé désagréable. J'en suis peiné, oui, mais je ne puis rien y changer maintenant. Tout cela, c'est hier et c'est terminé. Mais maintenant ma vie est comme un livre ouvert. Venez et regardez, si vous le voulez. J'essaie de faire tout mon possible. Je ne réussirai pas toujours, mais je ne chercherai pas d'excuses. J'envisagerai les choses comme elles sont et je ne les fuirai pas. *Suis-je vraiment honnête?*

Méditation du jour

Même si cela semble un paradoxe, nous devons croire aux forces spirituelles que nous ne pouvons pas voir plus qu'aux choses matérielles que nous pouvons voir, si nous voulons vraiment vivre. En dernière analyse, l'univers s'explique par des pensées ou des formules mathématiques plutôt que par la matière telle que nous la connaissons. Seules des forces sprituelles suffiront à garder l'harmonie entre les humains. Ces forces spirituelles nous les connaissons parce que nous pouvons voir leurs effets. Une nouvelle vie — une nouvelle personnalité — voilà les résultats des forces spirituelles invisibles, à l'oeuvre en nous et par notre entremise.

Prière du jour

Je demande de croire à l'Invisible. Je demande d'être convaincu par l'oeuvre de l'Invisible que je peux voir.

Quatrièmement, j'ai fait appel à une Puissance supérieure à moi-même. Dieu merci, je ne me considère plus comme le centre de l'univers. Toute la terre ne tourne plus autour de moi. Je ne suis qu'un homme parmi tant d'autres. J'ai un Père qui est dans les cieux et je ne suis qu'un de Ses enfants et un bien petit encore. Mais je peux compter sur Lui afin qu'Il me dise ce que je dois faire et me donne la force de le faire. Je suis dans la bonne voie, et toute l'énergie de l'univers me soutient lorsque je fais le bien. Maintenant, je n'ai plus besoin de compter uniquement sur moi-même. Avec Dieu je peux faire face à tout. *Est-ce que ma vie est dans les mains de Dieu?*

Méditation du jour

La grâce de Dieu est une assurance contre le mal. Elle offre la sécurité à l'âme croyante. La grâce de Dieu est la sécurité au milieu du mal. Vous pouvez être gardé sans tache en ce monde par la puissance de Sa grâce. Vous pouvez trouver une nouvelle vie pleine de force. Mais cette puissance n'existe que si vous êtes en relation intime avec la grâce de Dieu. Afin de pouvoir l'acquérir et en bénéficier, vous devez être uni à Dieu chaque jour afin que la puissance de sa grâce puisse s'infiltrer sans difficulté dans votre âme.

Prière du jour

Je demande d'être préservé du mal par la grâce de Dieu. Je demande d'essayer dorénavant de me garder sans tache en ce monde.

Cinquièmement, j'ai appris à vivre un seul jour à la fois. J'ai enfin appris ce fait important que tout ce que j'ai c'est *maintenant*. Ceci efface tout vain regret, de sorte que mes pensées pour l'avenir sont exemptes de crainte. L'instant présent est à moi. Je puis en faire ce que je veux. C'est ma propriété, pour le bien ou pour le mal. Ce que je fais maintenant, en ce moment même, voilà ce qu'est ma vie. Ma vie entière est une succession de nombreux maintenant. Je prendrai l'instant présent qui m'a été donné par la grâce de Dieu et j'en ferai quelque chose de valeur. Ce que je fais avec chacun de ces maintenant m'améliorera ou me détruira. *Est-ce que je vis dans l'instant présent?*

Méditation du jour

Nous devrions essayer de nous dominer nous-mêmes ainsi que nos désirs égoïstes et notre amour-propre. Nous ne parviendrons jamais à la perfection. Nous ne pourrons jamais complètement nous oublier nous-mêmes. Mais il nous est possible de penser que nous ne sommes pas au centre de l'univers et que tout ne tourne pas autour de nous comme si nous étions le point central du globe. Je ne suis qu'une cellule dans un vaste système de cellules humaines. Je peux du moins faire un effort pour conquérir mon égoïsme et chercher chaque jour à réussir de plus en plus dans cette conquête. "Celui qui possède la maîtrise de soi-même est supérieur à celui qui conquiert une ville."

Prière du jour

Je demande de m'efforcer de dominer mon égoïsme. Je demande de parvenir à comprendre ma véritable place dans l'univers.

Sixièmement, Dieu merci, je peux assister à des assemblées A.A. Où irais-je s'il n'y en avait pas? Où trouverais-je l'amitié, la compréhension, la solidarité et la fraternité dont j'ai besoin? Nulle part ailleurs dans le monde. Je suis arrivé chez moi. J'ai trouvé le lieu qui me convient. Plus jamais je n'aurai besoin d'errer seul sur la terre. J'ai trouvé la paix et le repos. Quel magnifique cadeau m'a été donné par le mouvement A.A.! Je ne le mérite pas. Mais, malgré tout, il est à moi. J'ai enfin un "chez moi". Je suis satisfait. *Est-ce que je remercie Dieu tous les jours pour l'association des A.A.?*

Méditation du jour

Avancez continuellement en compagnie de vos semblables et de Dieu. Ne parcourez pas seulement une partie du chemin, vous arrêtant ensuite. Ne repoussez pas Dieu très loin à l'arrière-plan de votre pensée, de sorte qu'Il n'ait aucun effet sur votre vie. Parcourez toute la distance avec Lui. Soyez pour Dieu un bon compagnon, Le priant souvent au cours de la journée. Que votre lien avec Lui ne soit pas interrompu durant trop longtemps. Marchez tout le long de la route avec Dieu et avec les humains dans le sentier de la vie, peu importe où il vous mènera.

Prière du jour

Je demande d'avancer en compagnie de Dieu tout le long de ma route. Je demande de garder mes pas dans la voie qui conduit aux sommets.

Septièmement, je peux aider d'autres alcooliques. Je suis d'une certaine utilité dans le monde. J'ai un but dans la vie. Je vaux enfin quelque chose. Ma vie a une orientation et une signification. Cette impression d'inutilité est disparue. Je peux faire quelque chose qui en vaut la peine. Dieu m'a donné une autre chance de vivre, afin que je puisse aider tel ou tel autre alcoolique. Il m'a laissé vivre, malgré les dangers de ma vie alcoolique, pour me conduire enfin en un lieu où je serai vraiment utile à la société. Il m'a laissé vivre pour cela. Voilà l'occasion que j'ai de faire du bien; voilà ma destinée. Je vaux quelque chose! *Est-ce que je donnerai autant que possible de ma vie au mouvement A.A.?*

Méditation du jour

Chacun de nous a sa propre bataille à gagner, la bataille entre le matérialisme et la spiritualité. Quelque chose doit orienter nos vies. Choisirons-nous la richesse, l'orgueil, l'égoïsme et l'avarice, ou bien la foi, l'humilité, la pureté, la générosité, l'amour et le service? Chaque être humain a son choix. Nous pouvons choisir le bien ou le mal. Nous ne pouvons pas choisir les deux. Allons-nous essayer de lutter sans relâche jusqu'à la victoire? Si nous obtenons la victoire, nous pouvons croire que même Dieu dans Son ciel se réjouira avec nous.

Prière du jour

Je demande de choisir le bien et de résister au mal. Je demande de ne pas subir la défaite dans ma bataille en faveur du bien.

Quelles sont les autres récompenses que j'ai obtenues et qui sont les résultats de mon nouveau mode de vie? Chacun d'entre nous peut répondre à cette question de bien des façons. Mes relations avec mon épouse et mes enfants sont sur un plan nouveau et différent. L'égoïsme total a disparu pour faire place à une meilleure coopération. Mon foyer est redevenu un foyer. L'entente a remplacé la mésentente, les disputes et les ressentiments. Une nouvelle camaraderie a pris naissance qui augure bien pour l'avenir. "Il y a des foyers où il y a de la chaleur et du pain, des lampes qu'on allume et des prières que l'on récite. Même si certaines personnes marchent dans l'obscurité et si certaines nations cherchent à tâtons, Dieu Lui-même habite ces petites maisons, nous pouvons encore espérer". *Suis-je arrivé chez moi?*

Méditation du jour

Nous pouvons nous incliner devant la volonté de Dieu au sujet de l'avenir, qui apportera, en temps et lieu, ce qu'il y a de mieux à tous ceux qui sont concernés. Il se peut que ce ne semble pas la meilleure chose au moment présent, mais il nous est impossible de voir à l'avance comme Dieu le peut. Nous ne connaissons pas Ses plans; nous n'avons qu'à croire que si nous avons confiance en Lui et si nous acceptons ce qui arrive comme la manifestation de Sa volonté et dans un esprit de foi, tout sera pour le mieux en fin de compte.

Prière du jour

Je demande de ne pas chercher à connaître l'avenir. Je demande de bien vivre l'instant présent.

Mes relations avec mes enfants se sont beaucoup améliorées. Ces enfants qui m'ont vu ivre et avaient honte de moi; ces enfants, qui me fuyaient par peur et par dégoût, me voient sobre et m'aiment; ils ont confiance en moi et ont fait leur possible pour oublier le passé. Ils m'ont permis de devenir leur compagnon, ce qui est tout nouveau pour moi. Je suis maintenant leur père et non pas seulement "cet homme que maman a épousé et Dieu sait pourquoi?" Je fais partie de la famille et je ne suis plus un étranger chez moi. *Ai-je retrouvé une partie de ce que j'avais perdu?*

Méditation du jour

Notre vrai succès dans la vie est en proportion de notre perfectionnement spirituel. Les autres devraient être en mesure de voir dans nos vies une démonstration de la volonté de Dieu à notre égard. Notre véritable succès est indiqué par ce que les autres ont pu constater de notre progrès dans l'accomplissement de Sa volonté dans notre vie de chaque jour. Nous pouvons faire notre possible pour démontrer chaque jour la puissance de Dieu dans les vies humaines, pour être un exemple de l'oeuvre de la grâce de Dieu dans les coeurs humains.

Prière du jour

Je demande de vivre de telle sorte que les autres puissent voir en moi l'oeuvre de la volonté de Dieu. Je demande que ma vie soit une démonstration de ce que peut faire la grâce de Dieu.

J'ai de vrais amis alors que je n'en avais aucun auparavant. Mes compagnons de boisson n'étaient pas de vrais amis, même si en état d'ivresse nous semblions être très heureux ensemble. Mes idées sur l'amitié ont changé. Mes amis ne sont plus des personnes dont je peux me servir pour mon agrément ou mon profit. Mes amis sont maintenant des personnes qui me comprennent et que je comprends, des personnes que je puis aider et qui peuvent m'aider à vivre une vie meilleure. J'ai appris à ne pas tirer de l'arrière et à ne pas attendre que mes amis viennent me trouver; je fais maintenant la moitié du chemin ouvertement et librement. *Est-ce que l'amitié a une nouvelle signification pour moi?*

Méditation du jour

Il y a un temps pour chaque chose. Nous devrions apprendre à attendre patiemment jusqu'à ce que l'heure soit venue. Peu à peu, sans trop d'effort, ça se fait. Nous gaspillons notre énergie lorsque nous essayons d'obtenir une chose avant d'être prêts à la recevoir, avant de mériter de la recevoir. Une grande leçon à apprendre c'est de savoir attendre patiemment. Nous pouvons croire que toute notre vie est une préparation en vue de choses meilleures que nous recevrons lorsque nous les aurons méritées. Nous pouvons croire que Dieu a préparé le plan de nos vies et que ce plan se réalisera en temps et lieu.

Prière du jour

Je demande d'apprendre à attendre patiemment. Je demande de ne pas m'attendre à recevoir certaines grâces avant de les avoir méritées.

J'ai plus de paix et de bonheur. Ma vie s'est stabilisée. Les pièces du casse-tête sont toutes en place. Ma vie a retrouvé sa cohésion. Je ne suis pas à la merci du caprice ou des circonstances. Je ne suis plus une feuille morte soulevée par la brise. J'ai trouvé l'endroit de mon repos, l'endroit qui me convient. Je suis satisfait. Je ne désire pas en vain les choses que je ne peux pas avoir. J'ai la "sérénité d'accepter ce que je ne peux pas changer, le courage de changer ce que je peux changer et la sagesse d'en connaître la différence". *Ai-je trouvé du bonheur dans le mouvement A.A.?*

Méditation du jour

Il y a en chacun de nous une conscience intérieure qui nous parle de Dieu, une voix intérieure qui parle à nos coeurs. C'est une voix qui nous parle intimement, personnellement, lorsque nous méditons en silence. C'est comme une lampe qui guide nos pas et une lumière qui éclaire notre route. Nous pouvons chercher dans l'obscurité et, au figuré, toucher la main de Dieu. Comme on le dit dans le gros livre: "Au plus profond de chaque homme, femme et enfant se trouve l'idée fondamentale de Dieu. Nous pouvons trouver la grande Réalité au plus profond de notre être. Et lorsque nous La trouvons, elle change complètement notre attitude envers la vie."

Prière du jour

Je demande d'obéir à ma voix intérieure. Je demande de ne pas faire la sourde oreille aux impulsions de ma conscience.

J'ai de l'espoir, cette chose magique que j'avais perdue ou égarée. L'avenir ne me semble plus noir. Je n'y pense même plus, sauf quand il m'est nécessaire de préparer des plans. J'essaie de laisser l'avenir prendre soin de lui-même. L'avenir sera fait de plusieurs aujourd'hui, des aujourd'hui dont la durée variera de l'éternité à l'instant présent. Mon espoir repose sur plusieurs "maintenant" de bonne qualité, sur la bonne qualité du présent. Rien ne peut m'arriver que Dieu ne désire pas pour moi. Je peux espérer ce qu'il y a de mieux, à condition de conserver ce que j'ai, et c'est bien ainsi. *Est-ce que j'ai de l'espoir?*

Méditation du jour

La foi c'est le messager qui transmet vos prières à Dieu. La prière peut être comme l'encens, s'élevant toujours plus haut. La prière de foi est la prière confiante qui ressent la présence de Dieu à qui elle tente de parler en s'élevant vers Lui. Elle peut être assurée d'une réponse de la part de Dieu. Nous pouvons dire une prière de reconnaissance à Dieu chaque jour pour Sa grâce, qui nous a conservés sur la bonne voie et nous a permis de commencer à vivre une vie meilleure. C'est ainsi que nous devrions prier Dieu avec foi, confiance et gratitude.

Prière du jour

Je demande d'être assuré d'une certaine réponse à mes prières. Je demande d'être satisfait, peu importe ce que sera cette réponse.

Je crois. La foi fait que le monde nous semble admirable. Ce monde qui, enfin, semble logique. La foi est cette conscience éblouissante du Principe divin dans l'univers qui le maintient et lui donne son unité, son but, sa bonté et sa signification. La vie n'a plus un goût de cendre et d'amertume. C'est un tout glorieux parce que Dieu conserve son unité. La foi — ce bond dans l'inconnu, cette aventure dans ce qu'il y a au-delà de notre regard — nous apporte des récompenses indicibles de paix et de sérénité. *Ai-je la foi?*

Méditation du jour

Gardez votre esprit comme un récipient vide que Dieu pourra remplir. Continuez à vous donner vous-même pour aider les autres, de façon à ce que Dieu continue à vous remplir de Son esprit. Plus vous donnerez, plus il vous en restera pour vous-même. Dieu verra à ce que votre esprit demeure constamment rempli aussi longremps que vous donnerez aux autres. Mais si vous essayez égoïstement de tout garder pour vous-même, vous perdrez bientôt tout combat avec Dieu, votre source d'approvisionnement, et vous deviendrez comme une eau stagnante. Pour qu'il soit rempli d'eau claire, un lac doit avoir une source et un endroit par où s'écoule l'eau.

Prière du jour

Je demande de toujours transmettre ce que je reçois. Je demande de conserver ce ruisseau limpide et toujours en mouvement.

309

J'ai de la charité, ce qui est un autre mot pour dire de l'amour. Cette véritable sorte d'amour qui n'est pas de la passion égoïste, mais un désir généreux et dévoué d'aider mes semblables. Un désir de faire ce qu'il y a de mieux pour l'autre personne, de mettre au-dessus de mes propres désirs ce qu'il y a de mieux pour elle. Un désir de placer Dieu en premier lieu, l'autre humain ensuite et moi en dernier. La charité est délicate, bonne et compréhensive; elle accepte la souffrance et elle est remplie du désir de rendre service. Le mouvement A.A. m'a donné cela. Ce que je fais pour moi-même est perdu; ce que je fais pour les autres est peut-être écrit quelque part dans l'éternité. *Ai-je la charité?*

Méditation du jour

"Demandez ce que vous désirez et cela vous sera accordé." Dieu est infiniment puissant. Il n'y a aucune limite à ce que Sa puissance peut accomplir dans les coeurs humains. Mais nous devons désirer obtenir la puissance de Dieu et nous devons la Lui demander. La puissance de Dieu est arrêtée avant d'arriver à nous par notre indifférence à son égard. Nous pouvons continuer à vivre égoïstement, sans faire appel à l'aide de Dieu, et nous demeurons impuissants. Mais quand nous faisons confiance à Dieu, nous pouvons désirer obtenir la force dont nous avons besoin. Quand nous la demandons sincèrement à Dieu, nous la recevons en abondance.

Prière du jour

Je demande de désirer recevoir la puissance de Dieu. Je demande de continuer à prier pour obtenir la force dont j'ai besoin.

Je peux maintenant faire certaines choses que je n'ai jamais pu faire auparavant. L'alcool m'enlevait mon initiative et mon ambition. Je ne pouvais trouver le courage de commencer quoi que ce soit. Je laissais les choses se détériorer. Quand j'étais ivre, j'étais même trop inerte pour attacher mes lacets de souliers. Maintenant, je peux m'asseoir et accomplir quelque chose. Je peux écrire des lettres quand il faut en écrire. Je peux faire des appels téléphoniques qui doivent être faits. Je peux travailler dans mon jardin. Je peux m'occuper à mes passe-temps favoris. J'ai le désir de créer quelque chose, cet instinct créateur qui était complètement étouffé par l'alcool. Je suis libre d'accomplir de nouveau quelque chose. *Est-ce que j'ai retrouvé mon initiative?*

Méditation du jour

"En votre présence est la plénitude de la joie. À votre droite sont les plaisirs pour toujours." Nous ne pouvons trouver le vrai bonheur en le cherchant. La recherche du plaisir en fin de compte n'apporte pas le bonheur: elle n'apporte que la déception. Ne recherchez pas cette plénitude de la joie en recherchant le plaisir. On ne peut y arriver ainsi. Le bonheur est un sous-produit d'une vie bien vécue. Le vrai bonheur est le résultat d'une vie vécue exactement comme vous croyez que Dieu veut que vous la viviez, en ce qui vous concerne vous-même et en ce qui concerne les autres.

Prière du jour

Je demande de ne pas toujours avoir le plaisir comme but. Je demande d'être satisfait du bonheur qui m'est donné quand je fais le bien.

En songeant aux récompenses que nous avons obtenues depuis le début de notre nouveau mode de vivre, nous nous sommes aperçu que nous avons un nouveau genre de foyer, de nouvelles relations avec notre épouse et nos enfants. Nous avons aussi trouvé la paix et le contentement, l'espoir, la foi et la charité, et une nouvelle ambition. Quelles choses avons-nous perdues? Chacun d'entre nous peut répondre à cette question de diverses façons. J'ai perdu beaucoup de ma peur. Elle avait l'habitude de me dominer; j'étais son esclave. Elle paralysait mes efforts. La peur me détruisait. Elle faisait de moi un introverti, une personne renfermée en elle-même. Quand la peur a fait place à la foi, j'ai retrouvé la santé. *Ai-je perdu certaines de mes craintes?*

Méditation du jour

Le monde serait bientôt plus près de Dieu. Sa volonté s'accomplirait plus tôt sur terre, si tous ceux qui Le reconnaissent se donnaient eux-mêmes sans réserve pour être utilisés par Lui. Dieu peut se servir de chaque être humain pour répandre son amour et sa puissance divine. Ce qui retarde le rapprochement entre le monde et Dieu c'est l'ignorance de Ses fidèles. Si chacun vivait chaque jour pour Dieu et permettait à Dieu d'agir par son entremise, alors le monde se rapprocherait beaucoup de Dieu, qui a créé le monde et le maintient en bon état.

Méditation du jour

Je demande de servir d'instrument pour exprimer l'Amour divin. Je demande de vivre de façon à rapprocher du monde l'esprit de Dieu.

La crainte et l'inquiétude m'avaient vaincu. Elles étaient augmentées par ma boisson. Je m'inquiétais de ce que j'avais fait quand j'étais ivre. J'avais peur des conséquences possibles. J'avais peur d'envisager les gens parce que je craignais d'être découvert. La crainte me tenait continuellement comme dans l'eau bouillante. J'étais nerveusement à bout, à cause de la peur et de l'inquiétude. J'étais un paquet de nerfs tendus. Je craignais l'insuccès, l'avenir, la vieillesse, la maladie, les gueules de bois, le suicide. J'avais des idées et des attitudes mentales mauvaises. Quand les A.A. m'ont dit d'abandonner ces craintes et ces inquiétudes à une Puissance supérieure, je l'ai fait. J'essaie maintenant de penser avec foi plutôt qu'avec crainte. *Ai-je remplacé la peur par la foi?*

Méditation du jour

La puissance spirituelle, c'est Dieu à l'oeuvre. Dieu ne peut agir que par les êtres humains. Chaque fois qu'un homme, peu importe sa faiblesse, permet à Dieu d'agir par son intermédiaire, alors tout ce qu'il pense, dit et fait est spirituellement puissant. Ce n'est pas lui seul qui produit un changement dans la vie des autres; c'est aussi l'Esprit divin en lui et agissant par lui. La puissance, c'est Dieu à l'oeuvre. Dieu peut se servir de vous comme d'un outil pour accomplir des miracles dans la vie des êtres humains.

Prière du jour

Je demande de laisser la puissance de Dieu agir par mon intermédiaire aujourd'hui. Je demande de me débarrasser de ces blocs mentaux qui gardent Sa puissance en dehors de moi.

J'ai perdu plusieurs de mes ressentiments. Je me suis rendu compte que cela ne me donne rien de me venger des autres. Quand nous tentons d'obtenir vengeance, au lieu de nous sentir mieux, nous nous sentons frustrés et insatisfaits. Au lieu de punir nos ennemis, nous n'avons que nui à notre paix d'esprit. Nous n'avons aucun avantage à nourrir un ressentiment; cela nous fait plus de mal à nous-mêmes qu'aux autres. La haine est la cause de la frustration, des conflits intérieurs et de la névrose. Si nous exprimons de la haine, nous deviendrons détestables. Si nous sommes détestables, on aura du ressentiment envers nous. Si nous n'aimons pas les gens, ils ne nous aimeront pas. L'esprit de vengeance est un puissant poison en nous-mêmes. *Ai-je perdu mes ressentiments?*

Méditation du jour

Ce n'est pas tant vous que la grâce de Dieu qui aide ceux qui vous entourent. Si vous voulez aider même ceux que vous n'aimez guère, vous devez vous assurer qu'il n'y a rien en vous pour fermer la route, pour empêcher la grâce de Dieu de se servir de vous. Votre orgueil et votre égoïsme sont les deux blocs mentaux les plus importants. Gardez-les en dehors de la route et la grâce de Dieu passera par vous dans la vie des autres. Alors tous ceux qui viendront en contact avec vous pourront être aidés de quelque façon. Gardez le canal ouvert, libre de ces choses qui rendent votre vie sans valeur et inefficace.

Prière du jour

Je demande que tous ceux qui viendront en contact avec moi se sentent mieux ensuite. Je demande de prendre soin de ne pas conserver en mon coeur ces choses qui éloignent les gens.

J'ai en bonne partie perdu mon complexe d'infériorité. J'essayais toujours de fuir la vie. Je ne voulais pas faire face à la réalité. J'étais plein de pitié pour moi-même. J'avais toujours de la peine à mon propre sujet. J'essayais d'éviter toutes les responsabilités. Je n'avais pas l'impression que je pouvais accepter la responsabilité de mon travail ou de ma famille. À cause de mon complexe d'infériorité, je désirais vivement être libre de toute responsabilité. Je voulais aller à la dérive; je voulais être au repos "sur la plage". Le mouvement A.A. m'a montré à dominer mon complexe·d'infériorité. Il m'a montré à désirer accepter de nouveau mes responsabilités. *Ai-je perdu mon complexe d'infériorité?*

Méditation du jour

"Je fais une chose, en oubliant le passé et en tendant mes efforts vers l'avenir, je me dirige vers le but à atteindre." Nous devrions oublier le passé et regarder vers l'avenir, vers quelque chose de meilleur. Nous pouvons croire que Dieu nous a pardonné tous nos péchés passés si nous essayons sincèrement de vivre aujourd'hui comme nous croyons qu'Il veut que nous vivions. Nous pouvons nettoyer parfaitement le tableau de notre passé. Nous pouvons recommencer aujourd'hui avec un tableau propre et aller de l'avant avec confiance vers le but qui nous a été assigné.

Prière du jour

Je demande d'abandonner le poids du passé. Je demande de recommencer aujourd'hui avec un coeur léger et une confiance nouvelle.

J'ai appris à penser de façon moins négative et plus positive. J'avais l'habitude de prendre une attitude négative devant presque tout. La plupart des gens, selon moi, n'étaient pas sincères. Il ne semblait pas exister beaucoup de bien dans le monde, mais beaucoup d'hypocrisie et d'imposture. On ne pouvait pas faire confiance aux gens. Ils vous tromperaient s'ils le pouvaient. Tous ceux qui allaient à l'église étaient pour la plupart des hypocrites. Il semblait que je devais tout prendre "avec un grain de sel". C'était mon attitude générale envers la vie. Maintenant, je pense de façon plus positive. J'ai confiance dans les gens et j'admets leurs talents. Il y a beaucoup d'amour, de vérité et d'honnêteté dans le monde. J'essaie de ne pas déprécier les gens. La vie semble avoir maintenant de la valeur et il fait bon vivre. *Est-ce que ma pensée est moins négative et plus positive qu'autrefois?*

Méditation du jour

Pensez à Dieu comme à un grand Ami et essayez de vous rendre compte de ce qu'il y a de merveilleux dans cette amitié. Quand vous donnez à Dieu non seulement de l'adoration, de l'obéissance, de la fidélité mais encore votre association amicale, Il devient votre ami tout comme vous êtes le sien. Vous pouvez vous apercevoir que vous travaillez, Lui et vous, ensemble. Il peut accomplir certaines choses pour vous et vous pouvez en accomplir pour Lui. Vos prières deviennent pour vous plus réelles lorsque vous avez l'impression que Dieu compte sur votre amitié et que vous comptez sur la Sienne.

Prière du Jour

Je demande de penser à Dieu comme à mon Ami. Je demande de croire que j'agis pour Lui et avec Lui.

Je suis moins replié sur moi-même. Autrefois, le monde tournait autour de moi et j'en étais le centre. Je m'inquiétais plus de moi-même, de mes propres besoins et désirs, de mes propres plaisirs, de ma manière d'agir, que de tout le reste du monde. Ce qui m'arrivait était plus important que tout ce à quoi je pouvais penser. J'étais égoïste en essayant d'être heureux et, en conséquence, j'étais, la plupart du temps, malheureux. J'ai compris que la recherche égoïste du plaisir n'apporte pas le vrai bonheur. Le fait de penser à moi-même continuellement me séparait de ce qu'il y a de meilleur dans la vie. Le mouvement A.A. m'a enseigné à me soucier moins de moi-même et à me soucier davantage de mon semblable. *Suis-je moins replié sur moi-même?*

Méditation du jour

Si quelque chose vous fait de la peine et si vous êtes découragé, essayez de penser que les difficultés et les problèmes de la vie n'ont pas pour but d'arrêter le progrès de votre vie spriituelle, mais de vérifier votre force et d'augmenter votre détermination de continuer vos efforts. Peu importent les circonstances, il vous faut les surmonter ou vous en servir. Rien ne devrait vous décourager pour longtemps: aucune difficulté ne devrait vous accabler complètement ou vaincre votre courage. La force de Dieu est toujours là, attendant que vous vous serviez d'elle, aucune épreuve ne peut être si grave que vous ne puissiez la surmonter ou, dans le cas contraire, vous en servir.

Prière du jour

Je demande d'apprendre qu'il ne peut exister de défaite avec Dieu. Je demande que, avec Son aide, je puisse vivre une vie remplie de victoires.

Quand je pense à tous ceux qui sont morts avant moi, je me rends compte que je ne suis qu'une personne pas tellement importante. Ce qui m'arrive n'est pas, après tout, si important. Et le mouvement A.A. m'a enseigné à m'oublier moi-même: à rechercher l'amitié en faisant au moins la moitié du chemin; à avoir un désir sincère d'aider les autres. J'ai maintenant plus de respect de moi-même, parce que je suis moins sensible. J'ai découvert que la seule façon de vivre à mon aise avec moi-même, c'est de m'intéresser vraiment aux autres. *Est-ce que je me rends compte que, après tout, je ne suis pas tellement important?*

Méditation du jour

Quand vous réfléchissez à votre vie passée, il n'est pas trop difficile de croire que vos difficultés se sont produites dans un certain but, pour vous préparer à un travail important dans votre vie. Tout, dans votre vie, peut avoir été préparé selon un plan de Dieu pour vous rendre utile ici-bas. La vie de chaque personne est comme une mosaïque. Chaque chose qui vous est arrivée est comme une petite pierre dans cette mosaïque, et chaque petite pierre a sa place exacte dans le plan de la mosaïque de votre vie, qui a été préparé par Dieu.

Prière du jour

Je demande de n'avoir pas besoin de connaître tout le plan de ma vie. Je demande de faire confiance au Dessinateur du plan de mon existence.

Je critique moins les autres, dans le mouvement A.A. et ailleurs. J'avais l'habitude de toujours déprécier les gens. Je me rends compte maintenant que c'était parce que, inconsciemment, j'essayais de me grandir aux yeux des autres. J'enviais les autres qui vivaient des vies normales. Je ne pouvais pas comprendre pourquoi je ne pouvais être comme eux. Et alors je les méprisais. Je les traitais d'efféminés, ou d'hypocrites. Je cherchais toujours des défauts aux autres. J'aimais déchirer à belles dents ceux que j'appelais des "collets montés". Je me suis aperçu que je ne peux jamais rendre une personne meilleure en la critiquant. Le mouvement A.A. m'a enseigné cette leçon. *Est-ce que je critique moins les gens?*

Méditation du jour

Vous devez admettre votre impuissance avant que votre prière pour demander de l'aide ne soit entendue par Dieu. Vous devez reconnaître votre propre faiblesse avant de pouvoir demander à Dieu la force dont vous avez besoin pour répondre à ce besoin. Mais quand ce besoin est reconnu votre prière est entendue mieux que tous les concerts célestes. Ce ne sont pas les discussions théologiques qui règlent les problèmes de l'âme qui cherche, mais le cri sincère de cette âme qui demande du secours, et la certitude de cette âme que son cri sera entendu et exaucé.

Prière du jour

Je demande de réclamer silencieusement de l'aide. Je demande d'être convaincu que mon cri sera entendu quelque part, de quelque façon.

Qui suis-je pour juger les autres? Est-ce que j'ai prouvé par mes grands succès dans la vie que je connais toutes les réponses? Exactement le contraire. Jusqu'au jour où je suis venu au mouvement A.A., ma vie était ce qu'on appelle une vie manquée. J'ai commis toutes les erreurs qu'un homme peut commettre. J'ai pris les mauvaises routes chaque fois que je le pouvais. D'après mon passé, suis-je en mesure de juger mes semblables? Difficilement. Dans le mouvement A.A., j'ai appris à ne pas juger les autres. Que le résultat de leurs actes soit leur juge. Ce n'est pas à moi de les juger. *Suis-je moins sévère dans mes jugements concernant les autres?*

Méditation du jour

Pendant nos périodes de méditation, nous semblons entendre de nouveau ces paroles: "Venez à moi vous qui êtes fatigués et qui ployez sous le fardeau, et je vous donnerai le repos." Souvent, nous semblons entendre Dieu qui nous dit: "Venez à moi" pour la solution de chaque problème, pour surmonter chaque tentation, pour calmer chaque crainte, pour tous nos besoins physiques, mentaux ou spirituels; mais surtout "venez à moi" pour trouver la paix de l'esprit et la possibilité d'être utiles et efficaces.

Prière du jour

Je demande de prier Dieu aujourd'hui pour obtenir ces choses qui m'aident à vivre. Je demande de trouver la véritable paix de l'esprit.

Au lieu de juger un homme, vous pouvez chercher tout le bien qu'il est possible de trouver en lui. Si vous cherchez suffisamment et assez longtemps vous devriez pouvoir trouver quelque chose de bon dans chaque humain. Dans le mouvement A.A., j'ai appris que mon travail consiste à tenter de faire ressortir le bien, et non pas à critiquer ce qu'il y a de mauvais. Chaque alcoolique a l'habitude d'être jugé et critiqué. Cela ne l'a jamais aidé à devenir sobre. Dans A.A. nous lui disons qu'il peut changer. Nous essayons de souligner ce qu'il y a de mieux en lui. Nous encourageons ses qualités et nous ignorons ses défauts autant que possible. La critique ne convertit pas les gens. *Est-ce que je recherche ce qu'il y a de bon dans les gens?*

Méditation du jour

Il doit exister dans l'esprit de Dieu des desseins précis en ce qui a trait au monde. Nous pouvons croire que Son plan pour le monde comporte la fraternité universelle des humains soumise à la paternité de Dieu. Le plan de votre vie doit aussi exister dans l'esprit de Dieu. Dans vos périodes de méditation, vous pouvez rechercher les directives de Dieu afin qu'Il vous révèle Son plan pour votre journée. Vous pouvez ensuite vivre ce jour selon cette inspiration. Bien des humains ne font pas de leur vie ce que Dieu avait l'intention qu'elle soit, et c'est pourquoi ils sont malheureux. Ils ne vivent pas d'après le plan qui a été prévu pour leur vie.

Prière du jour

Je demande d'essayer de me conformer au plan que Dieu a préparé pour moi pour aujourd'hui. Je demande de saisir le sens des desseins divins dans mes actions d'aujourd'hui.

Je suis moins impressionnable et mes sentiments ne sont pas blessés aussi facilement. Je ne me prends plus moi-même autant au sérieux. Autrefois, il n'en fallait pas beaucoup pour m'insulter, pour que j'eus l'impression d'être méprisé ou laissé de côté. Ce qui m'arrive maintenant n'est pas aussi important. Une des raisons pour lesquelles nous buvions, c'est que nous ne pouvions accepter les mauvaises situations; alors nous prenions la fuite. Nous avons appris à recevoir les coups, si nécessaire, sans broncher et avec le sourire. Un homme qui comprend bien l'association A.A. ne remarquera pas autant les manques d'égards personnels. Ils ne semblent pas avoir autant d'importance. J'ai appris à rire de mon apitoiement sur mon sort, parce que c'est tellement enfantin. *Suis-je moins impressionnable?*

Méditation du jour

La puissance miraculeuse de Dieu est aussi évidente aujourd'hui que dans le passé. Elle effectue encore des miracles de transformation dans les vies et des miracles pour le rétablissement des esprits déséquilibrés. Lorsqu'une personne se confie parfaitement à Dieu et Lui laisse le choix du jour et de l'heure, la puissance miraculeuse de Dieu se manifeste soudain dans la vie de cet être humain. Nous pouvons donc avoir une confiance sans limite en Dieu et en Sa puissance infinie qu'il nous rétablira parfaitement lorsqu'Il choisira de le faire.

Prière du jour

Je demande d'être certain que rien n'est impossible à Dieu pour changer ma vie. Je demande d'avoir confiance en Sa puissance miraculeuse.

Je me suis débarrassé de la plupart de mes conflits intérieurs. J'étais toujours en guerre contre moi-même. Je faisais des choses que je ne voulais pas faire. Je me réveillais dans des endroits inconnus et je me demandais comment je m'y étais rendu. J'étais complètement insouciant lorsque j'étais ivre et rempli de remords quand j'étais sobre. Ma vie était absurde. Elle était faite de résolutions qui n'étaient pas tenues, et d'espoirs et de plans frustrés. Rapidement je courais à ma perte. Pas étonnant que mes nerfs aient été à bout. Je me frappais contre un mur de pierre et j'en étais étourdi. Le mouvement A.A. m'a enseigné à mettre de l'ordre dans ma vie et à cesser de combattre contre moi-même. *Suis-je débarrassé de mes conflits intérieurs?*

Méditation du jour

"Quand deux ou trois personnes sont réunies en Mon nom, je suis au milieu d'elles." L'esprit de Dieu descend sur ses adorateurs quand ils sont ensemble en même temps, en un lieu et d'un commun accord. Quand deux ou trois âmes inspirées sont ensemble dans un endroit de réunion, l'esprit de Dieu est présent pour les aider et les guider. Lorsque des gens sincères sont ensemble, recherchant respectueusement l'aide de Dieu, Sa puissance et Son esprit sont là pour les inspirer.

Prière du jour

Je demande d'être en accord avec mes semblables. Je demande de ressentir la force d'un groupe inspiré.

Chaque être humain a deux personnalités, une bonne et une mauvaise. Jusqu'à un certain point, nous sommes tous doués de deux personnalités. Quand nous buvions, la mauvaise personnalité dominait la situation. Nous posions des actes, lorsque nous étions ivres, que nous n'aurions jamais posés si nous avions été sobres. Quand nous devenons sobres, nous sommes tout à fait différents. Alors nous nous demandons comment nous avons pu faire de telles choses. Mais nous buvons de nouveau et de nouveau notre mauvais côté se manifeste. Et ainsi de suite, d'une personnalité à l'autre, toujours dans la confusion. Cette division de nous-mêmes n'est pas bonne; nous devons, d'une façon ou de l'autre, retrouver notre unité. Nous y arrivons en nous donnant de tout coeur au mouvement A.A. et à notre sobriété. *Est-ce que j'ai complété l'unification de ma personnalité?*

Méditation du jour

"Très bien, bon et fidèle serviteur. Entre dans la joie de ton Seigneur." Ces mots s'adressent à plusieurs personnes ordinaires que le monde peut oublier, sans les reconnaître. Ces mots ne sont pas adressés aux personnes célèbres, orgueilleuses, riches, mais aux paisibles fidèles qui servent Dieu sans ostentation, mais avec fidélité, qui portent leur croix bravement et découvrent au monde un visage souriant. "Entre dans la joie de ton Seigneur." Connais cette vie spirituelle plus intense, qui est la vie de la joie et de la paix.

Prière du jour

Je demande de ne pas désirer les applaudissements du public. Je demande de ne pas rechercher de récompenses parce que j'accomplis ce que je crois être le bien.

J'ai fini de temporiser. Je remettais toujours les choses à demain et, comme résultat, rien ne se faisait. "Il y a toujours une autre journée", tel était mon dicton, au lieu de celui qui dit: "Faites-le maintenant." Sous l'influence de l'alcool, j'avais des plans grandioses. Quand j'étais sobre, j'étais trop occupé à me remettre de ma cuite pour commencer quoi que ce soit. "Un jour, je ferai cela" — mais je ne le faisais jamais. Dans le mouvement A.A., j'ai appris qu'il est mieux de commettre une erreur de temps à autre que de ne jamais rien faire du tout. Nous apprenons par nos tentatives et nos erreurs. Mais nous devons agir maintenant et ne pas tout remettre à demain. *Ai-je appris à le faire maintenant?*

Méditation du jour

"Ne cachez pas votre flambeau sous le boisseau. Levez-vous et brillez car la lumière est arrivée et la gloire de Dieu s'est levée en vous." La gloire du Seigneur resplendit dans la beauté du caractère d'un être humain. Elle s'est levée en vous, même si vous ne pouvez guère vous en rendre compte. "Maintenant vous ne voyez que comme à travers du verre dépoli, mais plus tard vous verrez parfaitement." La gloire du Seigneur est trop éblouissante pour que les mortels puissent la contempler sur terre. Mais une certaine quantité de cette gloire existe en vous quand vous essayez de refléter cette lumière dans votre vie.

Prière du jour

Je demande d'essayer de refléter cette lumière divine. Je demande que certains de ses rayons puissent resplendir dans ma vie.

Dans le mouvement A.A., nous ne parlons pas beaucoup des problèmes sexuels. Et pourtant, grâce à notre nouveau mode de vie, une de nos récompenses a été de mettre de l'ordre dans notre vie sexuelle. Le **gros livre** déclare que plusieurs d'entre nous avaient besoin de corriger certaines choses dans ce domaine. Il ajoute que nous avons soumis chaque relation sexuelle à ce principe: était-elle égoïste ou non? "Nous nous sommes toujours rappelés que nos puissances sexuelles viennent de Dieu et sont, par conséquent bonnes: qu'elles ne doivent pas être employées à la légère; que nous ne devons ni les mépriser, ni les avoir en aversion." Nous pouvons demander à Dieu de former notre idéal et de nous aider à vivre selon cet idéal. Nous pouvons agir en conséquence. *Est-ce que j'ai la maîtrise nécessaire de ma vie sexuelle?*

Méditation du jour

"Je lèverai mes yeux vers les sommets d'où me vient mon secours." Essayez de détacher vos yeux des choses sordides, méprisables et impures de la terre, pour les élever vers les sommets de la bonté, de la décence et de la beauté. Améliorez votre pensée en essayant de choisir ce qu'il y a de plus parfait. Formez-la de plus en plus, jusqu'à ce que les sommets vous deviennent familiers. Les lieux élevés où se trouve le Seigneur, d'où vous vient votre secours, seront alors moins éloignés de vous et vous seront plus chers; et les fausses valeurs de la terre sembleront plus lointaines.

Prière du jour

Je demande de ne pas toujours diriger mes yeux vers la terre. Je demande de porter mes regards vers ce qui est plus élevé.

Je n'essaie plus de fuir la vie dans l'alcoolisme. La boisson a construit pour moi un monde irréel et j'ai essayé d'y vivre. Mais le matin, la vie réelle était revenue et il m'était plus difficile que jamais d'y faire face parce que j'avais de moins en moins de ressources. Chaque tentative d'évasion affaiblissait ma personnalité à cause de cette tentative elle-même. Chacun sait que l'alcool, en provoquant la détente, permet de fuir la réalité. L'alcool amortit les cellules du cerveau qui correspondent à nos plus nobles facultés, et c'est ainsi que nous disparaissons dans le monde de l'ivresse. Le mouvement A.A. m'a enseigné à ne pas fuir la réalité, mais à lui faire face. *Est-ce que j'ai cessé d'essayer de fuir la vie?*

Méditation du jour

Pendant ces périodes de méditation, essayez de plus en plus de placer votre espoir dans la grâce de Dieu. Sachez que, peu importe ce que l'avenir peut vous réserver, il vous apportera du bien en quantité de plus en plus considérable. Que vos espoirs et vos désirs ne portent pas seulement sur les biens matériels. On se dégoûte d'une trop grande abondance. Que vos espoirs portent sur les biens spirituels en vue de votre croissance spirituelle. Apprenez à avoir de plus en plus confiance dans la puissance de Dieu, et dans cette confiance vous comprendrez l'importance des choses de l'esprit.

Prière du jour

Je demande de n'être pas dominé par les biens matériels. Je demande de me rendre compte de la valeur supérieure des choses spirituelles.

Je ne gaspille plus mon argent, mais j'essaie d'en faire bon usage. Comme chacun de nous, lorsque j'étais ivre, je jetais mon argent de tous côtés, "comme un marin saoûl". J'avais ainsi l'impression d'être important — j'étais millionnaire pour un jour. Mais le lendemain matin, avec un porte-monnaie vide et peut-être des chèques indéchiffrables par-dessus le marché, c'était un pénible réveil. L'une des choses les plus difficiles à accepter, c'est l'argent gaspillé. Comment avais-je pu être aussi fou? Comment pourrais-je jamais retrouver cet argent? De telles pensées vous découragent. Quand nous sommes sobres, nous dépensons notre argent difficilement gagné comme il doit être dépensé. Même si certains d'entre nous pourraient être plus généreux envers le mouvement A.A., du moins nous ne gaspillons pas notre argent. *Est-ce que je fais un bon usage de mon argent?*

Méditation du jour

Vous avez été créé pour être chez vous et à votre aise dans le monde. Et pourtant, certaines personnes ont une vie de véritable désespoir. C'est là le contraire d'être à l'aise et en paix dans l'univers. Que votre paix d'esprit soit évidente à ceux qui vous entourent. Les humains devraient s'apercevoir que vous êtes heureux, et, en le constatant, devraient savoir que votre bonheur vient de votre confiance en une Puissance supérieure. La méthode difficile et terne de la résignation n'est pas la méthode de Dieu. La foi enlève son aiguillon à l'adversité et apporte la paix qui demeure, même dans l'effort.

Prière du jour

Je demande d'être plus heureux dans mon mode de vie. Je demande de me sentir plus chez moi et en paix avec moi-même.

Je suis presque entièrement débarrassé de l'ennui. Une des choses les plus difficiles que doit comprendre un nouveau membre A.A., c'est notre méthode pour demeurer sobres sans s'ennuyer. La boisson nous permettait toujours de nous débarrasser des gens ou des situations qui nous ennuyaient. Mais quand vous aurez pris à coeur les intérêts du mouvement A.A., quand vous lui aurez donné votre temps et votre enthousiasme, l'ennui ne devrait plus être pour vous un problème. Une nouvelle vie débute pour vous et elle peut être toujours intéressante. La sobriété devrait vous procurer de nouveaux sujets d'intérêt dans la vie, de sorte que vous ne devriez pas avoir le temps de vous ennuyer. *Est-ce que je me suis libéré de la peur de m'ennuyer?*

Méditation du jour

"Si je n'ai pas la charité, je suis comme une cymbale retentissante." Le mot charité signifie que vous vous intéressez suffisamment à votre semblable pour faire quelque chose pour lui. Un sourire, un mot d'encouragement, un mot d'amour donne de merveilleux résultats, si simple que cela paraisse, alors que les paroles vibrantes d'un orateur tombent dans des oreilles sourdes. Employez les moments vides de votre journée à essayer de faire quelque chose pour encourager d'autres humains. Vous vous ennuyez parce que vous pensez trop à vous-même.

Prière du jour

Je demande que ma journée soit améliorée par quelques modestes actes de charité. Je demande d'essayer de surmonter mon égoïsme qui est le canal de mon ennui.

Je ne refuse plus de faire quelque chose parce que je suis incapable de le faire à la perfection. Plusieurs alcooliques ont l'habitude de se servir de l'excuse qu'ils ne peuvent pas faire une chose parfaitement pour ne rien faire du tout. Nous prétendons être des "perfectionistes." Nous sommes très bons pour dire aux autres comment une chose devrait être faite, mais quand arrive le temps de l'effort pour la faire nous-mêmes, nous refusons. Nous nous disons: je pourrais commettre une erreur, alors aussi bien laisser cela à d'autres. Dans le mouvement A.A., nos objectifs sont élevés mais cela ne nous empêche pas **d'essayer** de les atteindre. Le seul fait que nous ne les atteindrons jamais pleinement ne nous empêche pas de faire notre possible. *Ai-je cessé de me cacher derrière l'écran de fumée de la perfection?*

Méditation du jour

"Dans le monde, vous serez en proie à l'adversité. Mais prenez courage, j'ai vaincu le monde." Que votre esprit ne soit pas inquiet. Gardez votre esprit libre et sans défaite. Vous pouvez éviter d'être vaincu et écrasé par l'insuccès et toute sa puissance, en laissant votre esprit l'emporter sur le monde; élevez-vous au-dessus du tumulte de la terre dans le lieu secret de la paix et de la confiance parfaites. Quand on vous lance un défi, rappelez-vous que vous avez l'aide de Dieu et que rien ne peut vous vaincre complètement.

Prière du jour

Je demande d'avoir confiance et d'être courageux. Je demande de ne pas craindre le pouvoir de l'insuccès.

Au lieu de prétendre à la perfection, dans le mouvement A.A., nous sommes satisfaits de faire du progrès. Le principal, c'est d'avancer. Nous nous rendons compte que le prétexte de la perfection n'est que le résultat de notre vanité et une excuse pour sauver les apparences. Dans le mouvement A.A., nous acceptons de commettre des erreurs et de trébucher, à condition de toujours trébucher pour le mieux. Nous ne sommes pas tellement intéressés à ce que nous sommes, mais à ce que nous devenons. Nous sommes en route, mais nous ne sommes pas encore arrivés au but. Et nous serons en route tant que nous serons vivants. Aucun membre A.A. n'est jamais "arrivé". Mais nous nous améliorons. *Est-ce que je fais du progrès?*

Méditation du jour

Chaque nouveau jour nous apporte une occasion d'accomplir quelque chose qui aidera à rendre le monde meilleur, qui fera que le royaume de Dieu sera un peu plus près de se réaliser sur terre. Prenez les événements de chaque jour comme des occasions d'accomplir quelque chose pour Dieu. Dans cet esprit, tout ce que vous ferez sera béni. En offrant vos services d'aujourd'hui à Dieu, vous collaborerez à Son oeuvre. Vous n'avez pas besoin d'accomplir de grandes choses.

Prière du jour

Je demande qu'aujourd'hui je fasse de ma prochaine action une action généreuse, une action d'amour. Je demande d'être satisfait d'accomplir des actes ordinaires, à condition qu'ils soient bons.

Je ne suis pas aussi envieux à l'égard des autres et je ne suis pas aussi jaloux de ce qu'ils possèdent ou de leurs talents. Quand je buvais, j'étais secrètement rempli de jalousie et d'envie envers les autres qui pouvaient boire comme des gens respectables, qui avaient le respect et l'amour de leurs familles, qui vivaient une vie normale et étaient acceptés comme égaux par leurs semblables. Je me disais à moi-même que j'étais aussi bon qu'eux, mais je savais que je ne l'étais pas. Maintenant, je n'ai plus besoin d'être envieux. J'essaie de ne pas désirer ce que je ne mérite pas. Je suis satisfait de ce que j'ai gagné par mes efforts pour faire une bonne vie. Que ceux qui sont plus parfaits aient plus d'autorité. Au moins, j'essaie de m'améliorer. *Me suis-je débarrassé du poison de l'envie?*

Méditation du jour

"Mon âme est sans repos jusqu'à ce qu'elle trouve son repos en Vous." La rivière coule jusqu'à ce qu'elle se perde dans la mer. Notre esprit désire le repos dans l'esprit de Dieu. Nous désirons une paix, un repos, une satisfaction que nous n'avons jamais trouvés dans le monde ou ses oeuvres. Certains ne connaissent pas leur besoin et ferment les portes de leurs esprits à l'esprit de Dieu. Ils sont incapables de trouver la véritable paix.

Prière du jour

Je demande d'éprouver l'inquiétude divine. Je demande que mon âme trouve son repos en Dieu.

Continuons nos réflexions au sujet des récompenses que nous avons obtenues grâce à notre nouveau mode de vie: nous constatons que nous nous sommes libérés d'une bonne partie de nos craintes et de nos ressentiments, de notre complexe d'infériorité, de nos points de vue négatifs, de notre égoïsme, de la critique des autres, de notre trop grande sensibilité, de nos conflits intérieurs, de notre habitude de tout remettre à plus tard, de notre manque de discipline sexuelle, du gaspillage de notre argent, de notre faux désir de la perfection ainsi que de la jalousie et de l'envie envers les autres. Nous sommes heureux d'être débarrassés de la boisson et nous sommes aussi heureux d'être débarrassés de ces autres faiblesses. Nous pouvons maintenant aller de l'avant dans notre nouveau mode de vie comme nous l'enseigne le mouvement A.A. *Suis-je prêt à aller de l'avant dans notre nouveau mode de vie?*

Méditation du jour

"Que celui qui a des yeux pour voir, voie." Pour l'oeil qui voit, le monde est bon. Priez pour obtenir que vos yeux voient, qu'ils découvrent le but de Dieu dans tout ce qu'il y a de bon. Demandez assez de foi pour découvrir la bonté de Dieu dans ses relations avec vous. Essayez de voir comment il vous a conduit avec sécurité pendant votre vie passée pour que vous soyez utile sur terre. Avec les yeux de la foi, vous pouvez comprendre la bonté et le but de Dieu partout.

Prière du jour

Je demande des yeux qui voient. Je demande de voir, grâce aux yeux de la foi, le but de Dieu en tout.

La méthode A.A. est la méthode de la sobriété, de l'association, du service et de la foi. Prenons chacun de ces points et voyons si nous sommes dans la bonne voie. Le premier et le plus important de ces points, c'est la sobriété. Les autres ont comme fondement la sobriété. Nous ne pourrions avoir les autres sans la sobriété. Nous venons tous au mouvement A.A. pour devenir sobres et nous y demeurons pour aider les autres à devenir sobres. Nous cherchons la sobriété d'abord, en dernier et tout le temps. Nous ne pouvons obtenir aucune sorte de vie normale sans rester sobres. *Suis-je dans la véritable voie A.A.?*

Méditation du jour

Le bonheur de l'être humain se trouve dans son désir sincère d'accomplir la volonté de Dieu. Nous commençons par désirer que tout arrive selon nos désirs. Nous désirons satisfaire notre propre volonté. Nous accaparons mais nous ne donnons pas. Peu à peu, nous constatons que nous ne sommes pas heureux quand nous sommes égoïstes, et alors nous commençons à faire une certaine place aux volontés des autres. Mais encore là, nous ne trouvons pas pleinement le bonheur, et nous commençons à songer que la seule façon d'être vraiment heureux, c'est d'essayer d'accomplir la volonté de Dieu. Pendant ces périodes de méditation, nous cherchons à obtenir l'inspiration qui nous permettra de connaître la volonté de Dieu à notre égard.

Prière du jour

Je demande de soumettre ma volonté à la volonté de Dieu. Je demande d'être inspiré aujourd'hui de manière à découvrir Sa volonté à mon égard.

La méthode A.A. est la méthode de la sobriété. Le mouvement A.A. est reconnu comme une méthode qui a obtenu du succès auprès des alcooliques. Des médecins, des psychiatres et des membres du clergé ont eu du succès. Certains hommes et certaines femmes sont devenus sobres par eux-mêmes. Nous croyons que le mouvement A.A. est la méthode qui a eu le plus de succès et la méthode la moins pénible de trouver la sobriété. Et pourtant, même le mouvement A.A. ne réussit évidemment pas pleinement. Certains sont incapables de trouver la sobriété et certains autres retombent dans l'alcoolisme après avoir obtenu une certaine mesure de sobriété. *Suis-je profondément reconnaissant d'avoir trouvé le mouvement A.A.?*

Méditation du jour

La gratitude envers Dieu est le thème de la fête d'Action de Grâces. Les pèlerins se réunissent pour remercier Dieu de leurs récoltes, qui étaient vraiment peu de chose. Quand nous regardons autour de nous et quand nous constatons tout ce que nous possédons aujourd'hui, comment pouvons-nous hésiter à être reconnaissants envers Dieu? Nos familles, nos maisons, nos amis, notre fraternité A.A.; toutes ces choses sont des dons gratuits de Dieu à notre égard. "Sans la grâce de Dieu", nous ne les aurions pas.

Prière du jour

Je demande d'être très reconnaissant aujourd'hui. Je demande de ne pas oublier où je serais peut-être, sans la grâce de Dieu.

La méthode A.A. est la méthode de la sobriété, et pourtant il y a des rechutes. Pourquoi ces rechutes se produisent-elles? Pourquoi n'acceptons-nous pas tous le mouvement A.A. et pourquoi ne demeurons-nous pas tous sobres ensuite? Il y a bien des raisons, mais il est prouvé que, après être devenus alcooliques, nous ne pouvons plus jamais boire de nouveau normalement. On n'a jamais, à notre connaissance, fait la preuve du contraire. Nombre d'alcooliques ont essayé de boire après une période de sobriété variant entre quelques jours et quelques années, et personne, à notre connaissance, n'a réussi à devenir un buveur normal. *Pourrais-je être la seule exception à cette règle?*

Méditation du jour

"Nous sommes réunis ensemble en Votre nom." D'abord, nous sommes réunis ensemble, liés par une commune loyauté envers Dieu et les uns envers les autres. Alors quand cette condition est remplie, Dieu est présent parmi nous. Ensuite, quand Dieu est là et avec nous, nous exprimons une commune prière. Alors il arrivera que notre prière recevra une réponse qui correspondra à la volonté de Dieu. Et quand notre prière est exaucée, nous sommes liés ensemble en une fraternité durable de l'esprit.

Prière du jour

Je demande d'être fidèle à Dieu et à mes compagnons humains. Je demande que ma vie aujourd'hui soit vécue en union avec Sa vie et avec les leurs.

Dans le mouvement A.A., il y a des rechutes. On a dit que ces dernières n'étaient pas des rechutes mais bien des cuites préméditées, parce qu'il faut penser à la boisson avant d'en prendre. La pensée précède toujours l'acte. On a suggéré qu'un membre (homme ou femme) devrait toujours appeler un autre membre A.A. avant de prendre ce premier verre. Quand on ne l'a pas fait, il est probable qu'on avait décidé de prendre ce verre de toute façon. Et pourtant, les pensées qui précèdent le premier verre sont souvent en bonne partie subconscientes. D'habitude, l'homme (ou la femme) ne sait pas consciemment ce qui l'a fait boire. C'est pourquoi on appelle d'habitude ces événements des rechutes. *Suis-je sur mes gardes au sujet de la mauvaise façon de penser?*

Méditation du jour

"Le Dieu éternel est ton refuge." Il est un sanctuaire, un refuge contre les soucis de la vie. Vous pouvez vous éloigner de l'incompréhension des autres en vous retirant dans votre propre lieu de méditation. Mais où irez-vous pour vous éloigner de vous-même, de votre découragement, de votre faiblesse et de vos défauts? Vous ne pouvez aller que vers le Dieu éternel, votre refuge, jusqu'à ce que Son esprit enveloppe votre esprit qui perdra sa petitesse et sa faiblesse et retrouvera son harmonie avec l'esprit de Dieu.

Prière du jour

Je demande de perdre mes restrictions dans l'immensité de l'amour de Dieu. Je demande que mon esprit soit en harmonie avec Son esprit.

La manière de penser qui précède une rechute est souvent influencée par le subconscient. On peut se demander si notre subconscient est jamais totalement libéré des obsessions alcooliques. Ainsi, même après plusieurs années de sobriété dans A.A., quelques-uns d'entre nous rêvent encore la nuit qu'ils sont ivres. Cela vient du fait que, durant notre période de vie alcoolique active, notre subconscient a été fortement imprégné par notre façon de penser d'alors. Il serait sans doute téméraire d'affirmer que notre subconscient soit à jamais libéré de cette ancienne façon de penser. Mais lorsque nos esprits sont parfaitement immunisés contre la boisson, il est rare que nous soyons troublés par notre subconscient. *Est-ce que je continue à soumettre mon esprit au mode de vie A.A.?*

Méditation du jour

Si nous éprouvons de la sympathie et de la compassion pour tous ceux qui sont aux prises avec la tentation, ne sommes-nous pas quelquefois tentés nous-mêmes? Nous sentons également que nous avons des responsabilités envers eux. La sympathie implique toujours la responsabilité. La pitié est inutile parce qu'elle n'apporte aucun remède au mal. Mais la sympathie doit s'accompagner de responsabilité. Lorsque quelqu'un dans le besoin attire notre compassion, nous courons vers lui afin de l'aider de notre mieux.

Prière du jour

Je demande d'éprouver de la sympathie pour ceux qui sont aux prises avec la tentation. Je demande de compatir aux tribulations des autres.

Les pensées qui précèdent une rechute semblent en partie provenir du subconscient. Et pourtant il est probable qu'au moins certaines de ces idées se révèlent à notre pensée consciente. Supposons qu'une pensée ayant trait à l'alcool surgisse dans notre esprit, voilà le moment crucial. Vais-je entretenir cette idée, ne serait-ce qu'une minute ou, alors, la rejetterai-je sur-le-champ? Car, si cette idée demeure, elle deviendra vite une rêverie. Et l'image d'un verre de bière fraîche ou d'un cocktail se présentera à mon imagination. Et si cette rêverie se continue elle peut m'amener, même inconsciemment, à la décision de prendre un verre. Je me prépare alors une rechute. *Est-ce que je me laisse aller à la rêverie?*

Méditation du jour

Plusieurs d'entre nous ont une certaine idée de la sorte d'hommes que Dieu veut que nous soyons. Nous devons tendre vers cet idéal, quel qu'il soit, en essayant de vivre conformément à nos aspirations. Nous pouvons croire que Dieu sait ce qu'Il désire que nous soyons. En tout homme il y a l'homme bon, celui que Dieu voit en lui et qu'il voudrait qu'il soit. Mais bien des hommes faillissent à la tâche et nombreuses doivent être les déceptions de Dieu.

Prière du jour

Je demande de travailler à devenir le genre de personne que Dieu désire que je sois. Je demande d'essayer de correspondre à l'idée de Dieu au sujet de l'homme que je pourrais être.

Chaque rechute est précédée d'une pensée alcoolique consciente ou inconsciente. Tant que nous vivons, nous devons nous tenir aux aguets devant ces idées et rester sur nos gardes. De fait, notre formation chez les A.A. a pour but principal de nous préparer à reconnaître ces idées dès qu'elles apparaissent dans notre esprit et à les rejeter sur-le-champ. Les rechutes se produisent quand nous permettons à ces idées de trotter dans nos esprits, avant même que nous portions un verre à nos lèvres. Le programme A.A. est donc, dans une large mesure, une éducation mentale. *Jusqu'à quel point mon esprit est-il préparé?*

Méditation du jour

Ne vous tourmentez pas l'esprit avec des mystères que vous ne pouvez pas expliquer. Peut-être que, de toute votre vie, vous n'en connaîtrez pas la solution. Ainsi, peut-être ne vous expliquerez-vous jamais, ici-bas, la perte d'êtres chers, les inégalités de la vie, les infirmités et les blessures, et bien d'autres choses qui resteront obscures en attendant l'au-delà. "J'ai encore beauoup de choses à vous dire, mais vous ne pouvez les comprendre maintenant." C'est seulement pas à pas, étape par étape que vous pouvez progresser dans vos efforts pour connaître et comprendre davantage.

Prière du jour

Je demande d'être satisfait de croire que ce qui est obscur pour moi aujourd'hui me sera clairement révélé un jour. Je demande de croire qu'un jour je pourrai voir parfaitement.

Toute idée alcoolique qui hante quelque temps notre esprit devient un danger de rechute. Donc, il nous faut écarter ces idées sans retard en refusant de les admettre, et **en leur opposant immédiatement des pensées constructives.** N'oubliez pas que l'alcool est pour vous un poison. N'oubliez pas qu'il vous est impossible de boire normalement. Rappelez-vous qu'un verre en appelle plusieurs autres et qu'éventuellement vous serez ivre. Rappelez-vous ce qui vous est arrivé autrefois quand vous buviez. Pensez aux merveilleuses raisons que vous avez trouvées dans A.A. de ne pas toucher au premier verre. Remplissez votre esprit de pensées positives. *Est-ce que mes pensées sont toujours constructives?*

Méditation du jour

Cherchez toujours à mettre de côté les valeurs qui, dans le monde, vous semblent fausses et essayez plutôt de juger seulement à travers le prisme des valeurs qui vous semblent bonnes. Ne recherchez pas trop les félicitations et l'attention des hommes. Soyez de ceux qui, malgré certaines critiques acerbes, conservent une sérénité et une paix d'esprit que ne connaîtront jamais les auteurs de ces critiques. Soyons de ceux qui sentent la présence du divin Principe dans l'univers et non de ceux qui Le rejettent parce qu'ils ne peuvent Le voir.

Prière du jour

Je demande de ne pas trop tenir compte du jugement des hommes. Je demande d'apprécier les choses d'après ce qui me semble juste.

En dépit de tout ce que nous avons appris dans le mouvement A.A., notre ancienne façon de penser revient à la surface, parfois avec une force écrasante, et, occasionnellement, quelques-uns d'entre nous ont des rechutes. Nous oublions ou refusons de demander l'aide de la Puissance supérieure. Nous semblons volontairement oublier la méthode A.A. et c'est une nouvelle cuite. Et nous retombons temporairement à notre point de départ. Ceux qui ont eu des rechutes sont unanimes à déclarer qu'ils n'y ont trouvé aucun plaisir. Ils avouent que le mouvement A.A. leur a enlevé toute satisfaction à boire. Ils savaient qu'ils agissaient mal. Leur ancien état d'esprit faisait son apparition avec grande force. Ils étaient dégoûtés d'eux-mêmes. *Suis-je convaincu que je ne trouverai plus rien d'intéressant dans la boisson?*

Méditation du jour

Donnons un peu de nous-mêmes à ceux qui ont des difficultés, à ceux dont les pensées sont confuses. Donnons-leur de la sympathie, de notre temps. Donnons-leur de l'amour. Donnons-leur de cette confiance comme elle nous a été donnée par la grâce de Dieu. Donnons notre sympathie à ceux qui en ont tant besoin et qui sont prêts à l'accepter. Donnons selon les besoins et jamais selon les mérites des gens. Rappelons-nous que donner un conseil ne vaudra jamais le don de soi.

Prière du jour

Je demande de donner ce que j'ai reçu. Je demande de donner la bonne réponse à ceux qui sont dans la confusion.

Un membre a eu une rechute. Il a honte de lui-même. Il a parfois tellement honte de lui-même qu'il hésite à revenir aux A.A. Son ancien complexe d'infériorité revient en surface. Il a le remords d'avoir abandonné ses amis A.A. Il est désespéré et se croit incapable de réussir. Son état d'esprit est peut-être plus mauvais qu'à ses débuts. Cette rechute l'a probablement affaibli. Cependant, son expérience dans le mouvement A.A. ne peut pas être entièrement perdue. Il sait qu'il peut toujours revenir aux A.A. s'il le veut. Il sait que Dieu lui accordera son aide s'il Lui en fait de nouveau la demande. *Est-ce que je crois que je perdrai jamais complètement ce que le mouvement A.A. m'a appris?*

Méditation du jour

Personne n'est à l'épreuve de la tentation. Vous devez vous y attendre et être prêt quand elle se présente. Nul ne s'en sauve complètement. Vous devez vous tenir sur la défensive en y pensant et en priant chaque jour. Voilà la raison de ces méditations quotidiennes. Vous devez pouvoir reconnaître la tentation dès son apparition. La première chose à faire pour vaincre une tentation est de la reconnaître en tant que tentation et, ensuite, la chasser de votre esprt. Ne cherchez pas d'excuse pour y céder. Tournez-vous immédiatement vers la Puissance supérieure pour Lui demander de l'aide.

Prière du jour

Je demande d'être prêt à faire face à toutes les tentations. Je demande l'aide de Dieu pour bien les dépister et les éviter.

Un membre revient à A.A. après une rechute. Il est fortement tenté de n'en souffler mot à personne. Pas un seul membre A.A. ne peut d'ailleurs le forcer à en parler. Il n'en dépend que de lui. S'il connaît bien la méthode A.A., il se décidera de lui-même et, à une réunion suivante, il parlera de sa rechute. Il ne peut éviter ce devoir s'il est foncièrement honnête et désire vivre de nouveau le programme A.A. Quand il l'aura fait, la confiance lui reviendra et il se sentira de nouveau chez lui. Personne ne devrait lui reparler de sa rechute. Il sera de nouveau un bon membre A.A. *Suis-je tolérant quand il s'agit des fautes des autres?*

Méditation du jour

C'est dans l'union de l'âme à Dieu qu'on trouve la force, une nouvelle vie et la force spirituelle. Le pain soutient le corps, mais nous ne pouvons vivre que de pain. Essayer de faire la volonté de Dieu, voilà la source de la vraie vie. Nourrissons-nous de cet aliment spirituel. L'inanition de l'âme provient d'un manque de vie spirituelle. Le monde parle des corps sous-alimentés. Que dire des âmes sous-alimentées? La force et la paix sont des fruits de la nourriture spirituelle.

Prière du jour

Je demande de ne pas essayer de me nourrir de pain seulement. Je demande le désir d'essayer d'accomplir la volonté de Dieu comme je La comprends.

La durée de notre sobriété n'est pas aussi importante que la qualité de cette sobriété. L'état d'esprit d'un membre A.A. ayant plusieurs années de sobriété peut bien ne pas être aussi bon que celui d'un autre qui n'est que depuis quelques mois dans le mouvement. Nous sommes heureux d'être membres des A.A. depuis longtemps et nous le signalons souvent. Cela peut parfois aider les nouveaux membres qui se disent: "S'il peut le faire, je le peux moi aussi". Cependant les aînés dans le mouvement doivent se rappeler qu'aussi longtemps qu'ils vivront ils ne sont qu'à un verre d'une cuite. *Quelle est la qualité de ma sobriété?*

Méditation du jour

"Et vous ferez des choses plus grandes encore." Nous pouvons faire de plus grandes choses quand nous avons plus d'expérience dans notre nouvelle façon de vivre. Nous pouvons obtenir toute la force nécessaire de notre Dieu invisible. Nous pouvons obtenir Sa grâce et Son esprit pour nous rendre plus efficaces chaque jour. Des occasions de rendre le monde meilleur se présentent à nous. La puissance de Dieu est à la source de toutes les bonnes actions.

Prière du jour

Je demande de trouver la place qui m'est assignée sur cette terre. Je demande que la grâce de Dieu rende mon travail plus efficace.

L'esprit du mouvement A.A. est un esprit de fraternité. Nous avons lu beaucoup de choses à ce sujet, mais c'est un élément si important du mouvement A.A. qu'il nous semble impossible de trop y réfléchir. L'homme n'est pas fait pour vivre seul. La vie d'ermite n'est pas normale et naturelle. Nous avons parfois besoin d'être seuls mais nous ne pouvons pas vivre ainsi toute la vie. Notre nature demande la présence des autres. Nos vies dépendent beaucoup des autres. La fraternité A.A. nous semble la meilleure au monde. *Est-ce que j'apprécie à sa pleine valeur ce que la fraternité des A.A. signifie pour moi?*

Méditation du jour

Nous recherchons tous quelque chose, mais plusieurs ne savent pas ce qu'ils veulent dans la vie. Ils cherchent quelque chose parce qu'ils sont à bout de patience et insatisfaits; ils ne se rendent pas compte que la foi en Dieu peut leur donner un but dans la vie. Plusieurs hommes, au moins dans leur subconscient, cherchent une Puissance supérieure à eux-mêmes parce qu'Elle donnerait un sens à leur vie. Si vous avez trouvé cette Puissance supérieure, vous pouvez guider des humains dans la bonne voie, pour donner un sens à leur vie en leur démontrant que leurs recherches cesseront quand ils auront trouvé comme réponse la foi et la confiance en Dieu.

Prière du jour

Je demande que mon âme perde son agitation en trouvant son repos en Dieu. Je demande de trouver la paix d'esprit dans la pensée de Dieu et Ses desseins pour ma vie.

La fraternité de nos amis de boisson en était une de remplacement, faute de mieux. À cette époque, nous ne savions pas ce qu'est la véritable fraternité. La fraternité des buveurs a un défaut grave. Elle ne repose pas sur une base solide. Elle a surtout pour base votre désir de vous servir de vos compagnons pour votre propre plaisir, et se servir des autres est un mauvais fondement. Les amis de la bouteille ont été chantés sur tous les tons. "La coupe de la gaieté" est devenue le symbole de cette amitié. Mais nous constatons que les cellules supérieures de notre cerveau sont engourdies par l'alcool et qu'une pareille amitié ne peut pas être de grande qualité. Elle est tout au plus une amitié de remplacement. *Est-ce que je la vois, cette amitié de buveur, sous son vrai jour?*

Méditation du jour

Comprenez tous les jours, de plus en plus, l'existence d'une Puissance Supérieure. Nous devons essayer d'améliorer notre contact conscient avec Dieu. Nous y parviendrons par la prière, la réflexion et la méditation. Très souvent, il vous suffit de faire silence autour de vous et de laisser parler Dieu dans vos pensées. Essayez de penser comme Dieu. Quand Il vous donne son inspiration, n'hésitez pas, obéissez-Lui dans toutes vos actions de la journée, ne faisant que ce qui vous semble bien.

Prière du jour

Je demande de garder le silence et de savoir que Dieu est avec moi. Je Lui demande d'ouvrir mon esprit à l'inspiration de son Intelligence divine.

Les médecins parlent de la fraternité des A.A. comme d'une thérapie de groupe. C'est une explication très limitée de la profondeur de la fraternité A.A. Si on l'envisage purement et simplement comme moyen d'acquérir et de garder la sobriété, nous sommes d'accord avec les médecins. Mais cette opinion ne va pas assez loin. La thérapie de groupe a pour but l'aide qu'en retire chaque individu. Elle est essentiellement égoïste. Il s'agirait de se servir des autres alcooliques et de leur amitié seulement dans le but de rester sobres nous-mêmes. Mais ce n'est là que le début de la véritable fraternité A.A. *Est-ce que je ressens profondément ce qu'est la véritable fraternité A.A.?*

Méditation du jour

Presque tous, nous avons vécu dans les ténèbres, dans la faillite, dans la nuit de nos vies; nous luttions contre les soucis et le remords et nous assistions impuissants à la tragédie de nos vies. Mais en nous abandonnant tous les jours à une Puissance supérieure, la joie et la paix ont tout remis à neuf. Nous pouvons maintenant accepter chaque jour comme un cadeau de Dieu, dont nous nous servons pour Lui et pour nos frères humains. La nuit du passé est maintenant finie, ce jour nous appartient.

Prière du jour

Je demande de recevoir ce jour comme un cadeau de Dieu. Je demande de remercier Dieu de cette journée et d'être heureux aujourd'hui.

Le clergé parle de la fraternité spirituelle de l'église. Voilà qui est beaucoup plus près de la fraternité A.A. qu'une simple thérapie de groupe. Une telle fraternité repose sur une foi commune en Dieu et un effort commun dans le but de vivre une vie spirituelle. Voilà ce que nous essayons de faire chez les A.A. Nous essayons aussi de nous attaquer en profondeur aux vrais problèmes dans nos vies et dans celles de nos frères. Nous essayons de nous confier les uns aux autres. Nous avons le réel désir d'aider nos semblables. Nous essayons d'étudier avec soin la vie personnelle de nos membres. *Est-ce que j'apprécie cette profonde fraternité personnelle des A.A.?*

Méditation du jour

L'amour et la peur ne font pas bon ménage. Par leur nature même, ces deux choses ne peuvent exister ensemble. La peur est une très grande force. Un amour incertain et faible peut donc facilement être chassé par la peur. Mais un amour puissant, un amour qui a confiance en Dieu, est certain de vaincre un jour la peur. Le seul moyen assuré de dissiper la peur est cet amour de Dieu toujours grandissant dans notre âme et notre coeur.

Prière du jour

Je demande que l'amour chasse la peur de ma vie. Je demande que ma crainte prenne la fuite devant la puissance de l'amour de Dieu.

Nous en arrivons à la fraternité A.A. Elle est en partie une thérapie de groupe. Elle est en partie une association à but spirituel. C'est même plus que cela. Elle a pour base une maladie commune, un échec commun et un problème commun. Elle va jusque dans le plus profond de nos vies personnelles et de nos besoins particuliers. Elle demande que nos membres confient les uns aux autres leurs pensées les plus intimes et leurs problèmes les plus secrets. Aucune barrière n'existe entre nous. Il le faut. Nous cherchons ensuite à nous aider réciproquement à nous rétablir. La fraternité A.A. a pour fondement un désir sincère d'aider les autres. Dans A.A., nous sommes certains de trouver de la sympathie, de la compréhension et une aide véritable. Voilà ce qui fait de la fraternité A.A. la meilleure que nous connaissions. *Est-ce que j'apprécie la profondeur de la fraternité A.A.?*

Méditation du jour

La Puissance supérieure nous indiquera sûrement les bonnes décisions à prendre si nous lui en faisons la demande. Nous pouvons croire que Dieu a Ses desseins pour bien des détails de nos vies, et qu'Il pardonnera avec beaucoup d'amour miséricordieux les fautes que nous avons commises. Nous Lui demandons chaque jour de nous montrer le vrai chemin à suivre. Si nous choisissons le chemin du bien, nous aurons l'impression que tout l'univers nous soutient. Nous pouvons parvenir à une véritable harmonie avec le but de Dieu concernant nos vies.

Prière du jour

Je demande de choisir le bon chemin aujourd'hui. Je demande de découvrir comment il convient que je vive aujourd'hui.

La méthode A.A. est la méthode du service. Sans l'esprit d'entraide, le mouvement ne donnerait pas de bons résultats. Nous avons été "à sec" et nous n'avons pas aimé cela. Nous avons fait des promesses et nous avions hâte de nous en libérer. Nous avons, par tous les moyens, essayé de nous aider nous-mêmes. Mais nous ne nous sommes sentis vraiment soulagés que le jour où nous avons commencé à aider les autres. C'est d'ailleurs une maxime reconnue que l'on doit transmettre le message A.A. si l'on veut en garder les avantages. Une rivière coule dans la Mer Morte et s'y arrête. Une autre rivière coule dans un lac limpide et continue ensuite son cours. Ainsi nous recevons puis nous donnons. Si nous ne donnons pas, nous ne conservons pas ce que nous avons reçu. *Ai-je rejeté toute idée de garder pour moi seul ce que j'ai reçu du mouvement A.A.?*

Méditation du jour

Essayez de voir la vie de l'esprit comme un endroit calme et éloigné de l'agitation du monde. Pensez à votre demeure sprituelle comme à un lieu plein de paix, de sérénité et de contentement. C'est là que vous trouverez la force d'envisager le devoir et les problèmes quotidiens. Revenez toujours à cette paix d'esprit quand vous êtes troublé par les tracas du monde extérieur. De ce calme et de ce recueillement viendront votre force.

Prière du jour

Je demande de demeurer dans cet endroit de repos où je peux communiquer avec Dieu. Je demande de trouver la paix dans mes méditations sur l'Éternel.

Rendre service aux autres améliore la société. La civilisation disparaîtrait si chaque individu ne vivait toujours que pour lui-même. Comme alcooliques, nous avons une excellente occasion de contribuer au bien-être du monde. Nous avons un problème commun. Nous connaissons une solution commune. Nous avons une méthode sans pareille pour aider les personnes qui ont le même problème que nous. Quel monde merveilleux ce serait si chacun de nous admettait son plus grand problème, en trouvait la solution, et mettait le reste de sa vie, pendant ses moments libres, au service de ceux qui souffrent du même problème! Nous aurions bientôt une société parfaite. *Est-ce que j'apprécie à sa juste valeur l'occasion unique que j'ai de rendre service?*

Méditation du jour

Aujourd'hui peut être vécu avec le sentiment intérieur de l'union à Dieu qui ne vous inspire que de bonnes pensées, de bonnes paroles et de bonnes actions. Si parfois il y a de l'ombre dans votre vie et si vous êtes mal en train, rappelez-vous que ce n'est pas parce que Dieu s'est éloigné de vous, mais parce que vous avez oublié temporairement la présence de Dieu. Durant les jours gris de votre vie faites votre devoir, mais sachez que, cette période sombre passée, vous retrouverez la présence consciente de Dieu en vous.

Prière du jour

Je demande à Dieu de faire face avec courage aux jours sombres. Je demande d'avoir confiance que les jours heureux reviendront.

La méthode A.A. est la méthode de la foi. Nous n'obtenons tous les bénéfices que peut nous apporter ce programme que dans la mesure de l'abandon de nos vies à une Puissance supérieure à nous-mêmes et si nous avons confiance que cette Puissance nous donnera les forces dont nous avons besoin. Il n'y a pas de meilleure méthode pour nous. Nous pouvons obtenir la sobriété sans elle. Il est possible de rester sobre quelque temps sans elle. Mais si nous voulons vivre pleinement, il nous faut accepter la méthode de la foi en Dieu. Voilà le sentier qu'il nous faut suivre. *Suis-je véritablement engagé dans le chemin de la foi?*

Méditation du jour

La vie n'est pas la recherche du bonheur. Le bonheur est un sous-produit d'une vie bien vécue. Ne cherchez pas le bonheur, cherchez plutôt la vraie façon de vivre et le bonheur sera votre récompense. Parfois, la vie deviendra un fardeau lourd à porter; il y aura des jours où tout semblera s'effondrer. Levez la tête et vous verrez Dieu sourire avec amour à votre courage et à votre fidélité. À nouveau vous connaîtrez le bonheur. Le bonheur est le fruit d'une vie bien vécue.

Prière du jour

Je demande de ne pas chercher le bonheur mais plutôt de chercher à faire le bien. Je demande de ne pas chercher le plaisir mais plutôt les valeurs qui apportent le vrai bonheur.

La foi n'est pas uniquement une nécessité du mouvement A.A. Elle l'est pour tous ceux qui veulent vivre pleinement leur vie. Mais combien nombreux sont ceux qui dans le cours de leur vie ont à peine effleuré cette source de force. Et plusieurs en souffrent. Le monde manque de foi. Aussi combien nombreux sont ceux pour qui l'univers a perdu toute signification. Plusieurs se demandent s'il a vraiment un sens. Plusieurs n'y comprennent rien. Ils sont devenus des étrangers sur cette terre. Ils ne sont plus chez eux. Mais pour nous des A.A. cette foi profonde est devenue notre mode de vie. Notre passé nous a prouvé que nous ne pouvions pas vivre sans elle. *Est-ce que je pense que je pourrais vivre heureux sans la foi?*

Méditation du jour

"Il fait lever son soleil sur les méchants et les bons et il fait descendre la pluie sur les bons comme sur les méchants." Dieu ne contrecarre pas les lois de la nature. Les lois de la nature sont immuables sans quoi nous ne pourrions pas nous y fier. Dans l'ordre de la nature, Dieu ne fait aucune distinction entre les bons et les méchants. La maladie et la mort frappent partout. Mais il faut aussi obéir aux lois spirituelles. De notre choix de ce qui est bien ou mal dépend le progrès de nos esprits vers le véritable succès et la victoire, ou, au contraire, notre descente vers l'échec et la défaite morale.

Prière du jour

Je demande de choisir aujourd'hui le chemin de la vie spirituelle. Je demande de vivre aujourd'hui avec foi, espérance et amour.

À moins d'avoir la clef de la foi, il vous est impossible de découvrir le sens réel de la vie. Nous ne choisissons pas la foi parce que c'est une façon de vivre pour nous, mais bien parce que c'est la seule façon de vivre. Plusieurs sont tombés et plusieurs tomberont. Nous ne pouvons pas vivre victorieusement sans la foi; nous sommes alors comme un navire en mer sans gouvernail et sans ancre, à la dérive sur la mer de la vie. Des voyageurs sans demeure. Nos esprits sont inquiets jusqu'à ce qu'ils trouvent la paix en Dieu. Sans la foi nos vies sont une succession de faits dénués de sens et sans rime ni raison. *Ai-je trouvé le repos dans la foi?*

Méditation du jour

Ce vaste univers, y compris cette merveilleuse planète qu'est la terre sur laquelle nous vivons, n'était peut-être autrefois qu'une simple pensée dans l'intelligence de Dieu. Plus les astronomes et les physiciens s'approchent, dans leurs recherches, de la composition ultime des choses, plus cet univers se résume à une formule mathématique, c'est-à-dire à la pensée. L'univers pourrait bien être la pensée de ce grand architecte qu'est Dieu. Il nous faut rechercher conseil auprès de l'Intelligence divine pour connaître ses intentions au sujet du monde et des hommes, et pour apprendre ce que nous pouvons faire pour agir selon Ses intentions.

Prière du jour

Je demande de ne pas m'inquiéter des limites de l'esprit humain. Je demande d'apprendre à vivre comme si mon intelligence était la réflection de l'Intelligence divine.

L'incroyant et l'agnostique disent qu'il nous est impossible de découvrir le vrai sens de la vie. Plusieurs ont cherché cette explication sans succès. Mais bien plus nombreux sont ceux qui ont mis de côté leur orgueil intellectuel et se sont dit à eux-mêmes: "Qui suis-je pour dire qu'il n'y a pas de Dieu? Qui suis-je pour dire que la vie n'a aucun but?" L'athée déclare: "L'univers a eu une origine mystérieuse et ne va nulle part". D'autres ne vivent que pour le moment présent, sans même se demander pourquoi ils existent ni où ils vont. Ils pourraient tout aussi bien être des mollusques au fond de l'océan, protégés par le dur coquillage de leur indifférence. Ils ne vont nulle part et ils s'en balancent. *Est-ce que je me préoccupe de ma destinée?*

Méditation du jour

Nous pouvons considérer le monde matériel un peu comme la glaise dont se sert l'artiste pour en faire quelque chose de beau ou de laid. Nous n'avons pas à craindre les choses matérielles qui sont, au sens moral, ni bonnes ni mauvaises. Il semble qu'il n'existe aucune force active pour le mal, aucun démon, en dehors de l'homme lui-même. Seul l'homme de mauvaise volonté est à craindre. Seul l'homme peut avoir de mauvaises intentions (du ressentiment, de la méchanceté, de la haine et de la vengeance) ou de bonnes intentions (de l'amour et de la bonne voionté). Comme l'artiste, il peut faire de la glaise de sa vie une oeuvre d'une grande beauté ou d'une repoussante laideur.

Prière du jour

Je demande de faire de ma vie quelque chose de bon. Je demande de me servir en bon artisan des matériaux que la vie m'a donnés.

Notre foi devrait dominer toute notre vie. Nous, les alcooliques, nous vivions une vie divisée. Il nous a fallu trouver un moyen de retrouver l'unité de notre vie. Lorsque nous buvions, nos vies étaient faites de pièces éparses et sans relations entre elles. Il faut nous ressaisir, prendre ces lambeaux et les regrouper. Nous le faisons en retrouvant la foi au Principe divin de l'univers qui maintient notre cohésion et celle de l'univers et lui donne un sens et un but. Nous abandonnons nos vies désorganisées à cette Puissance et nous en obtenons l'harmonie avec l'Esprit divin; nos vies retrouvent ainsi leur cohésion. *Ai-je retrouvé l'unité de ma vie?*

Méditation du jour

Évitez la crainte comme si c'était un fléau. La crainte, même la moindre crainte, ronge le lien de la foi qui nous rattache à Dieu. Si faible qu'elle soit, cette crainte rongera ce lien; il perdra de sa force et un jour une déception ou un choc le brisera. Sans ces multiples craintes, le lien aurait tenu bon. Évitez d'être déprimé, car c'est un état qui se rattache à la crainte. N'oubliez pas que toute crainte est un manque de loyauté envers Dieu. C'est rejeter Sa sollicitude et Sa protection.

Prière du jour

Je demande que ma confiance en Dieu soit telle que je ne craigne trop quoique ce soit. Je demande d'avoir l'assurance que Dieu prendra soin de moi en temps et lieu.

Intérieurement, ai-je cessé de me considérer vaincu et en guerre avec moi-même? Me suis-je donné librement au mouvement A.A. et à la Puissance supérieure? Ai-je fini de me sentir abattu? Suis-je encore à la dérive dans mes idées ou, au contraire, ai-je enfin donné une direction précise à mes pensées? Je peux faire face à n'importe quoi si j'ai la conviction d'être dans la bonne voie. Quand j'aurai cette conviction, je devrais parier ma vie sur le mouvement A.A. Je sais comment notre programme fonctionne. Maintenant, est-ce que je mettrai le programme en pratique avec tout ce que j'ai, tout ce que je peux donner, toute mon énergie et toute ma vie? *Est-ce que je permettrai aux principes A.A. de guider le reste de ma vie?*

Méditation du jour

Durant cette période de méditation, laissez-vous diriger par le Seigneur. Dans toutes les décisions que vous aurez à prendre aujourd'hui, écoutez la voix de votre conscience. Considérer les événements de cette journée comme faisant partie du plan de Dieu. Il pourra vous orienter pour que vous preniez la bonne décision. Attendez patiemment dans cette tranquillité de l'âme jusqu'à ce que vous sentiez une impulsion intérieure, une directive, l'impression que ce que vous ferez sera bien, c'est-à-dire l'impulsion donnée par l'esprit de Dieu à votre volonté.

Prière du jour

Je demande d'essayer aujourd'hui de me laisser conduire par l'impulsion intérieure provenant de Dieu. Je demande de me laisser guider par ma conscience et de faire ce qui me semble bien.

En nous rappelant le temps où nous buvions, nous devons constater que nos vies étaient un tissu de confusion parce que la confusion régnait en nous-mêmes. Le mal était en nous, et non pas dans la vie elle-même. En réalité, la vie elle-même était assez bonne pour nous mais nous ne la prenions pas de la bonne façon. Cette vie, nous la regardions à travers le fond d'un verre d'alcool et elle était déformée. Il nous était impossible de voir toute la beauté et la bonté et le but de ce qui nous entourait parce que notre vue était brouillée. Nous nous étions enfermés dans une pièce où il y avait aux fenêtres des vitres où l'on ne voit que d'un côté. Les gens nous voyaient bien, mais nous ne pouvions pas les voir ni comprendre ce que la vie signifiait pour eux et ce qu'elle aurait dû signifier pour nous. Nous étions alors aveugles, mais maintenant nous pouvons voir. *Est-ce que je peux maintenant voir la vie telle qu'elle est vraiment?*

Méditation du jour

Ne craignez pas l'esprit du mal, parce que la puissance divine peut le vaincre. Le mal ne pourra atteindre que ceux qui ne se seront pas placés sous la protection de la Puissance supérieure. Ce n'est pas qu'une impression, c'est un fait véritable de notre expérience. Dites-vous avec confiance que l'esprit du mal ne peut vous atteindre et vous blesser gravement tant et aussi longtemps que vous resterez entre les mains de cette Puissance supérieure. Soyez certain de la protection de la grâce de Dieu.

Prière du jour

Je demande de n'être pas abattu par la crainte du mal. Je demande d'essayer de me placer aujourd'hui sous la protection de la grâce de Dieu.

Nous avons définitivement abandonné ce monde du rêve. Ce n'était qu'une illusion. C'était un monde que nous nous étions imaginé mais ce n'était pas le monde réel. Nous regrettons ce passé, il est vrai, mais tout de même nous en avons tiré des leçons inestimables. Cette vie a été une expérience d'une grande valeur parce que nous y avons trouvé les connaissances qui nous ont permis d'envisager le monde tel qu'il est. Il nous a fallu devenir alcooliques pour découvrir la philosophie A.A. Il nous aurait été impossible de la découvrir autrement. D'une certaine façon, cette expérience en valait la peine. *Est-ce que je considère mon passé comme une expérience de grande valeur?*

Méditation du jour

Semez la paix et non le désaccord partout où vous irez. En toutes circonstances, essayez d'être du côté de la solution et non pas du côté de ceux qui rendent les problèmes difficiles. Essayez d'ignorer le mal au lieu de le combattre ouvertement. Essayez de construire au lieu de détruire. Par votre exemple, montrez aux autres que le bonheur est le fruit d'une vie bien vécue. La force de votre exemple dépasse celle de vos paroles.

Prière du jour

Je demande d'essayer aujourd'hui d'apporter un peu de bien dans chaque circonstance. Je demande que tout ce que je penserai et tout ce que je dirai aujourd'hui soit constructif.

Nous avons reçu en cadeau une vie nouvelle tout simplement parce que nous sommes devenus alcooliques. Nous ne méritons certainement pas cette nouvelle vie qui nous a été donnée. Il y a peu de bien dans notre vie passée pour justifier cette vie de bonheur que nous goûtons maintenant. Bien des gens ont bien vécu depuis leur jeunesse sans difficultés graves, parce qu'ils étaient naturellement adaptés à la vie; et pourtant ils n'ont pas trouvé ce que nous, les ivrognes, nous avons trouvé. Nous avons eu la bonne fortune de trouver les Alcooliques Anonymes et une nouvelle vie. Nous sommes parmi les rares chanceux au monde qui ont connu un nouveau mode de vie. *Suis-je profondément reconnaissant pour la nouvelle vie que le mouvement A.A. m'a fait connaître?*

Méditation du jour

Un profond sentiment de gratitude envers la Puissance supérieure a surgi en nous pour les bienfaits que nous avons reçus et que nous ne méritions pas. Nous en remercions Dieu très sincèrement. Nous essayons ensuite de rendre service à nos semblables par gratitude, pour tout ce que nous avons reçu. Cela nécessite certains sacrifices de notre part, mais nous sommes heureux de le faire. La gratitude, le dévouement et enfin le sacrifice voilà bien les différentes étapes du travail A.A. bien fait. Elles nous ouvrent la porte d'une vie nouvelle.

Prière du jour

Je demande d'être heureux de rendre service à mon prochain, comme geste de profonde gratitude pour tout ce que j'ai reçu. Je demande de conserver un sens profond du devoir.

Aujourd'hui plusieurs alcooliques se disent: "C'est un bon jour de Noël pour moi." Ils se souviendront des jours de Noël qui ne ressemblaient pas à celui-ci. Ils remercieront Dieu de leur sobriété et de leur vie nouvelle. Ils penseront à tous les changements que le mouvement A.A. a apportés dans leur vie. Peut-être penseront-ils que Dieu a permis qu'ils continuent à vivre, malgré les dangers et les risques de leur vie alcoolique, afin qu'Il puisse se servir d'eux comme de ses instruments dans le merveilleux travail des A.A. *Ce jour de Noël est-il pour moi un jour de bonheur?*

Méditation du jour

Le royaume du ciel existe aussi pour les humbles, les pécheurs et les repentants. "Et ils lui offrirent des présents, de l'or, de l'encens et de la myrrhe." Apportez vos présents — l'or de votre argent et de vos biens matériels. Apportez votre encens — la consécration de votre vie à une cause qui en vaut la peine. Apportez votre myrrhe — votre sympathie, votre compréhension et votre aide. Placez-les tous aux pieds de Dieu et laissez-Le s'en servir à sa guise.

Prière du jour

Je demande en ce jour de Noël de remercier Dieu sincèrement. Je demande d'apporter mes présents et de les placer sur l'autel.

Je suis heureux de faire partie du mouvement A.A., de cette grande fraternité qui existe dans le monde entier. Je ne suis qu'un membre parmi tous les A.A. mais, tout de même, j'en suis un. Je suis reconnaissant de vivre aujourd'hui, alors que je peux aider le mouvement A.A. à se développer, alors qu'il a besoin de moi pour mettre l'épaule à la roue et aider à l'oeuvre du mouvement. Je suis heureux de pouvoir me rendre utile, d'avoir une raison de vivre et un but dans la vie. Je veux perdre ma vie dans cette grande cause et ainsi la retrouver de nouveau. *Suis-je reconnaissant d'être un membre A.A.?*

Méditation du jour

Ces méditations peuvent nous enseigner la détente. Nous pouvons rendre service à notre prochain au moins un peu. Et nous pouvons être heureux en le faisant. Il ne faudrait pas trop nous en faire pour ceux que nous ne pouvons pas aider. Nous pouvons prendre l'habitude de laisser à Dieu les conséquences des actes que nous posons. Nous pouvons avancer dans la vie en faisant de notre mieux, mais sans aucun sentiment d'urgence ou de tension. Nous pouvons jouir de toutes les bonnes choses et de la beauté de la vie, et en même temps avoir profondément confiance en Dieu.

Prière du jour

Je demande de consacrer ma vie à cette grande cause. Je demande d'obtenir la joie et la satisfaction qui sont les fruits du bon travail bien fait.

J'ai besoin des principes A.A. pour faire revivre cette vie oubliée au fond de moi-même, cette vraie vie que j'avais égarée, mais que j'ai retrouvée dans cette fraternité. Cette vie se développe lentement mais sûrement en moi-même malgré bien des difficultés, des erreurs, des faiblesses. Tant que je resterai dans le mouvement A.A., ma vie continuera à s'améliorer. Je ne sais pas encore ce qu'elle sera exactement, mais je sais qu'elle sera bonne. C'est tout ce que je veux savoir. Elle sera bonne. *Est-ce que je remercie Dieu de m'avoir donné le mouvement A.A.?*

Méditation du jour

Bâtissez votre vie sur le solide fondement de la véritable gratitude envers Dieu pour tous ses bienfaits et de la véritable humilité parce que vous n'êtes pas digne de ces bienfaits. Que la structure de l'édifice de votre vie soit la discipline personnelle; ne devenez jamais égoïste, paresseux ou satisfait de vous-même. Que les murs de votre vie soient faits des services que vous rendez à votre prochain, en aidant les autres à trouver notre mode de vie. Que le toit en soit la prière et la méditation; attendez les directives venant de Dieu. Entourez l'édifice de votre vie d'un jardin dans lequel germeront la paix d'esprit, la sérénité et une foi profonde.

Prière du jour

Je demande de bâtir ma vie sur la base des principes A.A. Je demande que mon édifice soit solide lorsqu'il sera terminé.

Le mouvement A.A. est une association humaine, mais son but est divin. Son but ultime est de me faire connaître Dieu et une vie saine. Mes pas se sont engagés dans le bon chemin. Je le sens au plus profond de tout mon être. Je sais que je vais dans la bonne direction. Je peux abandonner mon avenir à Dieu en toute sécurité. Ce que l'avenir me réserve sera à la mesure de mes forces. J'ai l'aide de la Puissance divine qui m'aidera à faire face à tout ce qui pourrait m'arriver. *Ma vie est-elle orientée vers Dieu et une vie saine?*

Méditation du jour

Même s'Il est invisible, le Seigneur est toujours près de ceux qui croient en Lui, ont confiance en Lui et comptent sur Lui pour obtenir la force dont ils ont besoin dans les épreuves de la vie. Quoiqu'elle soit invisible à l'oeil mortel de l'homme, cette Puissance supérieure est toujours à notre disposition si nous lui demandons humblement son aide. Cette impression que Dieu est auprès de nous ne doit pas être à la merci de notre fantaisie; nous devons plutôt être toujours conscients de Sa puissance et de Son amour à l'arrière-plan de nos vies.

Prière du jour

Je demande de ressentir aujourd'hui que Dieu est assez près de moi pour que je puisse compter sur Lui. Je demande d'avoir confiance, aujourd'hui, qu'Il est prêt à me donner toute la force qui m'est nécessaire.

Je participe aux avantages qu'offre le mouvement A.A., et j'en partagerai aussi les responsabilités en me faisant un devoir de faire ma part avec joie et non à contre-coeur. Je suis profondément reconnaissant pour les avantages que j'obtiens en étant membre de ce grand mouvement. Ils me créent des obligations que je ne chercherai pas à éviter. C'est avec joie que je porterai ma part du fardeau. Parce que je poserai ce geste avec joie, ces obligations ne seront plus un fardeau, mais des occasions de faire le bien. *Accepterai-je chaque occasion avec joie?*

Méditation du jour

Le travail et la prière sont les deux forces qui, peu à peu, rendent le monde meilleur. Nous devons travailler à l'amélioration des autres et de nous-mêmes. La foi sans les oeuvres est une foi morte. Cependant, tout travail fait en collaboration avec des humains devrait s'appuyer sur la prière. Nous aurons de meilleurs résultats si nous récitons une courte prière avant de parler ou d'essayer d'aider quelqu'un. La prière est l'énergie qui soutient le travail. La prière s'appuie sur la foi qui affirme que Dieu agit avec nous et par nous. Nous pouvons croire que rien n'est impossible dans le domaine des relations humaines, si nous comptons sur l'aide de Dieu.

Prière du jour

Je demande que ma vie trouve un heureux équilibre dans le travail et la prière. Je demande de ne pas travailler sans prier et de ne pas prier sans travailler.

Le mouvement A.A. faillira à sa tâche dans la proportion où je n'accepterai pas mes responsabilités. Le mouvement A.A. réussira dans la proportion où je réussirai. Chacun de mes manquements nuira à l'oeuvre des A.A. Je n'attendrai pas qu'on me le demande pour mettre mes services à la disposition de mes semblables, mais j'offrirai librement mes services. J'accepterai chaque occasion de travailler pour les A.A. comme un défi, et je ferai de mon mieux pour accepter chaque défi et accomplir ma tâche le mieux possible. *Accepterai-je chaque défi avec joie?*

Méditation du jour

Au sens le plus profond, l'homme est toujours un raté quand il essaie de vivre sans la puissance fortifiante de Dieu. Bien des hommes essaient de se suffire à eux-mêmes et recherchent des plaisirs égoïstes; mais ils découvrent qu'ils ne sont pas tellement satisfaits. Malgré les richesses qu'ils accumulent, malgré leur prestige et leur puissance matérielle, ils font face un jour à la déception et au néant. La mort n'est pas loin et ils ne peuvent rien apporter avec eux, rien de matériel. À quoi me sert de gagner l'univers si je perds mon âme?

Prière du jour

Je demande de ne pas avoir les mains vides lorsque je serai rendu au terme de mes jours. Je demande de vivre de façon à ne pas avoir peur de mourir.

Je serai loyal dans mon assiduité, généreux dans mes dons, bienveillant dans mes critiques; mes suggestions seront constructives et j'agirai avec amour. Je donnerai au mouvement A.A. mon intérêt, mon enthousiasme, mon dévouement et, plus que tout, je me donnerai moi-même. Le Pater fait maintenant partie de ma pensée A.A. pour chaque jour. "Notre Père qui êtes aux cieux, que Votre nom soit sanctifié, que Votre règne arrive, que Votre volonté soit faite sur la terre comme au ciel. Donnez-nous aujourd'hui notre pain quotidien; pardonnez-nous nos offenses comme nous pardonnons à ceux qui nous ont offensés; ne nous induisez pas en tentation, mais délivrez-nous du mal." *Me suis-je donné moi-même?*

Méditation du jour

En passant en revue l'année qui se termine, nous savons que cette année a été bonne en autant que nous y avons mis de bonnes pensées, de bonnes paroles et de bonnes actions. Rien de ce que nous avons pensé ou dit ou fait ne se perd inutilement. On peut profiter des bonnes et des mauvaises expériences. En un sens, le passé n'est pas tout à fait disparu. Ses résultats, pour le meilleur ou pour le pire, sont présentement avec nous. Nous ne pouvons apprendre que par l'expérience et aucune de nos expériences n'est complètement perdue. Nous pouvons humblement remercier Dieu pour les bienfaits de l'année qui se termine.

Prière du jour

Je demande de continuer à faire le bien pendant l'année qui va commencer. Je demande de garder dans ma vie la foi, la prière et l'espoir.

LES DOUZE ÉTAPES A.A.

1. Nous avons admis que nous étions impuissants devant l'alcool — que nous avions perdu la maîtrise de nos vies.

2. Nous en sommes venus à croire qu'une Puissance supérieure à nous-mêmes pouvait nous rendre la raison.

3. Nous avons décidé de confier notre volonté et nos vies aux soins de Dieu tel que nous Le concevions.

4. Nous avons courageusement procédé à un inventaire moral minutieux de nous-mêmes.

5. Nous avons avoué à Dieu, à nous-mêmes et à un autre être humain la nature exacte de nos torts.

6. Nous avons pleinement consenti à ce que Dieu éliminât tous ces défauts de caractère.

7. Nous Lui avons humblement demandé de faire disparaitre nos déficiences.

8. Nous avons dressé une liste de toutes les personnes que nous avions lésées et nous avons résolu de leur faire amende honorable.

9. Nous avons réparé nos torts directement envers ces personnes, partout où c'était possible, sauf lorsqu'en ce faisant nous pouvions leur nuire ou faire tort à d'autres.

10. Nous avons poursuivi notre inventaire personnel et promptement admis nos torts dès que nous nous en sommes aperçus.

11. Nous avons cherché par la prière et la méditation à améliorer notre contact conscient avec Dieu tel que nous Le concevions, Lui demandant seulement de nous faire connaitre Sa volonté à notre égard et de nous donner la force de l'exécuter.

12. Comme résultat de ces étapes, nous avons connu un réveil spirituel, nous avons alors essayé de transmettre ce message aux alcooliques et de mettre en pratique ces principes dans tous les domaines de notre vie.

LA PRIÈRE
DE LA SÉRÉNITÉ

Mon Dieu, donnez-moi
la SÉRÉNITÉ d'accepter
les choses que je ne puis changer,
le COURAGE de changer
les choses que je puis changer,
et la SAGESSE d'en
connaître la différence...

Les Douze Traditions A.A.

1. Notre bien-être commun devrait venir en premier lieu: le relèvement personnel dépend de l'unité des A.A.

2. Pour le bénéfice de notre groupe, il n'existe qu'une seule autorité ultime — un Dieu d'amour comme Il peut se manifester dans la conscience de notre groupe. Nos chefs ne sont que de fidèles serviteurs; ils ne gouvernent pas.

3. La seule condition requise pour devenir membre des A.A. est un désir d'arrêter de boire.

4. Chaque groupe devrait être autonome, sauf sur des sujets touchant d'autres groupes ou le mouvement A.A. en entier.

5. Chaque groupe n'a qu'un seul but primordial — transmettre son message à l'alcoolique qui souffre encore.

6. Un groupe des A.A. ne doit jamais endosser, financer ou prêter le nom des A.A. à des groupements connexes ou à des organisations étrangères de peur que les soucis d'argent, de propriété et de prestige ne nous distraient de notre but premier.

7. Chaque groupe des A.A. doit entièrement couvrir ses frais, refusant les contributions de l'extérieur.

8. Les A.A. devraient toujours demeurer non-professionnels, mais nos centres de service peuvent engager des employés spéciaux.

9. Les A.A. comme tels, ne doivent jamais être organisés; cependant nous pouvons constituer des conseils de service ou des comités directement responsables envers ceux qu'ils servent.

10. Les A.A. n'émettent jamais d'opinion sur des sujets étrangers; le nom des A.A. ne doit donc jamais être mêlé à des controverses publiques.

11. La politique de nos relations publiques est basée sur l'attrait plutôt que sur la réclame: nous devons toujours garder l'anonymat dans nos rapports avec la presse, la radio, la télévision et le cinéma.

12. L'anonymat est la base spirituelle de nos traditions, nous rappelant toujours de placer les principes au-dessus des personnalitès.

Texte colligé
par un membre du groupe
de Daytona Beach,
Floride.

Traduction française
par les membres du
Comité 24 Heures, Enr.
Montréal, (Québec)
Canada.

Ce livre est en vente
à l'adresse suivante:
Comité 24 heures enr.
C.P. 78, Succ. P.A.T.
Montréal, Québec, Canada
H1B 5K1

NOTES

NOTES

NOTES

NOTES

NOTES

NOTES

NOTES

NOTES

NOTES

NOTES